Expedição Vera Cruz

Uma fantástica aventura pelos mitos e lendas do Brasil

Ronaldo Luiz Souza

Expedição Vera Cruz

Uma fantástica aventura pelos mitos e lendas do Brasil

Rio de Janeiro

Vermelho Marinho

2017

Título Original
Expedição Vera Cruz
Uma fantástica aventura pelos mitos e lendas do Brasil

Editor-chefe
Tomaz Adour

Revisão
Equipe Vermelho Marinho

Diagramação
Estevão Ribeiro

Capa
Marina Ávila

S7293e Souza, Ronaldo Luiz
Expedição Vera Cruz: uma fantástica aventura pelos mitos e lendas do Brasil / Ronaldo Luiz Souza.
Rio de Janeiro: Vermelho Marinho, 2017.
384 p. 16 x 23 cm

ISBN: 978-85-8265-098-1

1. Literatura Brasileira. 2. Ficção. 3. Lendas.
I. Título.

CDD: B869.3

EDITORA VERMELHO MARINHO USINA DE LETRAS LTDA
Rio de Janeiro – Departamento Editorial:
Rua Visconde de Silva, 60 / 102 – Botafogo – Rio de Janeiro - RJ
CEP: 22.271-092
www.editoravermelhomarinho.com.br

Tudo é loucura ou sonho no começo. Nada do que o homem fez no mundo teve início de outra maneira – mas já tantos sonhos se realizaram que não temos o direito de duvidar de nenhum.
Monteiro Lobato

Nossas alucinações são alegorias da realidade.
Carlos Drummond de Andrade

Uma vida não basta ser apenas vivida: também precisa ser sonhada.
Mário Quintana

Aos Povos Indígenas,
cuja sabedoria ancestral repousa na preservação de suas terras e nas crenças de uma mãe para cada coisa existente;
em Nanderú, O Pai Primeiro;
Nandecy, a Mãe da Terra e do Mundo;
Yakacy, a Senhora das águas;
Jakairá Ru Ete, o Senhor da Neblina Sagrada, dos Ventos e do Ar;
e Karaí Ru Ete, o Senhor do Fogo.

Agradecimentos

Agradeço imensamente às pessoas que foram essenciais para que esta publicação se realizasse: ao meu editor, Tomaz Adour, pelo sempre presente entusiasmo e dedicação, bem como ao ilustrador Valdez Araújo pela criativa série de ilustrações que enriquecem esta obra; à escritora Helena Gomes pelo belo prefácio; à Kyanja Lee pela leitura cuidadosa do original e por suas preciosas e sensatas dicas; ao revisor Leonardo de Barros por suas críticas aguçadas, ao amigo Jayme Piloni Júnior pelas observações quanto ao tratamento maçônico; às inúmeras pessoas que contribuíram direta ou indiretamente para a publicação deste livro e àquelas que continuam trabalhando para levá-lo ao público.

Em especial agradeço à minha esposa, Luciana, pela sua alegria pessoal e paciência ao longo de todo o tempo em que me dediquei à tarefa de dar vida a esta obra.

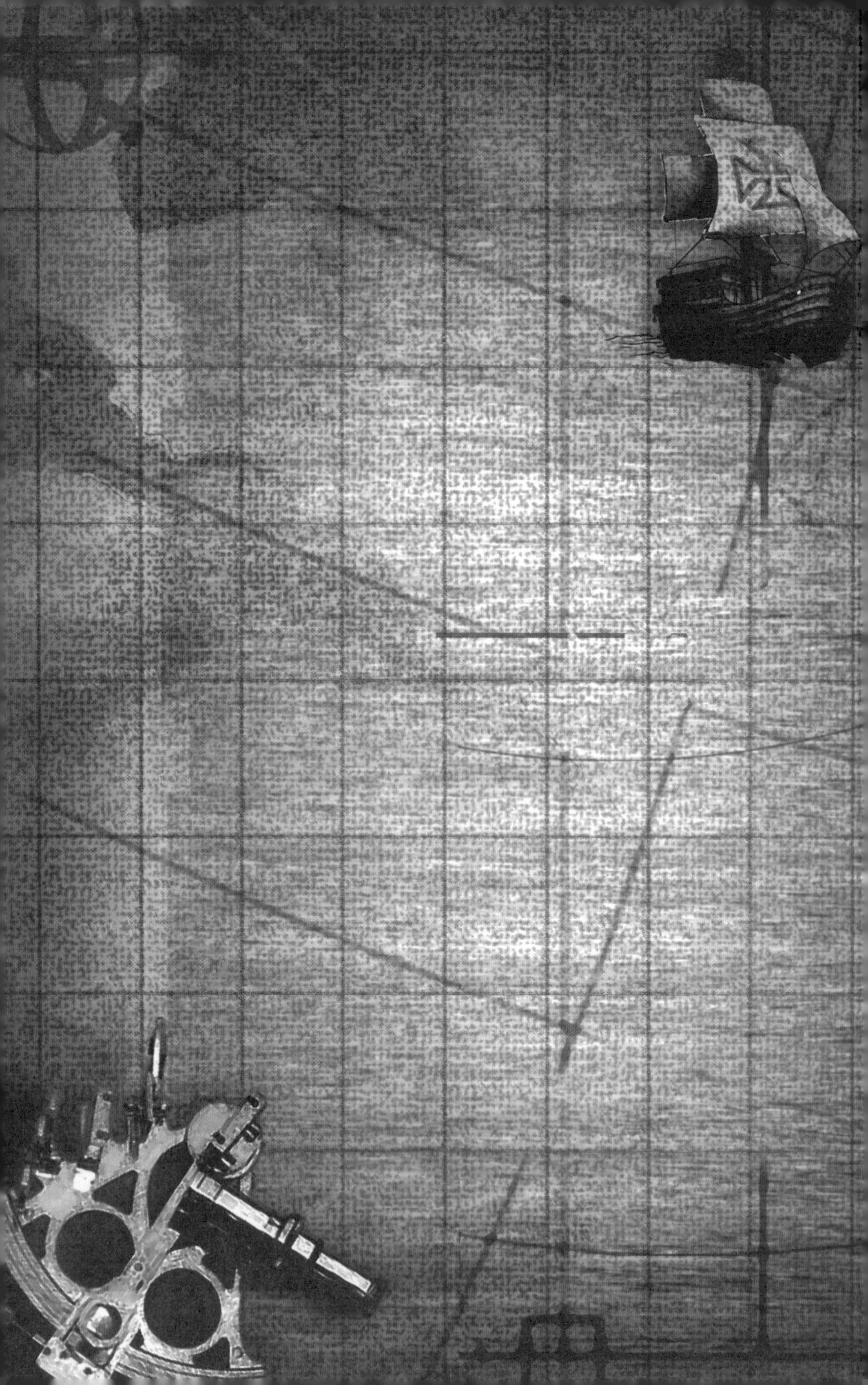

SUMÁRIO

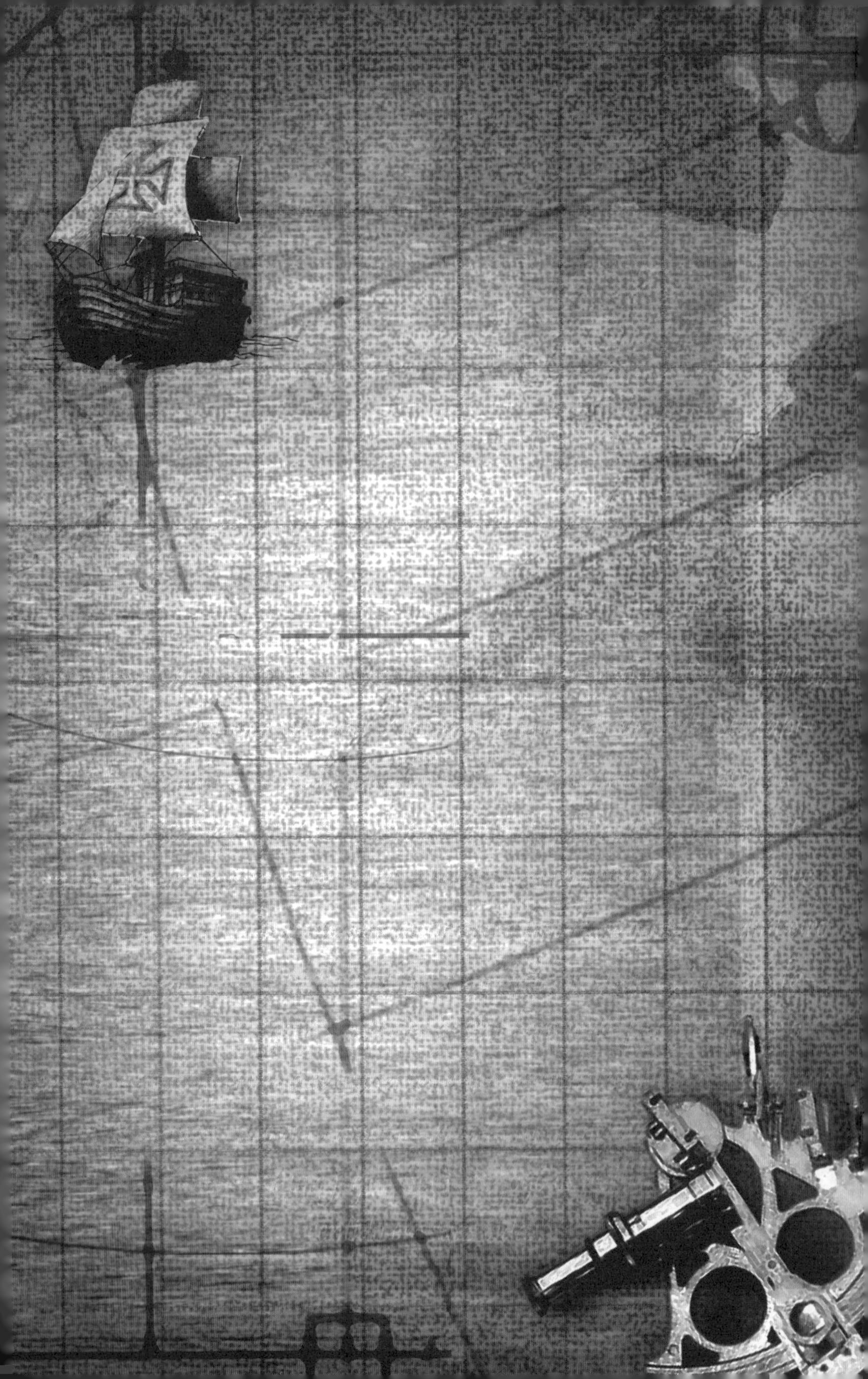

Prefácio

Um diário e muitos contos dentro de um livro de aventura. Expedição Vera Cruz é exatamente assim: várias histórias, todas interligadas e conduzidas por uma única trama principal. Recurso, aliás, que me deixou entusiasmada pela versatilidade.

E melhor: Ronaldo soube costurar detalhes tão numerosos e diversos como se contasse, sem pressa, um daqueles causos que se ouve ao redor de uma fogueira, em algum canto desse nosso interior tão rico em lendas.

A pesquisa também valoriza e muito *Expedição Vera Cruz.* É um mergulho numa mitologia indígena que fornece um material incrível para a ficção, infelizmente ainda pouco utilizado por autores nacionais e também vítima do preconceito de alguns leitores. Mas isto é assunto para outro texto...

Este livro que você tem em mãos reúne suspense, reviravoltas, cenários brasileiros e, claro, elementos mágicos. Uma boa combinação, com certeza. Agora, leitor, é a sua vez de desvendar o mistério.

Helena Gomes[1]

---

1 Escritora, jornalista e professora universitária, Helena Gomes publicou mais de 20 livros, entre eles a adaptação Tristão e Isolda (finalista do prêmio Jabuti e Selo Altamente Recomendável da FNLIJ, editora Berlendis), Sangue de Lobo (também finalista do prêmio Jabuti, escrito em parceria com Rosana Rios, editora DCL), Assassinato na Biblioteca (Rocco), Sabor de Sangue e Chocolate (Escrita Fina) e o infantil Nanquim – Memórias de um cachorro da Pet Terapia (Paulinas).

Nota do Autor

Um dos diversos contos que publiquei em antologias temáticas de editoras nacionais se baseava num fascinante e carismático personagem folclórico: o Curupira. Chamava-se "O Demônio das Florestas Tropicais" e mostrava um Curupira revoltado com a humanidade, desejoso de cruzar um portal que o levaria de volta a seu mundo natal. Tão logo foi escrito, o conto integrou a admirável obra *Dimensões.BR*, organizada por Helena Gomes e publicada pela *Andross Editora*. Meses depois, foi também publicado por Richard Diegues, então Editor da *Tarja Editorial*, no volume 4 da memorável e extraordinária série Paradigmas. Instigado pelo tema, a ideia de um romance extraído de lendas e mitos nacionais germinou forte em minha mente e não me abandonou mais.

Por onde andariam todas aquelas criaturas folclóricas? À solta por aí – respondi a mim mesmo –, prontas para nos surpreender quando menos esperássemos. Naquele instante, o gatilho da escrita foi disparado.

Embora, após adulto, eu tivesse me esquecido daqueles seres fabulosos, aquela pergunta pareceu tê-los libertado da dimensão em que se encontravam. Repentinamente me vi envolto por todo tipo de estranho ser, vindos dos mais distantes rincões deste país. Receoso, esgueirei-me silenciosamente na escuridão a fim de ver melhor o que me rondava. Um medo sorrateiro ressurgiu do passado. Minhas observações renderam as próximas páginas, nas quais se encontram aventuras, dramas, romances e pitadas de terror.

Adiante, é melhor o leitor também tomar cuidado. Seres fabulosos estão à espreita, prontos para agarrá-lo e atirá-lo num mundo extraordinário, onde os terrores caminham de mãos dadas com os desejos e com a imaginação. Fica meu alerta: se você é uma pessoa dogmática, sensível, de nervos fracos ou extremamente puritana, é melhor não buscar as origens culturais de seu próprio povo, e desistir da leitura das próximas páginas enquanto ainda é tempo, porque em nosso caldeirão mitológico se misturaram devassidão, heresias, maldições, depravações e horrores.

Extensa pesquisa formou os alicerces da história. A fantasia se construiu da aliança entre imaginação e criatividade, livres de quaisquer amarras geográficas, culturais ou históricas.

Derivei do primeiro nome dado por Cabral ao Brasil, *Terra de Vera Cruz*, o título desta obra, por ilustrar melhor aquele lugar, para além do *Mar Tenebroso*[2], ainda coberto pela névoa da incerteza e da dúvida, que os europeus esperavam encontrar no mundo real, orientados por velhas cartas náuticas e impulsionados por sua imaginação. Ansiavam pelo paraíso na terra, mas também temiam o pesadelo de um inferno povoado por feras monstruosas e demônios horripilantes.

Esteja agora pronto para embarcar em *Expedição Vera Cruz* e voltar para o tempo em que corriam rios de água limpa e pura na imensa floresta que cobria quase toda a paradisíaca *Terra Brasilis*, habitada por gente simples e nua, hospitaleira sim, embora, quando confrontados por inimigos, pudessem se tornar ferozes canibais. Entretanto, ainda permaneciam inocentes das mazelas humanas que há muito empesteavam outros continentes.

Expedição Vera Cruz é um singelo presente para meu povo. Festeja nossas raízes e tem a intenção de inspirar escritores e artistas a beberem de nossa fonte folclórica e exaltarem a sua imensa gama de seres fantásticos. Afinal, como disse Monteiro Lobato certa vez, numa carta a Godofredo Rangel, na primavera de 1916: *As fábulas em português (...) são pequenas moitas de amora do mato, espinhentas e impenetráveis. Um fabulário nosso, com bichos daqui em vez dos exóticos, se feito com arte e talento, dará coisa preciosa.*

---

2 - Antigamente, o oceano para além do Cabo do Bojador, também conhecido como Cabo do Medo, na costa do Saara Ocidental, África Setentrional, hoje conhecido como Oceano Atlântico Norte, era temido e evitado pelos navegadores. Recifes de arestas pontiagudas fervilhavam àquela região tornando a navegação extremamente perigosa. Ali haveria água fervente, monstros marinhos, cobras com rostos humanos, gigantes, dragões e canibais com a cabeça embutida no ventre. Apenas em 1434 o navegador português da Ordem de Cristo, Gil Eanes, o ultrapassou, derrubando os velhos mitos medievais e abrindo caminho para os grandes descobrimentos.

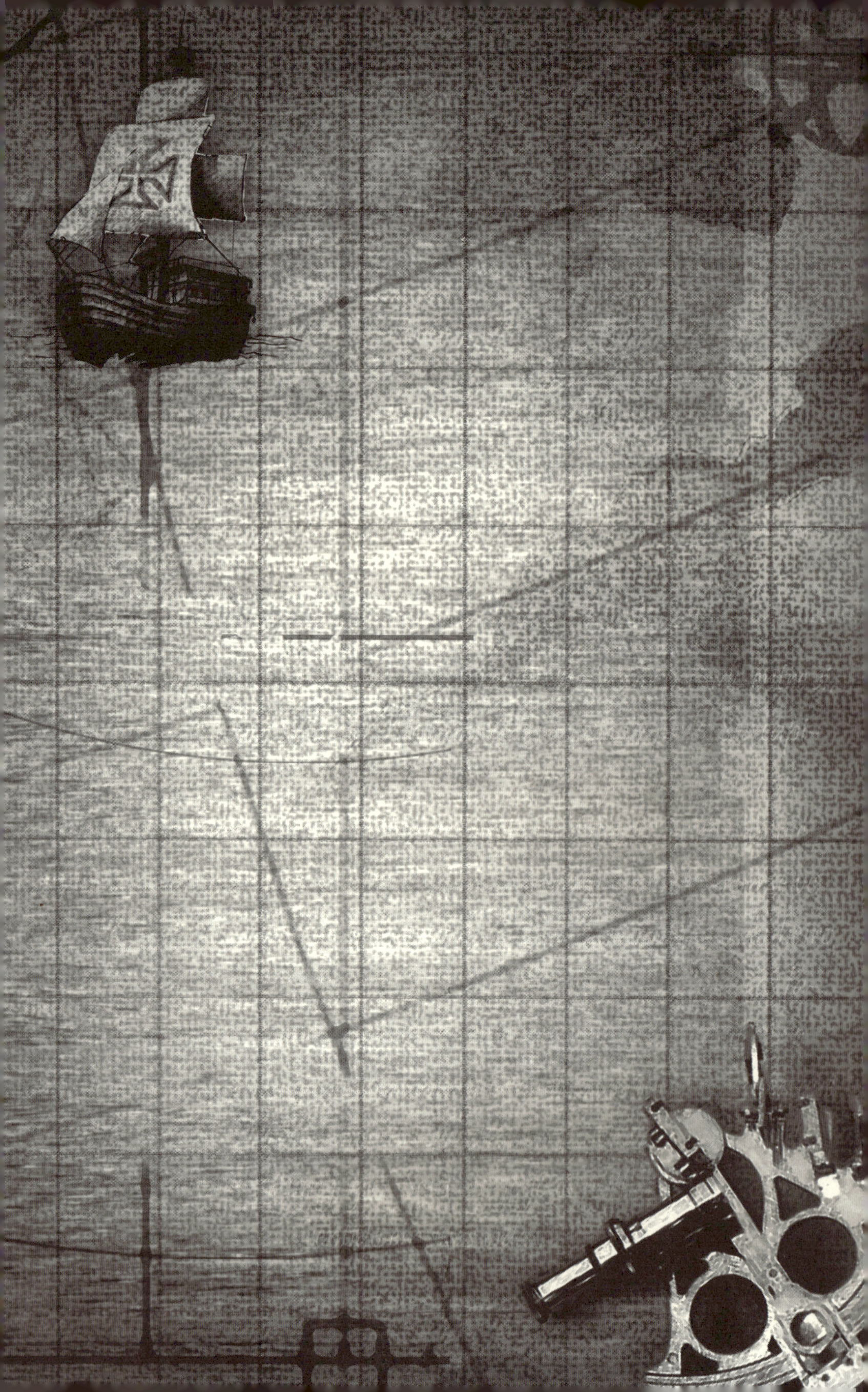

Prólogo

De quando o compasso e o esquadro encontraram a cruz na floresta

O suor brotava da testa do homem branco de traços europeus. Havia horas ele seguia o índio mestiço, primeiro a cavalo, pelas trilhas dos bandeirantes, e depois a pé, pela trilha estreita na mata densa. Seus braços e seu rosto iam sendo arranhados pelos arbustos e galhos. Vez ou outra tropeçava nas grossas raízes que se esparramavam pelo solo e sustentavam as grandes árvores. Apressou-se para acompanhar o mestiço, e o amaldiçoou por ter uma desenvoltura melhor que a sua, andando pela floresta como se passeasse num local aberto.

Domingos Ferreira olhava ao seu redor a cada minuto. Sentia-se oprimido. O constante verde das folhagens o entediava. Ocasionalmente via pássaros, esquilos e macacos pulando nos galhos. Desejou não encontrar animais maiores, carnívoros.

Corria o ano de 1750. Relatos dos bandeirantes mencionavam lobos e onças por aquelas bandas, mas as feras e os demônios dos quais ouvira falar não o assustavam tanto assim. Para os primeiros, pensava, havia sua arma de fogo carregada; para os segundos, a água benta e a Bíblia que levava sempre consigo. O que o preocupava realmente eram bichos peçonhentos e venenosos como aranhas, escorpiões e cobras. Encontravam-se em quase todo lugar e se escondiam facilmente entre folhas e pedras, com as quais se confundiam. Não era à toa que muitos bandeirantes haviam sucumbido, vítimas de picadas venenosas.

Vigiava, nervoso, o que estava à sua volta, e também o que havia acima, porque algumas espécies de serpentes viviam penduradas nos galhos das árvores à espera de alguma presa. Rompia as grandes teias de aranha com o mesmo facão que abria caminho entre a folhagem, odiando as que se grudavam a ele e praguejando enojado ao matar qualquer aranha que ousasse caminhar pela sua roupa.

Insetos pousavam em seu corpo, já suado dos pés à cabeça, e mosquitos o picavam. A trilha se fechava cada vez mais. O ar, quente e úmido, o sufocava. Tropeçando uma vez mais, praguejou:

– Diacho, Abaré. Vá mais devagar neste mato. Você pode estar acostumado, mas sou um homem da cidade.

Abaré voltou-se por um momento, olhou com desprezo o branco que caminhava como um trôpego e respondeu:

– Se não chegarmos à aldeia antes do meio do dia, Sr. Domingos, não poderemos retornar ainda hoje. A noite nos encontrará na floresta e, isolados, ficaremos às cegas, expostos às feras e aos espíritos noturnos.

Após duas horas de caminhada em trilhas densas e através de um rio, enfim avistaram a aldeia procurada. Tão logo a viram, porém, os índios também os enxergaram. Com arcos em punho e flechas apontadas para os intrusos, os guerreiros se aproximaram.

Domingos Ferreira deixou que o mestiço, mameluco, como era conhecida sua miscigenação de pai branco com mãe índia, tomasse a dianteira. Ele sabia melhor se expressar em tupi-guarani e já estivera presente ali meses antes.

Abaré começou a falar em voz alta, a gesticular e apontar a mochila que trazia consigo. Quinquilharias de brancos como presente à aldeia. Um dos índios postou-se à frente, iniciou a conversação e, satisfeito, fez sinal para que os guerreiros relaxassem. Levou os dois homens para dentro da aldeia.

Observando cada canto, Domingos, que pela primeira vez entrava numa aldeia indígena, apreciava os corpos nus, perfeitos – quase que totalmente desprovidos de pelos –, a vida cotidiana e os afazeres a que se entregavam os homens, mulheres e crianças. Sentiu-se deslocado.

Entrou na oca, e num dos cantos foi encaminhado para uma rede, onde se encontrava acomodado um índio já muito velho e enrugado. Ali, o guia estancou e apontando para o ancião, disse:

– Tatauí, neto de Membirabitu[3].

Abaré voltou-se para Domingos.

– É ele, Sr. Domingos. É o neto do filho índio de Dom Afonso.

– Pergunte-lhe sobre o livro de seu bisavô. Fale de nosso interesse.

Abaré conversou longamente com o idoso e, por fim, falou:

– O velho disse que lhe entregará o livro sob a promessa de que dará prosseguimento à missão iniciada por Dom Afonso, e continuada por todos os seus descendentes. Disse que a sabedoria de Dom Afonso e da tribo está nele. As páginas escritas carregam uma pálida sombra do que foi, mas darão aos homens de amanhã um vislumbre do passado, para se contrapor às mentiras contadas pelos brancos. Sua missão será divulgá-lo.

3 Em tupi-guarani: *Filho do Vento.*

– Sim, sim, diga que aceito. Mande trazer logo o livro.

– Tem mais uma condição.

– Qual?

– O senhor deverá jurar proteção e cuidados ao curumim mais novo dele, Tauã, criando-o e instruindo-lhe como se seu filho fosse. Quando adulto, o livro lhe deverá ser entregue, e depois, por ele aos seus descendentes.

O velho ordenou, e um curumim veio ao seu encontro. Virou-o para Domingos Ferreira, que o olhou e fez um sinal com a cabeça, concordando.

– Diga a ele que tem a minha palavra.

Abaré disse, mas o velho índio retrucou. Então, voltou-se para Domingos.

– Ele deseja mais. Por alguma razão, acredita que um branco puro só cumprirá sua promessa se portar uma cruz, e jurar ajoelhado sob o manto que Dom Afonso deixou.

Domingos Ferreira era homem decidido. Nem sequer piscou. Olhando nos olhos do velho, concordou prontamente. Tirou de dentro da camisa um cordão cheio de pingentes que levava ao pescoço. Afastou aquele que lembrava um triângulo, e que a um olhar atento mostrava um compasso e um esquadro, e dentre outros, selecionou aquele em forma de cruz e o mostrou ao índio. O velho o avaliou longamente, aproximando-se bastante para enxergar melhor, e resmungou algo. A boca desdentada e o hálito fétido causaram aversão no homem branco.

– O que ele está dizendo?

– Disse que sua cruz é simplória, mas que serve.

O velho índio gritou e fez sinal para aqueles que estavam mais distantes. Eles trouxeram um velho baú, todo entalhado com figuras coloridas. Dentro, havia um grande e pesado livro. As anotações de Dom Afonso.

Domingos Ferreira ficou maravilhado. Era todo olhos e pensamentos para aquele objeto. Sentiu ter encontrado na floresta o maior tesouro que poderia almejar. Contemplando o livro, sequer percebeu os índios jogarem dois cipós por cima de uma das vigas do telhado da oca. Amarraram as pontas opostas a um grande tecido e puxaram.

O velho índio ficou eufórico. Pulando com uma agilidade até então insuspeitada pelos visitantes, gritou em sua língua e Abaré prontamente traduziu:

– Jure! Jure! Jure!

Domingos Ferreira despertou do transe hipnótico que a contemplação do livro lhe causou. E caiu de joelhos, mais de espanto que de adoração, ao ver hasteada, como uma vela das naus portuguesas, a imensa manta na qual figurava uma cruz vermelha e larga, estilizada em forma indígena e claramente reconhecível:

A *Cruz da Ordem de Cristo.*

Adeus a Jonas

— Fique tranquilo, Pedro. Seu Tio Jonas irá melhorar. Ele voltará para casa.

Manoel guiava o carro sem pressa, na velocidade média da pista, na faixa mais à direita. Desligara o som do rádio para que ambos pudessem conversar. Passavam agora pela Linha Vermelha, uma das veias arteriais do trânsito da cidade do Rio de Janeiro. Quatro faixas livres em cada direção, separadas por blocos de concreto. Lembrou-se que aquela via fora palco da tragédia familiar do garoto.

A frase soou piegas aos ouvidos de Pedro. Completara catorze anos no mês anterior e odiava ser tratado como criança. Sentia-se quase um adulto. Podia conversar sobre a doença de seu tio de forma madura, sem sentimentalismo, embora temesse sua morte. Afinal, Tio Jonas era o único elo que sobrara de toda sua família.

Pedro olhava a paisagem da via expressa. Centenas de carros transitavam em alta velocidade. Não havia semáforos. O tráfego fluía tão rapidamente quanto possível. As vias expressas haviam sido construídas visando oferecer uma rápida circulação na travessia da cidade. Entretanto, por um motivo ou outro sempre havia a possibilidade de se ficar preso num engarrafamento interminável.

A Linha Vermelha atravessava favelas. Algumas vezes bandidos a bloqueavam com pneus velhos e fogueiras. Carros acidentados ou obrigados a parar eram assaltados e incendiados antes que a polícia chegasse.

Aos sete anos de idade, Pedro fora deixado em casa com uma babá para que seus pais fossem à festa de aniversário de um amigo. Quando retornavam, tarde da noite, eles se depararam com o bloqueio na pista. Tentaram escapar. Foram baleados e mortos. A tragédia traumatizou o menino, tornando-o triste e precocemente amadurecido. Desde então, Tio Jonas o acolhera. E sete anos se passaram.

– Eu sei que a doença dele é incurável, Sr. Manoel. A morte pode alcançá-lo a qualquer momento. Cada vez que ele tem uma crise, acho que não vai escapar... Gostaria de saber quanto tempo lhe resta. Não quero ser pego de surpresa novamente.

Manoel olhou para o garoto. Os cabelos negros e lisos contrastavam com a pele morena clara e lhe davam uma aparência bela, levemente indígena. Esperto e bastante jovem, tinha uma personalidade forte e decidida.

Jonas sabia que estava morrendo. No leito do hospital, momentos antes, dera conselhos a Pedro, e o colocou sob os cuidados de Manoel, a quem nomeou administrador de seus bens e tutor, até que completasse a maioridade. O advogado adiantara os papéis necessários e Jonas já os tinha assinado, inclusive o testamento. Naquele instante, Manoel balançou a cabeça, concordando. Velhos amigos, quase irmãos, estavam sempre presentes na vida um do outro. Cuidar de Pedro – pensara – não seria um peso. O filho, Caio, da mesma idade, e a esposa, Cláudia, o adoravam. Não haveria problemas.

– Fé em Deus, Pedro. Tudo há de dar certo. Jonas vai sair dessa. E você não está sozinho. Pode sempre contar comigo, com o Caio e com a Cláudia.

Pedro ficou em silêncio, olhando pela janela sem prestar atenção em nada. Sentia um nó na garganta. Sufocou os sentimentos que ameaçavam aflorar, impedindo qualquer lágrima. Sabia que se dissesse algo, sua voz o trairia, e não conseguiria mais se conter.

Manoel estacionou em frente ao prédio de Jonas e o acompanhou para pegar alguns pertences pessoais do garoto e de seu tio. Em seguida, partiram em direção ao seu próprio apartamento. Lá deixou Pedro com Cláudia e Caio. Seriam agora uma só família.

Jonas fora internado com urgência, dias antes. Medicado, passara a um dos quartos do terceiro andar. Manoel o assistira dia e noite. Agora, regressaria ao hospital.

A noite no quarto de Jonas era apenas uma meia penumbra. A claridade do corredor invadia a escuridão. Nele, as enfermeiras iam e vinham transitando nervosamente para cuidar dos pacientes.

Manoel dava um cochilo leve; as costas e o pescoço doíam pela má posição no pequenino sofá de acompanhante. Despertou abruptamente ao ouvir os gemidos de dor e o arfar de Jonas. Sem saber o que fazer, correu à enfermaria próxima, pediu socorro para o paciente, gritando que talvez ele estivesse tendo um ataque cardíaco, e retornou correndo para o lado do amigo, que tentava dizer alguma coisa:

- O... *Li... vro... O Li...vro...*

- Livro? Qual livro?

- *O Livro... Perdi... do...* Dê... para... Pe... dro.

Manoel hesitou. Aquele era um segredo mantido a sete chaves. Não entendeu porque Jonas tocara no assunto ali, naquele instante.

– Sim, na época certa. Você sabe disso melhor do que ninguém.

– Dê... a... Pedro... Já!

– Mas como? Por quê?

– Ele revela... a gênese folclórica desta terra... eu tive uma visão... Pedro... Os portais... Pegue... a... maleta... no... criado... e leve com você... Pedro tem de conseguir fechar os portais a tempo... A verdade deve ser revelada...

A enfermeira chegou no exato momento em que Jonas ficou inconsciente, e o levou às pressas para a ala de emergência, onde seria atendido pela equipe médica de plantão. O relógio de Manoel marcava 3h35.

Meia hora depois o médico de plantão compareceu ao quarto. Antes que falasse qualquer coisa, Manoel soube o que tinha a dizer. Ouviu as palavras serem pronunciadas, confirmou ter entendido com um breve olhar e um aceno de cabeça; continuou apenas olhando a escuridão lá fora, com os olhos marejados, sentindo o vazio que a madrugada lhe trouxera com a morte de seu estimado amigo.

Sequer imaginava como daria a notícia a Pedro.

O bilhete misterioso

Manoel desceu do elevador do prédio do hospital direto para o estacionamento. Nas mãos, uma maleta marrom.

Antes de dar partida no veículo, pegou o celular, escolheu o contato e ligou: longos segundos se passaram antes de ser atendido. Repetiu o mesmo ato com outras pessoas, avisando-as sobre a morte de Jonas. Acordava amigos e conhecidos, ligando àquela hora, mas a situação o exigia.

Deu partida no carro e dirigiu, madrugada adentro, pensando na morte de Jonas, na finitude da vida humana e em como sentiria sua falta.

Jonas, seu amigo por décadas. Jonas, o Venerável Mestre Maçom, repleto de sabedoria e coerência em suas palavras e atitudes, a quem considerava líder e irmão dentro da Maçonaria. Pensou em suas últimas palavras: "O Livro Perdido... Dê a Pedro". O livro seria entregue a ele aos vinte e um anos, não agora, aos catorze. Por que o Venerável dera tal ordem?

O *Livro Perdido* era guardado no prédio da Maçonaria, também conhecido como loja maçônica ou, como os membros a ela se referem, simplesmente loja. Três guardiões conheciam sua existência: ele era um deles; Jonas outro. Manoel resolveu que voltaria ao prédio quando possível. E somente depois disso, com o livro em suas mãos, tomaria uma decisão.

O relógio do carro marcava 4h50 quando estacionou em seu prédio. Entrou no apartamento sem acender as luzes, evitando fazer qualquer ruído. Não queria acordar Cláudia, sua esposa, Caio, seu filho, ou Pedro. Caminhou com cuidado para não esbarrar em nada, alcançou a biblioteca e ali acendeu apenas a luminária da mesa. E abriu a maleta que trouxera do hospital.

Havia várias pastas finas de plástico maleável e macio com um zíper sem dentes. Todas tinham rótulos: *Documentos dos pais de Pedro. De Jonas. De Pedro. Testamento de Jonas. Cópia do Processo Judicial de Tutela de Pedro.* E uma outra pasta só com o nome Manoel. Decidiu abri-la primeiro. O que quer que contivesse, seria diretamente endereçado a ele, era óbvio. Havia apenas uma foto em tamanho duplo postal, já um pouco descolorida pelo tempo – cerca de dez anos –, de Jonas e Manoel lado a lado, ainda em trajes rituais, após sua iniciação na Maçonaria. Os dois rostos exibiam sorrisos e comemoravam.

Manoel conteve a respiração por alguns segundos. Fora um momento marcante e feliz em sua vida. Agora parecia de fato uma última despedida, a despedida de Jonas. Deixou a foto cair sobre a mesa. A alegria do passado tornava mais amarga a dor do presente.

– Meu bem?

Cláudia chegara de mansinho. Ele não a percebera, até ser tocado. Levantou-se e a abraçou, respirando através de seus longos cachos dourados.

Somente naquele momento, após todo o tempo de internação e a morte súbita de Jonas, mergulhado no abraço de Cláudia, Manoel se permitiu relaxar.

Ela se deixou abraçar por um momento e pressentiu o que se passara. Não chegou a expressar sua dúvida em palavras. Manoel a olhou, apertou os lábios e balançou a cabeça, num gesto negativo. Ela compreendeu.

Jonas estava morto.

– Oh, meu bem! Sinto muito. Sei o quanto vocês eram amigos.

– A vida... é sempre muita curta – respondeu Manoel.

Ela limpou uma lágrima.

– Vai ser um choque para o garoto. Meu Deus, ele tem apenas catorze anos, já perdeu os pais, e agora o tio. Ficou completamente órfão, sem ninguém, nenhum parente.

– O garoto vai precisar de todo o nosso apoio.

O olhar de Cláudia percorreu as coisas em cima da mesa.

– Nós o apoiaremos... O que são todas estas pastas?

– Jonas me deu esta maleta marrom com elas. Terei de providenciar algumas coisas para o enterro assim que amanhecer. Ele me disse que, em relação à tutela de Pedro, tudo estava resolvido. Legalmente, sou responsável pelo garoto. De qualquer forma, não o deixaria desamparado.

Cláudia pegou a foto que Manoel estivera olhando. Observou os dois amigos lado a lado, sorrindo. Jonas era cerca de uns cinco anos mais velho, um pouco mais alto e mais moreno. Os rostos de ambos estavam mais jovens. Manoel devia ter uns trinta e oito anos naquela época. Os cabelos castanhos na fotografia já se haviam tornado grisalhos. Olhando seu rosto na foto, Cláudia observou seus olhos azuis-claros e o belo sorriso pelo qual se apaixonara.

– Vocês estão bem mais jovens, é fato. Com menos rugas. E com mais cabelos também.

Os dois riram. Um riso triste e curto.

Cláudia virou a foto e olhou o verso. Viu que havia algo ali escrito, à mão.

– É a letra de Jonas?

– Sim, com certeza.

Cláudia leu em voz alta:

Não tive sorte, amigo. Perdi o livro que você me pediu emprestado na última viagem que fiz à Minas. O baú onde o guardava ficou vazio no sótão. Compre outro, por favor, e coloque na minha conta. Pode emprestar-me sua casa de campo por uns dias? Se puder, deixe as chaves no escaninho do meu escritório. Vou sair de férias em breve e um pouco de ar puro sempre faz bem.

Ambos se entreolharam. O que significava aquilo?

Um livro perigoso

O antigo prédio, situado numa rua movimentada, passava despercebido a olhares curiosos. Na pintura desgastada, o triângulo e o compasso quase desapareciam. Ali ficava a loja maçônica que Jonas frequentara. O interior do prédio, porém, era suntuosamente adornado. Colunas magníficas, cortinas de veludo vermelho e azul-marinho, móveis em madeira esculpida, pinturas nos tetos retratando cenas da Idade Média, chão em mármore e granito formando tapetes de pedra. Numa daquelas salas, jazia o caixão contendo o corpo de Jonas. Coroas de flores estavam na cabeceira, junto de duas velas acesas.

Pedro se postou ao lado do caixão. Cláudia e Caio o acompanhavam em total solidariedade.

A conversa após o café da manhã havia sido emocionalmente desgastante para todos. Cláudia já havia alertado Caio a apoiar Pedro e não o deixar sozinho. O rapaz concordara na mesma hora: considerava Pedro um bom amigo.

O garoto – Manoel pensava – pareceu mais forte do que imaginara. Após lhe falar como a um filho, prometendo apoiá-lo e estar ao seu lado dali para frente, Manoel respirou aliviado. Temera um surto de temporária loucura. Ao invés disso, depois de derramar algumas lágrimas, o garoto demonstrou uma serenidade impressionante.

O salão foi ficando cada vez mais apinhado de pessoas. Jonas fora uma pessoa carismática. Manoel se sentiu desconfortável com a multidão e desejou se ausentar por alguns momentos. O dia seria longo. O enterro estava marcado para as 16h00.

Levantou-se, passando espremido entre as pessoas, cumprimentou as que estavam em seu caminho e foi à sala do templo. Ficou ali refletindo por algum tempo, a tristeza lhe corroendo.

Algo não lhe saía dos pensamentos: o bilhete no verso da foto. Não o compreendeu. Não pedira a Jonas qualquer livro emprestado, e ele escreveu que o perdera e desejava que outro fosse comprado. Estaria fazendo referência ao *Livro Perdido?* Só havia uma forma de constatar: procurando o livro onde havia sido guardado.

Manoel foi à biblioteca, destrancou o armário onde o livro fora ritualmente posto pelos três guardiões e o procurou nas prateleiras.

Para sua surpresa, o livro não se encontrava mais ali. Teria sido roubado? Ou removido por Jonas? E se o fora, com que intenção?

Decidiu procurá-lo por toda a biblioteca. Pensou que agora o livro, outra vez, justificava seu apelido. Sorriu brevemente com a ironia. No meio de tantas estantes e prateleiras, seria como procurar uma agulha no palheiro. Exceto por um motivo: o *Livro Perdido* era inconfundível por seu peso, tamanho e espessura. Pôs mãos à obra. Ao fim de alguns momentos, soube definitivamente que ele não estava por ali.

Resolveu ir à secretaria. Além do livro, procurou ainda por qualquer chave nas gavetas dos armários. Nada encontrou. Ouviu barulho. Alguém estava vindo. Rumou rapidamente para a biblioteca, pegou uma obra qualquer e se pôs a folheá-la.

Tobias Romano, um comerciante rico e astuto, na casa dos cinquenta anos, entrou. Apesar de usar roupas de grife numa clara tentativa de expor sua condição de endinheirado, o resultado era deprimente: a falta de gosto e as desastrosas combinações de cores e estilos lembravam a Manoel um daqueles velhos bicheiros, suados e inquietos, sentados diante de uma mesa, contando o dinheiro ilegal das apostas, sempre em cubículos apertados e escondidos, emanando uma aura de desonestidade em torno de si.

Desde o primeiro momento em que o conhecera, muitos anos antes, Manoel não simpatizara com ele e teria votado contra sua aceitação como membro maçom na reunião que tratara do assunto, não fosse o empenho de outros membros ao recomendá-lo enfaticamente. Sempre o tratara com polidez e educação, mas suas primeiras impressões não se desfizeram.

Tão logo fora aprovado e passara a participar das reuniões, Tobias demonstrou uma enorme capacidade de criar intrigas e confusões. Era um tipo orgulhoso, abrutalhado e insensível, egoísta no seu jeito de pensar e agir. Suas opiniões divergentes criavam polêmicas desnecessárias e tumultuavam o andamento das tarefas mais rotineiras.

Manoel sempre buscava o bem comum. Tobias sempre se preocupava primeiro consigo próprio, em promover-se à custa de alguma ação da entidade. Contudo, possuía um tipo de personalidade forte e magnética, capaz de atrair os mais fracos e sem opiniões para seu lado. A despeito da completa desaprovação de Manoel, ele era o provável sucessor de Jonas ao cargo de Venerável.

Adentrando no recinto, Tobias perguntou, aparentando surpresa e simpatia:

– Irmão, você por aqui?

– Sim, Irmão. Senti necessidade de ficar uns minutos a sós e refletir um pouco. Perdemos um grande amigo hoje.

– É verdade. A morte do Venerável Jonas nos abalou muito. Foi bom vê-lo por aqui, Manoel. Nós três fomos os escolhidos de nossa época para sermos os guardiões do *Livro Perdido*. Agora que Jonas se foi, devemos escolher outro irmão para compartilhar conosco esta missão.

– É prematuro falar sobre isto. Sabemos o que o antigo Venerável Domingos Ferreira instituiu: *Três conhecerão a história e guardarão o livro, até que um herdeiro esteja pronto. E apenas o Venerável saberá todo seu conteúdo.* Mas há um fator relevante: antes de morrer, Jonas ordenou que eu entregasse imediatamente o livro a Pedro.

Tobias teve uma crise de tosse. Havia semanas tossia assim. Após se recuperar, respondeu:

– Como? Você... Nós não podemos fazer isso! Ele ainda é menor de idade. O antigo instituidor maçom também ordenou: *apenas quando o herdeiro tiver um ascendente na ordem, e contar vinte e um anos, deve receber o livro.*

– Acho que Jonas sabia de algo que desconhecemos. Além disso, Pedro agora é órfão e único herdeiro de Jonas. Apesar de sua pouca idade, tem de agir como adulto. E deve ser tratado como tal.

– Neste caso, quando outro Venerável for eleito – a expressão no rosto de Tobias, mais do que sua voz, transpareceu insatisfação –, a decisão será tomada.

– Mas o Venerável Jonas me confiou a tarefa de dar o livro a Pedro. Aliás, me ordenou que o fizesse.

– Com todo o respeito à memória do irmão Jonas, após sua morte, ele deixou de ser o Venerável. O próximo irmão a ocupar o cargo decidirá. Com certeza, os preceitos do instituidor serão seguidos. O *Livro Perdido* ainda é uma ameaça à sociedade.

– Como pode achar isso? – insistiu Manoel. – À época de Dom Afonso Queiroz o livro podia ser uma ameaça ao *status quo* da monarquia. Contudo, não estamos mais submetidos à Coroa Portuguesa.

– Esqueceu-se que o *Livro Perdido* também era uma ameaça à Ordem de Cristo e à Igreja?

– A Ordem de Cristo foi extinta. Como também a Companhia das Índias, formada pelos Jesuítas que vieram catolizar os índios da colônia. E quanto à Igreja, já se passou muito tempo dos acontecimentos. A verdade não irá prejudicá-la.

O rosto de Tobias avermelhou-se. Conteve a raiva como pôde, mas suas palavras ainda saíram fervorosas:

– O impacto religioso do *Livro Perdido* refletirá no abalo da Fé Cristã neste país. É uma ameaça à Igreja. A história de nosso país terá de ser reescrita. A Coroa Portuguesa considerou este livro herege e perigoso, e deveria tê-lo queimado na mesma fogueira na qual seu autor foi condenado a morrer. Infelizmente, o livro foi roubado e desapareceu, até que o antigo maçom, Domingos Ferreira, o encontrou e se tornou seu guardião sob o manto da Maçonaria. Mas teria sido melhor que o tivesse queimado.

– Domingos Ferreira também instituiu os preceitos – protestou Manoel – para proteger o livro, quando não estivesse em mãos de um descendente de Dom Afonso. Os preceitos devem ser obedecidos.

– Sim, irmão, e *todos nós devemos obedecê-los*, não é? – Manoel sentiu a fina ironia. Tobias acrescentou: – Melhor encerrarmos esta discussão por enquanto e voltarmos ao velório do estimado Jonas. Talvez possamos refletir sobre como o próximo Venerável agirá.

Manoel notou o sarcasmo e o sorriso que Tobias esboçou e prontamente apagou de seu rosto. Por conhecê-lo havia alguns anos, presumiu o que deveria estar pensando: que seria ele o próximo Venerável e que a decisão seria sua e de mais ninguém. A decisão que acabara de manifestar.

Embora transtornado com a dedução a que chegava, Manoel acompanhou Tobias em silêncio de volta à sala onde o corpo de Jonas era velado.

Manoel viu Pedro, Cláudia e Caio próximos ao caixão. Espremeu-se entre a multidão e chegou perto deles. Um padre começava os serviços fúnebres. Dentro de alguns momentos o cortejo sairia dali em direção ao cemitério. Ver os olhos úmidos e a expressão triste e desamparada de Pedro o mortificou. Abraçou-o. Em seguida, voltou-se para o corpo no caixão.

Ah, meu amigo Jonas. Sentirei tua falta.

Ouviu as primeiras palavras do padre, e emocionou-se diante dos lamentos, suspiros e choros de Pedro e dos conhecidos do falecido.

Os preceitos ecoavam nos pensamentos de Manoel.

I. Três conhecerão a história, manterão segredo e guardarão o livro;

II. Apenas um o lerá: o Venerável;

III. Quando, nos dias que virão, um herdeiro com um ascendente na ordem surgir e completar vinte e um anos, receberá o livro e decidirá seu destino.

Em meio à tristeza, lembrou as duras palavras de Tobias. Pensamentos conflitantes lhe passaram pela mente. Enquanto olhava o corpo de Jonas, decidiu agir por si mesmo. Afinal, ele lhe confidenciara seu desejo. Como seu amigo, era um pedido que não podia negar. Como seu Venerável e líder na Maçonaria, era uma ordem e devia cumpri-la.

Tobias somente deixou o cemitério após todos irem embora. Quis passar a todos a forte impressão de que ficara extremamente abalado com a morte de Jonas, seu irmão maçom. Longe disto, estava aliviado. Era um a menos em seu caminho. Jonas muitas vezes fora inflexível, recusando suas sugestões e dificultando seus interesses.

Já estava a tecer planos e artimanhas que lhe possibilitassem atingir sua ambição: tornar-se o próximo Venerável. E mais tarde, conquistaria o título de representante máximo no país. Por esta altura, já seria um político influente, num alto cargo do governo.

A tosse o atingiu outra vez. Sua respiração ficou difícil. Não podia mais tardar em procurar um médico.

Identificara em Manoel um obstáculo que tinha de ser neutralizado e transposto, como qualquer outro em seu caminho. Os demais seriam facilmente manipulados.

Quanto ao *Livro Perdido*, iria usurpá-lo e conhecer todos os seus segredos. Talvez isso o ajudasse a ter mais poder e influência. Quanto mais rápido o fizesse, melhor. Pensou ser prudente aguardar a madrugada do dia seguinte. Não queria ser visto entrando no prédio da Maçonaria fora dos horários das reuniões, ou poderia ser acusado por Manoel perante os outros membros que desconheciam o *Livro Perdido*, de ter surrupiado documentos importantes e secretos da Ordem.

Uma busca intrigante

— Você se lembra de ter visto Jonas com algum livro bem antigo nas mãos? Um livro grande e grosso? – Manoel perguntou.

Pedro pensou por um momento antes de responder:

– Ele sempre estava cercado de livros...

A mente de Manoel estava inquieta. Não parava de se questionar sobre o conteúdo do bilhete, principalmente a respeito da casa de campo ali mencionada.

Pode me emprestar sua casa de campo...? Deixe as chaves no escaninho do meu escritório...

Manoel nunca tivera qualquer propriedade rural. Nunca lhe sobraram recursos suficientes. Custara a quitar o apartamento na cidade. O emprego como representante de vendas lhe permitia uma vida digna, porém, sem qualquer luxo. O horário flexível de trabalho era favorável e permitia momentos com a família. Infelizmente, ganhava pouco. Diferente de Jonas, o amigo rico.

Não fazia sentido. Como poderia deixar as chaves de uma casa que não possuía num dos escritórios de Jonas? A princípio, quando lera o bilhete pela primeira vez, havia ficado surpreso. Nada entendeu. Depois de reler por várias vezes, ainda no dia do funeral, começou a pensar que o importante não era o que as frases diziam, mas sim alguma informação secreta que Jonas pensara em transmitir. E, se em vez de pedir emprestado, ele tentara comunicar que havia, de fato, uma chave?

Imediatamente pensou que as chaves estariam na secretaria da loja maçônica, onde Jonas frequentemente lidava com todos os documentos da ordem. Como Venerável, era ali que instalara seu escritório. No dia do funeral, contudo, quando lá esteve em busca do livro, procurou também por elas e não as encontrou.

Se tais chaves existiam – pensou – talvez elas estivessem num dos escritórios das empresas de Jonas. Ele fora proprietário da *Construir,* a maior empresa de construção civil do sudeste do Brasil, sediada na cidade do Rio de Janeiro. Além disso, formara uma rede hoteleira no norte do país, destino de turistas durante todo o ano. E também uma empresa de marketing. Jonas era um empresário de sucesso. Dinheiro para ele sempre fora uma solução, nunca um problema.

Manoel teve de aturar as perguntas de Cláudia, sua esposa: por que não a informara que possuía uma casa de campo? Se não possuía, como Jonas podia pedir emprestado algo que ele, Manoel, não tinha?

E onde, afinal, estava o Livro Perdido? – Questionava-se repetidamente a todo instante.

Manoel não tinha respostas.

Passou horas tentando decifrar o conteúdo do bilhete. Com a procuração que lhe foi dada, resolveu buscar as respostas nos escritórios de Jonas. Decidiu levar Pedro consigo, não só porque ele já conhecia as instalações das empresas, mas também para ocupá-lo.

– Preciso encontrar o livro de que lhe falei, Pedro. É um livro raro. Talvez Jonas o tenha deixado num dos escritórios de suas empresas. Quer me acompanhar num passeio pelas empresas? Vai ser bom saber como estão indo os negócios. O que acha?

– Podemos ir – disse Pedro, sem muito entusiasmo. – Conheço algumas pessoas por lá. Às vezes eu acompanhava meu tio, sabe?

– Imaginei que sim.

O primeiro escritório que visitaram foi o da Companhia *Construir*. Depois de passarem pela recepção, subirem sete andares pelo elevador, percorrerem dois corredores e atravessarem uma sala, finalmente alcançaram o escritório do gerente executivo, Sr. Marcos Albuquerque. Este reparou em seus trajes: o homem adulto, de físico levemente atlético, roupas sociais; o garoto, tênis, *jeans* e camisa de malha. Recebeu-os calorosamente, lamentando a morte de Jonas e oferecendo seus préstimos.

Manoel agradeceu e o informou de toda a situação legal dos bens deixados por Jonas: Pedro era o herdeiro e proprietário das empresas. Ele, Manoel, o seu tutor e procurador enquanto não atingisse maioridade. Contava com a ajuda dos atuais gerentes para dar continuidade aos negócios das empresas. Por fim, solicitou que os levasse ao escritório particular de Jonas. Albuquerque os acompanhou. Subiram mais cinco andares.

– Talvez você queira ficar com isso – disse ele.

Manoel pegou o cartão de visitas oferecido por Albuquerque.

– É o cartão do advogado das empresas de Jonas, o Dr. Plínio Miranda. O escritório dele não é muito longe daqui. Talvez seja interessante vocês conversarem.

Manoel assentiu, agradecendo.

O escritório de Jonas na *Construir* situava-se na parte mais alta do edifício e era composto de três amplos cômodos. O primeiro era uma sala de estar, confortável, com móveis em estilo inglês. Nas paredes, havia fotos antigas da família e de amigos. O segundo cômodo era uma sala ainda maior e tão confortável como a primeira; era realmente onde trabalhava. Ali ficava a mesa, as estantes de livros e toda a parafernália tecnológica dos dias atuais.

Manoel observou o receptor de TV por satélite próximo de um dos monitores e supôs que, como homem de negócios, Jonas devia estar sempre sintonizado com as notícias mais recentes. Também desconfiou que pudesse observar nos monitores todas as instalações da empresa. O último dos cômodos era um dormitório com banheiro. Embora fosse o cômodo que devesse ser o mais pessoal e íntimo, pouco tinha de Jonas. No máximo algumas roupas.

– Meu tio só dormia por aqui quando chegava de uma das viagens que fazia a negócios e precisava poupar tempo para dar conta de todos os compromissos. Em geral, ele preferia voltar para casa.

Manoel dispensou a companhia do gerente. Ele e Pedro procuraram pelo livro. Não o encontrando, sentaram-se na sala e ficaram conversando por algum tempo antes de decidirem ir embora.

Peregrinaram por dois outros escritórios de Jonas, o da rede hoteleira e o da empresa de marketing, vasculhando cada centímetro. Eram uma réplica do primeiro. Manoel sentia-se às cegas. Estaria deixando escapar algo?

Onde, afinal, estaria o Livro Perdido?

O destino reservara uma surpresa a Manoel e Pedro. Não nos escritórios das empresas de Jonas, mas na Confeitaria Colombo, no centro do Rio, onde foram tomar um café, à tardinha, após as infrutíferas buscas.

Manoel degustava um café expresso, vagueando os pensamentos de um canto a outro, os olhos percorrendo a suntuosa decoração antiga, quando, surpreso, viu o advogado, Dr. Plínio Miranda, se aproximar. Após condolências, e de ter se desculpado com Pedro por estar viajando e não ter podido comparecer ao enterro de Jonas, Dr. Plínio explicou que seu escritório era bem perto, no centro, a apenas duas quadras de distância. Sempre que podia, vinha tomar café ali, pois se sentia confortável, transportado à sua época de juventude. Desta vez, no entanto, viera a trabalho. Um empresário dono de várias lojas da região era seu cliente e haviam se encontrado ali para tratar de negócios.

Trocaram algumas frases sem importância. Na despedida, já quase virando de costas, o Dr. Plínio brincou:

– Pesque por mim uns peixes quando for à sua fazenda, OK?

Manoel quase engasgou com o café.

– Como? Não entendi.

Ele repetiu, um sorriso irônico no rosto:

– Pesque por mim uns peixes quando for à sua fazenda, OK?

Manoel ficou paralisado. Colocou a xícara no balcão.

– Espere, Dr. Plínio, um momento, por favor. – Aproximou-se, confuso. – O que foi que disse?

– Para se divertir na sua fazenda... e pescar uns peixes por mim. Afinal, ela é uma joia rara, não é mesmo?

– Mas qual fazenda?

– Ora, a que você comprou em Minas.

– Mas não comprei nenhuma fazenda.

– Como não? Jonas foi seu procurador, esqueceu? Ele disse na época que você estava impossibilitado de efetuar a viagem a Minas, e por isso você lhe dera a procuração para assinar em seu nome os documentos de compra e registro da fazenda.

Manoel não estava compreendendo o que se passava. No entanto, era esperto o suficiente para preferir não provocar suspeitas. Seria melhor e mais fácil representar o papel de perdulário do que o de ingênuo. Resolveu blefar para conseguir mais algumas respostas.

– Ah, mas aquilo não é uma fazenda importante... é só um pedacinho de terra lá nos confins de Minas...

Dr. Plínio riu.

– Sim, um pedacinho de terra sem igual. Quisera eu ter um assim, naquela bucólica região da Serra da Mantiqueira.

– Chegou a conhecer a fazenda?

– Apenas por fotos. Mas estive com Jonas em Minas para efetuar o negócio.

– Ele não me entregou a escritura, Dr. Plínio. O senhor ainda estaria com ela?

– Não, não. Ele disse que cuidaria pessoalmente da questão e que a faria chegar em suas mãos. Será que não teve tempo de entregá-la a você antes de ter sido internado? Procure entre os pertences dele. Você é o inventariante e tem acesso a todos os seus bens. De qualquer forma, se não a achar, podemos pedir uma nova cópia da escritura no Cartório de Imóveis do município de Santos Dumont.

– Sim, obrigado, Doutor. E pode deixar que quando for passear por lá, trago uns peixes para o senhor. Boa tarde.

– Boa tarde, Manoel.

Ambos se deram um último aceno, e seguiram seus caminhos. Manoel ficou mais cheio de dúvidas do que antes do encontro.

Voltou-se para Pedro, que terminava seu chocolate quente.

– Você já sabia disso?

– Não, meu tio nunca mencionou nada sobre qualquer fazenda em Minas. Nem que você tivesse comprado alguma.

– Eu não comprei.

Manoel decidiu voltar à sua casa. Ali, no pequeno escritório que montara num dos quartos, o qual chamava de biblioteca, guardava todos os documentos pessoais e profissionais. Chegando, viu a maleta em cima da mesa. Reviu todas as pastas e documentos.

A dúvida o atormentava: o que Jonas fizera e o que tentara dizer?

Recolocando os papéis de volta às pastas, a foto escorregou e caiu. Teve de se abaixar para apanhá-la. Fitou-a, evitando as recordações. Passou os olhos no bilhete contido no verso. Parou na parte que mencionava a casa de campo:

> Pode me emprestar sua casa de campo por uns dias? Se puder, deixe as chaves no escaninho do meu escritório. Vou sair de férias em breve. E um pouco de ar puro sempre faz bem.

Manoel conteve a emoção ao reler o bilhete, porque agora lhe parecia que Jonas previra a própria morte quando escrevera: Vou sair de férias em breve.

Respirou fundo, tentou concentrar-se nas respostas às suas dúvidas. Repetiu mentalmente todo o trecho tentando compreender.

> Pode me emprestar sua casa de campo...? ...deixe as chaves no escaninho do meu escritório...

O que ele queria dizer? Estivera na loja maçônica e nos escritórios de suas empresas. Nada encontrara.

Ficou repetindo a frase para si mesmo, procurando algum sentido, até que seus olhos pousaram na foto outra vez. O dia em que ingressara na Maçonaria. E num átimo de segundo sua mente se iluminou.

Jonas não escreveria um bilhete indicando tão claramente onde estariam o livro ou as chaves as quais se referiu. Indicaria pistas que ele, Manoel, poderia compreender. Assim, evitaria que caíssem em mãos erradas.

Manoel respirou fundo. Recomeçaria do zero, procurando novamente no prédio da maçonaria. Iria decifrar e juntar as partes do quebra-cabeça que Jonas construíra. E tinha de fazê-lo secretamente, longe dos olhos de Tobias.

...deixe as chaves no escaninho do meu escritório... Manoel pensava enquanto procurava.

Escolhera o horário do almoço naquele dia, porque tinha certeza de que não encontraria ninguém no prédio maçônico. Não queria causar suspeitas. Fazia parte da entidade; ainda assim, qualquer um que por lá estivesse, desconfiaria ao vê-lo remexendo nos cômodos e documentos em busca de algo. Seria pior ainda se fosse visto por Tobias.

Primeiro procurou no lugar mais óbvio: no porta-chaves do almoxarifado. Vários molhos de chave, todos etiquetados com os nomes das salas e cadeados que deveriam abrir. Nada anormal. Continuou a procura. Biblioteca. Sala de eventos. Sala de reuniões. Sala do templo. Nada. Em lugar algum.

Secretaria?

Revirou o cômodo: gavetas, prateleiras, caixas. Nada. No cofre, apenas dinheiro para despesas imediatas e alguns títulos de crédito.

Levantou-se e caminhou novamente em direção à biblioteca. Quando passava pela sala de cerimônias, observou a bela ornamentação do interior. Entrou e deixou-se cair numa das cadeiras. Minutos se passaram.

Se eu fosse esconder algo, sendo o Venerável, onde seria?

Seu olhar passeou por entre as colunas do templo, os astros celestes e o triângulo destacado pelos raios do sol. No centro, o olho que tudo vê, o olho da providência.

A Sala Proibida!

Manoel pulou do assento e correu pelo corredor que levava à biblioteca. As paredes eram revestidas de madeira. Uma única maçaneta, na metade dele, revelava uma discreta porta que permanecia sempre fechada, quase nunca notada.

A Sala Proibida era um cômodo onde apenas o Venerável e seus convidados podiam entrar. Raramente Jonas a usara como seu gabinete particular. Preferia sempre estar na secretaria ou na biblioteca.

Era também um escritório.

Fechou a porta atrás de si. A sala lhe pareceu maior do que se lembrava. Era mobiliada com móveis antigos: uma estante, uma cômoda, um sofá, uma mesa que servia de escrivaninha junto a uma cadeira alta acolchoada. Havia ainda três outras cadeiras acolchoadas espalhadas pelo cômodo. Nas paredes, prateleiras com livros e objetos diversos.

E um cofre. Dentro dele, entre grandes somas de dinheiro, joias e valores, um envelope lacrado com os dizeres *Conselhos para o próximo Venerável.*

Sentou-se na pequena poltrona de frente para a escrivaninha. Começou a pensar, procurando por uma resposta.

Se eu fosse o Venerável, onde teria mandado construir um escaninho?

Escaninho... escaninho...

Manoel revisou todos os lugares que já tinha olhado, procurando algum compartimento secreto, mas nada encontrou. Voltou ao ponto de partida.

Levantou-se e observou a sala, como se farejasse algo.

Seu olhar vagou de um item a outro da Sala Proibida: a estante de livros, os quadros, a cômoda, a mesa, o sofá, o piso, o teto, as paredes...

Foi descartando uma a uma as opções. Então seu olhar retornou e se prendeu à mesa. Era antiga e belíssima, negra, de madeira maciça, com pés e laterais do tampo esculpidos, mostrando desenhos de uma planta alastrando-se por toda a extensão.

Abriu de novo as gavetas, pressionou partes. Lembrou-se de ter ouvido alguém lhe contar que antigamente, na época do Brasil colonial, algumas pessoas tornavam ocas as estátuas de santos e nelas escondiam valores. Não havia estátuas nem imagens por ali. Mas havia aquela mesa. Tentou arrastá-la. Era muito pesada. Com esforço, afastou-a da parede. Examinou-a detidamente, tateando e pressionando cada centímetro.

Deitou-se debaixo dela. A madeira escura impedia uma boa visão. Foi ao almoxarifado e buscou uma lanterna. Iluminou cada centímetro por baixo, buscando reentrâncias. Num dos cantos da mesa, os dedos descobriram o que os olhos não perceberam. Sentiu um deslocar da madeira e ouviu um leve clique. Algum mecanismo se acionara. Como se fosse um milagre, uma espécie de gaveta *secreta* se abrira na lateral da mesa, onde antes não havia qualquer vestígio de possibilidade de sua existência. Tinha dez centímetros de altura por sessenta de largura.

Puxou-a mais para fora, ansioso com sua descoberta. Oitenta centímetros de comprimento. O odor de mofo subiu-lhe às narinas. Espirrou. Era alérgico. A parte esquerda da gaveta era dividida em pequenas repartições, onde havia caixas de tamanho idêntico. Retirou uma ao acaso. Estava cheia de pedras preciosas. Recolocou-a no lugar. O lado direito era um espaço único, onde se encontravam muitas pastas e papéis já amarelados pelo tempo, documentos de uma outra época.

Procurou por documentos recentes e não encontrou nada. Mais para trás, havia alguns objetos, de pequenas estatuetas a um cilindro amarelo de bambu. Por curiosidade, pegou-o e girou-o em suas mãos. Ouviu barulho de algo se deslocando no interior. Tentou descobrir como abri-lo. Dos dois lados do cilindro, os nós naturais do caule do bambu o tampavam. De um lado, abaixo cerca de uns dois centímetros de um dos nós, notou um risco quase imperceptível ao longo da circunferência. Desconfiou que ele denunciava uma tampa. Tentou puxar, sem sucesso. Torceu no sentido anti-horário e conseguiu desenroscá-la. Para sua surpresa, se deparou com um par de chaves, preso a um chaveiro de metal do 14 bis, o avião de Santos Dumont.

Retirou de dentro do bambu os papéis que continha, e quase pulou de satisfação, rindo para si mesmo. Era uma escritura. E uma chave. Descobrira o que buscava.

Viagem a Minas

Amanhecera um céu nublado. O ar frio das montanhas fazia embaçar o para-brisa do carro. Manoel acionou o ar-condicionado, pensando no quanto o clima na serra diferia do calor carioca. Enquanto dirigia, prestava atenção nas instruções e no mapa do GPS. Pedro e Caio roncavam levemente – o primeiro no banco do carona, o segundo no banco de trás –, desde o início da viagem iniciada madrugada adentro. Um buraco na estrada de terra chacoalhou o veículo, acordando-os.

Na noite anterior, haviam decidido sair do Rio de Janeiro e viajar ainda na madrugada. Iriam conhecer a suposta fazenda de Manoel. Acordaram às 3h:30, arrumaram as coisas, tomaram café. Manoel configurou o GPS e pegou um velho guia turístico de Minas Gerais. Ao iniciar a viagem, zerara o contador de quilômetros do veículo para marcar a distância. Agora, ficara satisfeito ao olhar o relógio no *display* interno do veículo. Marcava 7h:30.

O contador anunciava 242 km percorridos quando Manoel observou os garotos acordando, ainda grogues de sono. Reparou no quanto diferiam na aparência. Com a forte compleição física de um adulto num rosto ainda adolescente, Pedro possuía olhos e cabelos escuros e era moreno claro. Caio, porém, aparentava a idade que possuía. Sendo pouco mais baixo e magro, era branco e tinha o corpo habitual dos rapazes de sua idade. Tanto seus olhos quanto seus cabelos eram do tom mais claro de castanho, quase cor de mel; o mesmo castanho dos olhos de Cláudia. Ambos os garotos eram belos a seu modo.

Cláudia ficara no Rio. Professora, estava sempre ocupada lecionando, exceto aos fins de semana, quando visitava seus pais na Barra. Não quisera mudar a rotina, afinal, a viagem à fazenda seria rápida; na segunda-feira estariam de volta.

– Já saímos do asfalto? – perguntou Pedro. – Onde estamos?

– Num trecho da antiga *Estrada Real*, na área rural da cidade de Santos Dumont. O inventor realmente nasceu por aqui, sabiam?

– Claro. Estudei sobre ele nas aulas de história.

Folheando o guia turístico, Caio disse:

– A cidadezinha se chamava Palmyra, até 1932. Nesta época, a população decidiu homenagear o inventor que nasceu por aqui, na Fazenda Cabangu.

– Como você sabe disso? – perguntou Pedro.

– Eu sei de muitas coisas.

Pedro olhou para trás.

– Assim não vale. Você está lendo no guia.

– A fazenda está cadastrada como um ponto de interesse turístico da região, no GPS – disse Manoel. – Hoje não é mais uma fazenda, e sim um Museu. Com o mesmo nome: Museu de Cabangu. Se tivermos tempo, podemos dar uma esticada por lá antes de voltarmos ao Rio, o que acham?

– Se pudermos conhecer, vai ser legal – animou-se Caio.

– Também quero ir – respondeu Pedro. – E por falar em fazenda, como é mesmo o nome daquela aonde estamos indo?

– Fazenda Bela Vista. E sabe o curioso? Ela fica no alto de umas montanhas que possuem o nome de Serra do Navio.

– Por que será que têm este nome?

– Ainda não sei. Talvez descubramos ao chegar mais perto.

– Falta muito para chegarmos?

– Já é possível ver a bandeirinha de chegada no mapa do GPS, está vendo?

– Ah, legal. Pelo que está marcando, estamos quase chegando...

– A região de montanhas engana. O que parece perto no mapa pode demorar alguns quilômetros por causa da sinuosidade das estradas. E nem é possível avançar com rapidez em estrada de terra, ainda mais subindo morros. De qualquer forma, agora não deve demorar mais do que alguns poucos quilômetros.

Avistaram um monumento parecido com um totem de concreto, triangular, cor de telha de barro, com cerca de um metro e meio de altura, às margens da estrada.

Manoel parou ao lado do monumento. No meio do totem, havia o desenho entalhado de um mapa e uma placa de aço inox, também triangular, com algumas informações. Dizia que aquele era um dos inúmeros marcos de sinalização espalhados pelas cidades ao longo da *Estrada Real*, uma antiga estrada que ligava, na época do Brasil colônia, as vilas mineradoras aos portos de Paraty e Rio de Janeiro. Por isso o mapa mostrava dois caminhos, ambos com ponto de origem em Diamantina. Em alguns trechos, a estrada ainda possuía parte do calçamento original de pedras.

– Que interessante, rapazes. Colocaram totens ao longo desta parte da *Estrada Real.*

Pedro ficou curioso.

– Real? Por que tem este nome?

– Porque na época colonial era a única estrada disponível e oficial permitida, já que a Coroa Portuguesa proibia que outros caminhos fossem abertos na colônia. Com isso, visavam impedir a evasão dos tesouros minerais sem o recolhimento dos pesados impostos. Por aqui passaram os carregamentos de ouro e pedras preciosas retiradas das minas.

– Onde ficavam? – perguntou Caio. – Eu gostaria de entrar numa dessas minas desativadas. Imaginem se eu encontrasse pepitas de ouro ou pedras preciosas esquecidas por lá?

– Vai sonhando! – disse Pedro. – Acho que você iria encontrar apenas pó e terra.

– As minas, Caio – continuou Manoel –, ficavam em algumas cidades do interior, na época apenas vilas, como Ouro Preto, Mariana, Sabará, Diamantina, Tiradentes e São João Del Rei.

Manoel pôs outra vez o carro em movimento. A estradinha que seguiam começara a subir, recortando a montanha.

Vários solavancos depois, após uma curva numa subida íngreme, avistaram uma montanha se erguendo à frente e prolongando-se à direita. Um paredão de pedra era visto no horizonte. Abaixo do paredão, uma floresta e um vale.

– Caramba! – Caio exclamou. – Está explicado o nome de Serra do Navio. Olhem lá no alto.

Pedro admirou-se.

– A montanha parece um navio, né?

– É uma barreira natural – Manoel explicou. – Ao que parece, vamos subir mais.

Após a subida íngreme e mais alguns solavancos, uma voz feminina e metálica ecoou na cabine do veículo:

– Você chegou ao seu destino!

– Este GPS está maluco. Estamos no meio do nada. Como podemos ter chegado?

Manoel sorriu.

– O GPS é bem preciso, Pedro. Exibe a localização exata com uma pequena tolerância de erro. Talvez apenas de alguns metros. Mas ele é limitado: a rota traçada depende das informações fornecidas. Na verdade, chegamos à determinada região da Mantiqueira, para a qual programei o aparelho, que não localizou a Fazenda Bela Vista. Porém, conforme a localização da região descrita na escritura, estamos perto. Daqui para frente, vamos pedir informações a quem encontrarmos pelo caminho.

Manoel continuou dirigindo, e volta e meia parava o carro e perguntava sobre a Fazenda Bela Vista a quem quer que cruzasse seu caminho.

Algumas indicações depois, pegaram uma estradinha à direita, da qual se avistava todo o vale por quilômetros. Desconfiaram estar acima da montanha de pedra que haviam visto antes. Passaram por uma porteira e, no extremo da montanha, chegaram à Fazenda Bela Vista. Um portão em grade de madeira dava acesso ao pátio de entrada, completamente cimentado.

Após o pátio de entrada, havia um belo jardim florido onde se encontravam banquinhos ao lado de um pequeno chafariz, cujas águas formavam um lago de diminutas proporções, adornado ao redor com duas estátuas seminuas de dois adolescentes espalhando flores pelo ar, como se numa versão campestre de Eros e Afrodite.

A casa-grande era uma antiga e imensa construção em perfeito estado de conservação; mais parecia, por algum passe de mágica, transportada diretamente do passado, sem quase sofrer qualquer mácula do tempo. Todos os elementos da construção original estavam lá: o telhado colonial, com suas eiras e beiras, as janelas duplas com partes em madeira e vidro, o porão, o sótão e, inclusive, a escadaria de chegada à entrada, após o jardim.

Pedro e Caio ficaram extasiados. O local era belíssimo. E a casa principal da Fazenda, magnífica.

– Uau! Parece uma daquelas fazendas vistas em filmes e novelas de época.

Assim que estacionaram no pátio, Manoel logo salvou a localização exata da fazenda no GPS. Buzinou a fim de anunciar a chegada, e desceram do carro.

O capataz saiu da casa, veio caminhando e se apresentou. Chamava-se Antônio. Era claro, tinha cabelos negros bem curtos e um bigode fino e bem aparado que mais parecia uma fita escura acima dos lábios. Usava botas e chapéu de palha. Homem simples e rústico, cumprimentou-os com seu sorriso acolhedor na boca de poucos dentes, suas mãos ásperas e calejadas, e sua simpática presença empesteada do cheiro de cigarro de palha.

Após as apresentações, Antônio os levou aos aposentos da casa-grande, onde tudo fora limpo por Doracy, a empregada doméstica, e organizado pela esposa de Antônio. Manoel percebeu que havia na fazenda outros empregados, mas estes pareciam mais arredios e calados. Manoel creditou isso à timidez mineira de ser.

A casa era mobiliada com móveis antigos e rústicos, e os cômodos eram amplos e arejados. Levaria tempo para conhecerem toda a casa, em seus dois andares. Entretanto, diante do tamanho da casa-grande, da presença da família de Antônio no local e da existência de empregados, Manoel perguntou:

– Como vocês são pagos? O proprietário anterior lhes enviava alguma soma de dinheiro?

O capataz tomou ares de ofendido e, com um orgulho de gente simples, relatou:

– Não, senhor. Ao contrário. Nós é que depositamos uns valores na conta dele. E sabendo que a fazenda tinha sido vendida, reservei o dinheiro de quase um ano inteirinho, numa caixa guardada no cofre, para entregar ao novo proprietário. Aqui nós trabalhamos duro, sabe? A Fazenda Bela Vista produz muitas coisas e vendemos tudo na cidade aqui perto.

– É mesmo, Antônio? E o que vocês vendem?

– Nós temos um retiro de leite e um curral com mais de trezentas cabeças de gado, uns dois quilômetros morro abaixo, perto da estrada. Vendemos leite, queijo e iogurte.

Dona Geralda acrescentou:

– Eu também faço alguns produtos para vender: Biscoitos, bolos e farinha de milho torrada e temperada. Doce de leite, cocada e geleias de fruta da época que colhemos direto do pomar.

– Temos ainda – continuou Antônio –, além dos bois de engorda, os porcos, galinhas e patos. Há os peixes dos tanques e, no criadouro, os alevinos. Isso sem falar das verduras, flores e ovos. Até terra estercada a gente vende. Sem contar o mel das abelhas... e olha que tem de muitas abelhas: das europeias, mestiças, e ainda o mel fininho das abelhas brasileiras: Jataí, Uruçu, Jandaíra e Borá. – Neste ponto, Antônio deu ares de entendido, levantou o dedo, chegou mais próximo de Manoel e segredou-lhe ao pé do ouvido: – Este mel fininho é raríssimo e nós vendemos para uns japoneses lá de São Paulo. Não é que eles pagam bem? E não para por aí não, senhor. Por aqui tem pé de muita fruta: vendemos as frutas e as mudas das árvores também. Tudo é rotulado com o nome da Fazenda Bela

Vista. O dinheiro das vendas paga todas as despesas. O lucro está guardado. O senhor, como atual proprietário, decidirá o que fazer com ele.

Antônio insistiu em mostrar a parte externa mais próxima à casa-grande da fazenda. Ali à esquerda e aos fundos, ficavam os silos, os galpões onde se depositavam as frutas colhidas e também se preparavam doces e queijos, as câmaras frias onde se estocavam os laticínios, depósitos, almoxarifado, garagem coberta e os estábulos. Também havia uma casinha ainda mais ao fundo, de colono, onde Antônio residia com sua mulher e filho.

A esposa de Antônio, Dona Geralda, mulher de ascendência indígena, cujos parentes distantes haviam se miscigenado aos portugueses na época da colonização, trabalhava na casa-grande como caseira, deixando tudo sempre organizado para receber os proprietários. O filho era chamado Ibirajara, *senhor do planalto*, em tupi, nome dado pelo pai para comemorar o nascimento daquele filho nas terras altas da Mantiqueira. O nome foi tragicamente convertido para Bira, apelido dado pelos trabalhadores da fazenda.

Manoel estava visivelmente surpreso em saber que a fazenda se autogeria como uma empresa, e também bastante aliviado por não ter herdado um elefante branco que lhe consumiria todas as suas economias. O capataz podia ser um homem simples, mas tinha a habilidade natural de um homem de negócios.

– Muito bem, Antônio! Parabéns por sua eficiência! Estou satisfeito por saber que estas terras são produtivas.

– São sim, Sr. Manoel. E agora que muitos turistas passam pela estrada, estamos pensando em produzir artesanatos e colocá-los à venda...

Naquela primeira noite na fazenda, os visitantes não conseguiram dormir direito. Um temporal caía. Raios iluminavam a noite, trovões feriam o silêncio. A fazenda possuía eletricidade, mas quando o temporal aumentou, as luzes se apagaram.

Com a pouca luz da tela de seus celulares, Manoel, Pedro e Caio iluminaram o ambiente e se encaminharam à cozinha. Caio se lembrara de ter visto um lampião a gás num canto em cima da bancada da pia.

A chuva fustigava os vidros da janela com força, e eles podiam ouvir o vento assobiando. Um barulho forte, de algo batendo, se repetia. Os garotos ficaram assustados.

– Deve ser apenas uma janela sendo batida pelo vento lá no sótão – disse Manoel. – Não precisam se assustar.

Caio achou os fósforos e os deu a Manoel para que acendesse o lampião. A luz se acendeu, a princípio bruxuleante, e depois uniforme. Manoel regulou a saída de gás do pequeno botijão para uma claridade média. Não sabia por quanto tempo o lampião permaneceria aceso, e não queria que o gás se extinguisse antes de desejar apagar a luz.

Subiram as escadas de acesso ao sótão. A janela continuava batendo. Abriram a porta de acesso e viram, pela quantidade de poeira e pelo cheiro de mofo, que lá era a única parte da casa que não devia ser limpa havia anos. Manoel espirrou e foi direto para a janela encontrada aberta. A chuva molhara o chão próximo. Fechou-a e passou a olhar ao redor. O sótão era grande. Lençóis brancos cobriam vários volumes. Havia ferramentas espalhadas por todos os lados.

Curiosos, Pedro e Caio levantavam os lençóis e, rindo, gritavam:

– Sofá.

– Guarda-roupas.

– Mesa e quadros.

– Banco de madeira.

– Estátua.

– Um... baú.

Caio encontrou um baú antigo cheio de desenhos de um colorido opaco, entalhados na tampa. Aproximou-se mais e descobriu que os desenhos representavam índios dançando em volta de uma fogueira.

– Que legal, um baú indígena!

– É mesmo? – perguntou Manoel. – Deixe-me ver.

Manoel aproximou o lampião para enxergar melhor o objeto e as figuras nele desenhadas.

Reparou que, além dos índios, estava representada também uma floresta e alguns animais: uma onça-pintada, um veado mateiro, lobos, pássaros, cobras. Havia também algo intrigante: todos os animais pareciam furiosos, em posição de ataque, como se estivessem protegendo os índios no centro do desenho.

– Está trancado – afirmou Pedro, após tentar levantar a tampa. – Talvez haja um tesouro indígena dentro dele. Que acham? Encontramos um baú de tesouro perdido?

– Vamos ver se consigo... – disse Manoel, afastando-o. Abaixou-se e tentou abrir o baú numa pressa incontida. A tampa mal se moveu. O baú estava trancado à chave.

–– Caio, pegue o lampião e busque meu chaveiro no andar de baixo, no quarto. Rápido!

– Vocês vão ficar no escuro?

– Não há problema. Vá!

Na escuridão vez ou outra iluminada por um relâmpago, Manoel meditava. Pedro aguardava os acontecimentos e teclou seu celular, iluminando o ambiente. Manoel não entendera o bilhete de início, mas agora compreendia que Jonas criara certa artimanha para lhe comunicar e, ao mesmo tempo, continuar mantendo em segredo o que desejava. Não dera importância ao bilhete, até que o advogado o alertasse para a fazenda em seu nome, a mesma fazenda da qual não tinha conhecimento e onde estava agora, a mesma fazenda a que Jonas se referira como casa de campo e lhe pedia emprestada em seu bilhete... E agora encontravam aquele baú, de tampa entalhada e desenhos indígenas. Manoel compreendeu.

...Perdi o livro que você me pediu emprestado na última viagem que fiz a Minas.
O baú onde o guardava ficou vazio no sótão...
Pode me emprestar sua casa de campo...?

Estava nítido.

Não era preciso ser gênio para compreender que Jonas se referia ao *Livro Perdido*. E que em seu bilhete, embora se referisse ao fato de tê-lo perdido, indicava claramente sua localização: na fazenda que comprara em nome de Manoel, dentro de um baú, no sótão da construção. O baú que agora estava à sua frente.

A Revelação

— Se eu estiver certo, este baú contém uma herança, Pedro. Uma herança deixada séculos atrás, na época da colonização, para o descendente de um nobre português.

– Um tesouro? Joias, ouro?

– De certa forma, um tesouro. Mas não joias, pedras ou metais preciosos. É um tesouro histórico e cultural: um livro.

Pedro decepcionou-se.

– Um livro?

– Ah, mas não é um livro qualquer. É aquele que estávamos procurando nos escritórios de Jonas. Seu valor ultrapassa o de qualquer tesouro que encontrássemos. É o *Livro Perdido*. Assim chamado porque se perdeu no tempo, depois que uns tentaram destruí-lo e outros salvá-lo.

– Como assim?

– É uma longa história. Começa com a vinda, em 1573, de Dom Afonso Queiroz, nobre português, para a colônia mais promissora de Portugal, a Terra de Santa Cruz. Ele abandonou sua pátria após a trágica morte de sua esposa, vítima de uma doença incurável.

– Foi por isso que ele veio ao Brasil?

– Quem sabe? O fato é que nunca voltou a Portugal. De início, viveu por dois anos entre a sociedade que havia no Rio de Janeiro da época: uma mistura de índios, bandeirantes, nobres, comerciantes, jesuítas, soldados da Coroa e criminosos que aceitaram o perdão de seus crimes em troca de passar a viver na colônia. Dividia seu tempo entre a construção da cidade do Rio e o estudo dos costumes indígenas.

– Ele voltou a se casar?

– Casar? Não formalmente, embora tenha tido seus romances.

Na época em que morou no Rio de Janeiro, engravidou a esposa de um rico comerciante. Jurado de morte pelo marido, foi ardilosamente emboscado. Teria sido morto, não fossem alguns índios que por ali passavam. Entre eles estava Tajapuã, um chefe guerreiro o qual salvara, tempos antes, de ser morto e devorado por seus inimigos, *os tupiniquins*. Dom Afonso teve compaixão do prisioneiro e o resgatou com muitos presentes à aldeia. Agora, ao ver a emboscada contra o benfeitor, o guerreiro liderou os companheiros na luta. Os índios o salvaram, mas uma das flechas disparadas acertou o comerciante, o matando. A esposa arrependeu-se da traição e repudiou o amante. O trauma a fez abortar. Depois de algum tempo, Dom Afonso doou todos seus bens aos jesuítas e decidiu viver entre os índios.

– Mas o que tem a ver esta história com o *Livro Perdido*?

– Boa pergunta, Pedro. O fato é que liberado de seus bens, exceto por alguns livros que levara, e um outro de anotações, Dom Afonso foi aprendendo sobre a vida dos indígenas, seus mitos, crenças, costumes, línguas e tradições. E também sobre toda a sabedoria acumulada dos pajés, da criação do mundo aos Deuses amerabas.

– Os índios também devem ter ficado curiosos sobre ele, não é?

– Com certeza! Dom Afonso também ensinou aos índios sobre o conhecimento dos brancos. Entretanto, à medida que foi convivendo com os índios, mesmo sendo homem culto e erudito, foi percebendo coisas inexplicáveis. Mortes súbitas e sangrentas, desaparecimentos, criaturas estranhas e monstruosas, assombrações, entes que perseguiam e exterminavam índios. Então, escreveu tudo isso no seu livro de anotações.

– E o que tem de mais nestes relatos?

– Os relatos contidos no livro formam uma gênese do folclore da Terra de Santa Cruz, e mais tarde, quando conhecidos, foram odiados e temidos pela Coroa Portuguesa e seus membros pertencentes à Ordem de Cristo. E não só. Os jesuítas da Companhia de Jesus, que representavam a Igreja Católica, também os execraram.

– E por que temiam tanto este livro?

– Temiam que a teoria indígena da concepção do mundo e de seus Deuses desprovidos de culpa e pecado, solapasse a fé cristã, base da Igreja e da expansão imperial pela colônia. Interesses da Igreja e da Coroa justificavam o extermínio, a escravização, e o tratamento desumano dado às populações indígenas: eram animais ou raças desprovidas de alma, sem cultura, inferiores aos humanos europeus.

– E o que aconteceu com Dom Afonso?

– Infelizmente, sua história não teve um final feliz. Muitos anos após passar a conviver com os indígenas, a aldeia onde estava foi atacada por bandeirantes portugueses que buscavam escravizar índios para trabalhar nas vilas ou nos garimpos recém-abertos das Minas Gerais. Para eles, os índios eram chamados bugres e tinham valor apenas enquanto mão de obra escrava. Estupros e mortes eram frequentes.

– Ele foi morto nesse ataque dos bandeirantes?

– Não. Dom Afonso, que já havia testemunhado o massacre de índios na chamada *Guerra dos Tamoios,* ocorrido em Cabo Frio em 1575, temeu que a história se repetisse na aldeia em que vivia. Irado com a devastação das aldeias vizinhas e com toda a carnificina promovida pelos bandeirantes, juntou-se aos guerreiros, matando alguns de seus compatriotas. Foi ferido e sua aldeia arrasada. Teria sido morto, não tivesse sido reconhecido como um nobre de seu país. Resolveram entregá-lo à Coroa Portuguesa e à Igreja, junto com seu livro, para que pagasse pelo crime de traição.

– Os portugueses o prenderam?

–Muito pior. Eles o queimaram na fogueira, numa bárbara demonstração de poder. Não desejavam deixar vivo o autor. O livro foi chamado por um dos jesuítas de *Gênesis dos Entes Infernais da Terra de Santa Cruz.* Eles o teriam queimado se não tivesse sido roubado por Membirabitu, o filho de sangue índio de Dom Afonso. A pedido de seu pai e após sua execução, continuou a escrever o livro, pois fora educado por Dom Afonso. Desde então, o livro foi apelidado pela monarquia de *Livro Perdido*, porque embora se soubesse que ele existia, nunca mais foi encontrado, mesmo após incessantes buscas de bandeirantes pelas aldeias mais próximas do Rio de Janeiro, ávidos pela recompensa em ouro, oferecida pela Coroa a quem o encontrasse.

– Mas o livro foi encontrado um dia, não foi?

– Sim, foi, muito tempo depois, já quando vivia o bisneto de Dom Afonso. Os ensinamentos sobre a cultura dos brancos foram sendo repassados de geração em geração e a escrita do livro complementada por cada uma delas.

– E como o livro foi encontrado? – Pedro não se aguentava de curiosidade.

Manoel estava satisfeito ao falar sobre algo que fora um segredo por tanto tempo e que agora deveria ser revelado ao mundo.

– Naquela época, acho que por volta de 1750, Domingos Ferreira, um maçom português que veio ao Brasil e instalou secretamente uma loja no

Rio de Janeiro, deparou-se por acaso, ao estudar documentos secretos e antigos da Coroa, com alusões a Dom Afonso. Curioso, buscou e reuniu informações sobre ele e seguiu a trilha dos descendentes. Encontrou o bisneto do português numa aldeia ao sul das Minas Gerais, após anos de expedições por aldeias indígenas.

– Então um maçom o encontrou...

– Sim. Teve muita dificuldade na empreitada, adentrando florestas ainda virgens. Ofereceu sua amizade ao índio e fez um acordo.

– Como assim?

– Domingos desejava o livro a qualquer custo. O índio já estava em idade avançada. Quase todos os seus descendentes haviam sido mortos em emboscadas. Não tinha como dar prosseguimento a sua missão. Domingos prometeu continuá-la. O índio concordou em lhe entregar o livro. Mas Domingos Ferreira teria de criar e educar como seu filho um curumim que descendia diretamente de Dom Afonso. E, quando ele se tornasse adulto, o livro deveria lhe ser entregue.

– Que interessante. Então Domingos Ferreira adotou um índio como seu filho?

– Isso mesmo. Ao se tornar adulto e membro da Maçonaria, ele recebeu o livro e continuou a obra. E concordou com o Venerável Domingos Ferreira, que criou os preceitos para proteção do livro. Entre os integrantes da ordem, apenas três seriam os únicos a terem conhecimento da história, com a missão de preservar o livro, e entregá-lo, em cada época, ao herdeiro de sangue de Dom Afonso Queiroz.

Manoel olhou fixamente para Pedro e arrematou:

– Muito tempo se passou. Herdeiros surgiram e se foram. O livro sempre voltou aos cuidados da Maçonaria. Agora, finalmente, um novo herdeiro foi encontrado. Um herdeiro que se encaixa nos preceitos criados por aqueles dois maçons.

– Quem é ele?

Manoel não conteve um breve sorriso.

– Este herdeiro é você, Pedro.

– O quê? – Pedro gritou, surpreso. – Eu?

– Sim, tudo isso que lhe contei é um segredo muito bem guardado pela Maçonaria. O livro só lhe seria entregue quando você completasse vinte e um anos, não fosse a ordem do Venerável Jonas. Ele ordenou que o livro lhe fosse entregue já.

– E por quê?

– Isso, não sei. Acho que ele sabia de algo que está para acontecer...

Caio retornou com o chaveiro.

– Consegui achar as chaves.

– Entregue-as para o Pedro.

O chaveiro tilintou quando o recebeu. Suas mãos tremiam. Com dificuldade, separou a chave que parecia mais antiga. Após olhar o rosto de Manoel, buscando uma aprovação que fora consentida no olhar, colocou-a na fechadura do baú. Tentou girá-la para ambos os lados. Parecia emperrada. Com esforço, girou-a no sentido anti-horário. Após duas voltas da chave, a fechadura se abriu, rangendo seus mecanismos internos. Ele levantou a tampa e sua surpresa aumentou.

Dentro do baú havia um livro grande, com a capa dura e enegrecida. Nela vários rabiscos formavam o desenho de uma árvore, mas eles pareciam brilhar e se mover, formando outros desenhos. Tudo num piscar de olhos. Depois lá estava a árvore novamente.

– Uau...! As linhas do desenho brilham de vez em quando...

Pedro notou que era bem pesado. Teve de se esforçar para arrancá-lo de dentro do baú e colocá-lo no chão. Parecia um daqueles livros de cartórios de registros públicos.

– Abre logo o livro! – disse Caio, não se contendo de curiosidade.

Pedro levantou a dura capa e o abriu. Uma fina nuvem de poeira levantou-se. Havia desenhos de florestas, rios e aldeias na face interna da capa. Era mais grossa do que Pedro imaginara, e no centro havia uma pequena pedra brilhante incrustada.

– Um cristal! – admirou-se.

Ao virar a página inicial em branco, deparou-se com o título *Anotações verídicas de Dom Afonso, nobre português, sobre os nativos que habitam a Terra de Santa Cruz, situada no Novo Mundo da América, desconhecida antes e depois de Nosso Senhor Jesus Cristo, até ser bravamente descoberta pelas caravelas do reino de Portugal.*

Observou a caligrafia caprichosa do texto.

A voz de Pedro soou trêmula e vacilante quando começou a ler em voz alta:

– E-Eu, Dom Afonso...

Eu, Dom Afonso Queiroz, nasci em Lisboa, Portugal, no ano de 1540 da Graça de Nosso Senhor Jesus Cristo. Após a morte de minha amada e jovem esposa Joana de Albuquerque por uma doença fatal, deixei minha Terra Pátria em 1573 singrando os mares em direção às terras do novo mundo que tanto e entusiasticamente a mim falaram marinheiros e capitães de naus. O Paraíso neste mundo, em suma, é o que disseram. Que mais eu poderia desejar? Com o coração sangrando, desprovido de esperanças e enfastiado das mazelas humanas no Velho Mundo, perguntei a mim mesmo e aos céus que não salvaram minha esposa: haverá paz aos homens de boa vontade? Não tive respostas. E nem paz. Percebi, então, que se houvesse alguma esperança para mim, seria numa nova vida, num Novo Mundo. Temi a morte de minha esposa. A minha, não temo. Antes vim ao seu encontro em tão longa viagem. Não me importei. Quem sabe ela levasse-me de volta aos braços de minha amada esposa, lá, muito além da carne e da vida? Pois o que seria o paraíso senão uma leve sombra da felicidade que poderíamos ter vivido juntos?

Desenlacei-me de todas as minhas atividades e obrigações, embora uma última me tivesse sido imposta pelo Rei em pessoa, como pagamento e licença para a viagem ao Novo Mundo. Eu a desempenharia quando pisasse no Novo Mundo, e depois estaria livre, sem qualquer outra amarra de meu passado.

Deixei para trás a vida que conhecia e me atirei ao mar. Na travessia oceânica, furiosa tempestade nos atingiu e por pouco não naufragamos. Para mim fora uma santa graça não temer a morte. O mar não nos sepultou. Chegamos intactos à Terra de Santa Cruz. Meus olhos se deslumbraram com as cores e as belezas deste lugar, e de seus filhos e filhas, e todos os meus sentidos exultaram com seus frutos e perfumes, bichos e sabores. Tal qual antes me haviam enfeitiçado as notícias que daqui partiram e em Portugal aportaram. Não há de existir terra mais abençoada ou feliz. É aqui, afinal, o paraíso prometido. Nestas páginas relato tudo o que venho vivendo com os nativos. Seus medos e alegrias. Seus demônios e Deuses. Seus costumes, sua história, sua sabedoria.

O que me motiva? A simplicidade, a inocência e a alegria deste povo belo e inocente. E a profunda necessidade de conhecer outras formas de viver e de ter fé.

Talvez, no fundo, eu procure neste paraíso, entre tantos Deuses nativos, aquele que possa trazer-me de volta minha amada Joana. Há de existir aqui este Deus mais presente e misericordioso. Porque Demônios existem; já os vi e aqui também relato, como a tantas coisas, algumas comuns e outras estranhamente misteriosas, que tenho visto e vivido entre estes povos da floresta.

- Impressionante! – exclamou Manoel, interrompendo Pedro. – É realmente o *Livro Perdido* de Dom Afonso Queiroz. Mal posso acreditar. Eu estava certo, afinal. O livro estava no baú.

Caio não se conteve em ver e folheou as páginas do livro.

- As folhas estão amareladas, algumas sujas e desgastadas. É mesmo muito antigo.

Manoel aproximou-se mais e avaliou o livro.

– A escrita está diferente nas páginas mais ao meio e ao fim do livro. Isto comprova que, depois de Dom Afonso, outros o complementaram. E não é só quanto à letra, mas também quanto ao estilo. Devem ter passado a utilizar pena de algum pássaro nativo e tinta indígena para escrever, após ter acabado a tinta que Dom Afonso trouxe para suas penas de ganso.

– Penas de ganso? Não existiam canetas naquela época?

– Com certeza, não, Pedro. As canetas foram um invento recente, do final do século XIX. E essas eram canetas-tinteiro. As esferográficas apareceram apenas no início do século XX. Sendo mais preciso, a primeira esferográfica que escrevia em papel surgiu apenas em 1938 em Budapeste. Então, antes das canetas como as conhecemos, eram as penas de ganso que comumente se utilizavam na escrita manual.

Pedro ia passando os olhos pelas páginas, buscando algum sentido na leitura.

– Está quase todo em forma de diário. E há relatos sobre muitas coisas. É, a escrita muda mais à frente... as letras são diferentes... devem ser dos descendentes de Dom Afonso....

Embora a chuva tivesse passado, ainda continuava a relampejar.

No exato momento em que um raio iluminou a noite, caindo numa árvore próxima da fazenda, um uivo aterrador foi ouvido, retirando a atenção voltada ao livro de Dom Afonso.

Assustado, Caio perguntou:

– O que foi isso? Será um... lobo?

Manoel levantou-se, e foi até a janela. Nada viu na escuridão. No instante seguinte, entretanto, avistou algo estranho, indefinido. Pareciam fachos de luz horizontais, que acendiam e apagavam em determinado ponto, para depois reaparecerem muito à frente. Durou apenas alguns segundos; fora o bastante para que soubesse que não eram relâmpagos ou raios. Preferiu não falar nada para não assustar os garotos.

Caio repetiu:

– Pareceu ser o uivo de um lobo.

- Pode ser um lobo – concordou Manoel. – Rapazes, é bom lembrarem de ter cuidado se tiverem de sair à noite por aqui. De manhã, perguntaremos a Antônio sobre os animais selvagens que rondam essa região.

Pedro fora incapaz de dar significado às palavras de Manoel e Caio. Estava completamente absorvido pela leitura do livro. Enquanto lia, as letras passaram a se movimentar. Palavras, frases, parágrafos. Seguindo-se, misturando-se, avançando. Gritavam e se traduziam numa língua moribunda, esquecida, embora viva e flamejante. Formavam um redemoinho que tragava sua consciência e lhe abria visões que se sucediam rápida e interminavelmente e o jogavam num tempo há muito passado.

Era um dia claro. Sentia o calor, misturado à umidade da floresta à sua volta, o cheiro de mato e o de fumaça do fogo com o qual alguns índios moldavam gigantescas cascas de árvores para construir canoas.

Sentiu o vento, ouviu o grito dos pássaros e o bater dos instrumentos indígenas. Andava por um tapete de folhas secas e, sob ele, quando pisava mais forte, sentia a terra macia e quase barrenta que sujava seus pés descalços. E ao ver os próprios pés, notou que algo mais estava estranho. Sua pele tornara-se mais morena. Seu corpo, mais robusto, embora tão jovem quanto antes. Estava nu, com apenas alguns enfeites pelo corpo. Levou as mãos à cabeça e sentiu o cabelo liso e comprido, as feições mudadas.

Percebeu um homem idoso, sentado na raiz da árvore cortada, concentrado em molhar uma pena num líquido escuro e rabiscar com ela em algo como uma tábua de madeira, com folhas brancas tão finas como as folhas de alguns arbustos. Foi aproximando-se dele, curioso.

Estancou a alguns metros, quando achou que sua presença havia sido percebida. Neste momento o caraíba[4] *levantou o rosto e o encarou. Parecia cansado e idoso como o do pajé da tribo, mas tinha outros traços, traços de outro povo que não os de sua terra, e as laterais do rosto e o entorno da boca estavam estranhamente cobertos de cabelos brancos como os da sua cabeça.*

4 Do tupi-guarani "Kara" "ib": sábio, inteligente, brancos europeus.

Os olhos do homem o atravessaram como se já soubessem todos os seus dias, antes e depois daquele encontro. Um calafrio lhe percorreu a espinha. Deu um passo para trás, ao ouvir aquela voz grave e firme numa língua estranha que, apesar disso, entendia como sua:

- Minha missão é tua missão...

Tentou prestar atenção ao que ele dizia, mas de repente a realidade se distorceu, as imagens se borraram, tudo pareceu se dissolver e se distanciar na luz amarela de um sol...

– ...Pedro, você está bem? Pedro...?

A voz de Manoel lhe chegava longe, bem longe, e lhe pareceu se aproximar, junto com o brilho daquele sol que foi diminuindo até ficar perto de si e se transformar na luz de um lampião.

Manoel chamava-o, preocupado.

Pedro olhou-o, a princípio, sem entender nada.

– Oi. Estou bem. Acho...

– O que houve? Você pareceu doente, com o olhar fixo como se estivesse hipnotizado.

– Acho que apenas cochilei... e sonhei.

– Então deve estar com sono. Vamos todos voltar a dormir. Amanhã nosso dia será cheio.

Manoel guardou o livro no baú e fechou a porta do sótão. Em seguida, voltaram todos para seus quartos.

Antes de pegarem no sono, ouviram uma vez mais o terrível uivo. Na escuridão da noite, tremeram, mas não de frio.

Urgência e Traição

– Irmãos, vocês sabem por que foram convocados para esta reunião urgente: precisamos eleger um novo Venerável.

Tobias iniciava a reunião extraordinária na loja maçônica. A convocação fora feita às pressas; muitos não ficaram sabendo dela porque tinham aproveitado o fim de semana para viajar.

No dia anterior, Tobias fora ao médico tratar de sua tosse e da dificuldade que vinha tendo de manter uma respiração normal. O médico exigiu-lhe uma série de exames. Quando voltava do consultório, encaminhou-se ao prédio da Maçonaria a fim de encontrar o *Livro Perdido*. Quase chegando lá, viu Manoel sair do prédio, entrar no carro que estava estacionado em frente e se afastar. Ficou intrigado. Teria também ele pensado em se apoderar do livro?

Entrou rapidamente no prédio e foi direto ao armário onde o livro havia sido guardado. Não ficou surpreso de não o encontrar.

Manoel deve tê-lo roubado, pensou. *Afinal, o idiota manifestou opinião contrária à minha quanto ao destino que o livro deveria ter.*

Pensou durante todo o dia sobre o que fazer, e, só na manhã seguinte, após conversar com um dos mais antigos membros da maçonaria, soube que uma reunião urgente poderia ser convocada. Após grande empenho de sua parte, conseguiu que tudo ficasse agendado.

Cada um dos membros da loja escreveu num pedaço de papel o nome do seu candidato preferido. Após a contagem de votos, Tobias deu um sorriso de satisfação.

– Senhores – ele disse –, estou lisonjeado pela escolha feita e orgulhoso de ocupar este cargo. Tudo farei para honrá-lo. Como Venerável desta loja, devo revelar que houve um motivo maior para esta reunião ter sido convocada. Documentos secretos foram roubados por um de nossos membros. E temos que reavê-los, custe o que custar.

O Apartamento

O sol poente pintava o horizonte de vermelho. Poucas pessoas restavam nas praias naquele final de tarde de domingo. Na água, alguns barquinhos à vela deslizavam pelas ondas. Acima deles, gaivotas e fragatas cortavam o ar.

Cláudia dirigia de volta para seu apartamento, passando pela estrada que margeava as praias. Preferia fazer este caminho porque era mais belo, em vez de pegar o principal que cortava a cidade e diminuía o trajeto. Como Manoel viajara com Caio e Pedro, estava sozinha no apartamento e não tinha pressa de chegar em casa. Foi curtindo a paisagem. O trânsito estava tranquilo.

Pensava em seu relacionamento com Manoel e seu filho Caio. Gostaria de ter ido com eles para conhecer a fazenda em Minas, porém, sabia que tinha de trabalhar bem cedo logo na segunda-feira. Era professora de escola secundária e seu trabalho estendia-se até às 17h30. Quando chegava em casa, ainda tinha de preparar as aulas do dia seguinte, o que lhe tomava parte da noite. A rotina a impedia de se ausentar para uma viagem inesperada. Quase sempre aproveitava seu fim de semana para estar com Manoel e Caio, e também para visitar seus pais.

Ao aproximar-se de seu prédio, viu uma confusão logo na portaria. Havia um carro da polícia estacionado e muitos dos moradores transitavam assustados pelo térreo e pela entrada principal. Posicionou seu carro em frente ao portão da garagem; como o porteiro não acionou o controle para abri-lo, desceu e se encaminhou para a portaria a fim de ver o que estava acontecendo.

Policiais tomavam notas. O porteiro, cercado de pessoas, sentado no sofá, parecia estar passando mal. Ao seu lado, pedaços de corda. Cláudia procurou por um rosto conhecido que estivesse acessível. Seus olhos pousaram numa senhora de meia-idade que olhava de longe o desenrolar dos acontecimentos, próxima à saída do elevador. Ela parecia extremamente nervosa e abalada. Cláudia sabia que ela era moradora do prédio, porque já a vira ali algumas vezes. Porém, não tinham nenhum contato.

Cláudia foi em sua direção.

– O que está acontecendo? – perguntou, preocupada.

– O porteiro foi rendido por bandidos. Arrombaram o apartamento 1301 e se foram.

Ela arregalou os olhos. Sentiu suas pernas tremerem e quase não se aguentou em pé. Conteve-se. Podia ter escutado errado. Gritou:

– O 1301? Tem certeza?

– Sim, eu mesma fui lá ver. Está todo arrombado.

Cláudia levou a mão à parede para se apoiar. Depois, num impulso, jogou-se para dentro do elevador e apertou repetidamente o botão para o décimo terceiro andar. As portas se fecharam. A angústia e a ansiedade cresciam na proporção em que os segundos passavam. Saiu do elevador e correu para a entrada de seu apartamento. Ao ver a porta arrombada e tudo revirado lá dentro, parou no corredor e deixou-se cair, em prantos.

Ligou para o celular de Manoel. Ninguém atendeu. Tentou o de Pedro. Nada. E depois, o de Caio.

Irritou-se e praguejou ao ouvir mais uma vez a mensagem da operadora:

– *Este celular encontra-se desligado ou fora da área de cobertura.*

Um policial chegou, ajudou-a a se levantar e lhe perguntou se era a proprietária. Ela confirmou. Ele fez um gesto mostrando a bagunça e observou:

– Parece que os bandidos procuravam por alguma coisa. A senhora faz ideia do que seria? Verifique, por favor, se roubaram algo.

Temores

— Rapazes... Como há fartura na fazenda. Isto é que é mesa de café da manhã. Nem sei por onde começar... O que vocês preferem, bolos ou pães caseiros?

Após acordarem cedo, Manoel, Pedro e Caio haviam descido para a cozinha, onde já estavam Antônio e sua esposa, que haviam preparado o desjejum especialmente para os hóspedes. Havia uma grande mesa forrada com uma toalha bege de crochê e bancos compridos de cada lado. Os garotos, ainda um pouco sonolentos e distraídos, olharam para a mesa. Havia bolos, pães, biscoitos, queijos, geleias, iogurtes, tudo feito de forma caseira. E isso não era tudo. Havia também frutas frescas, mel, mingau e, claro, café, leite e sucos de frutas fresquinhos.

– Nossa, este pãozinho de queijo quentinho está uma delícia. Nunca comi nenhum tão gostoso – respondeu Caio.

– E eu estou com muita fome – riu Pedro.

– Antônio, Dona Geralda – falou Manoel –, assim vocês nos acostumam mal. Vamos querer estar sempre por aqui.

O casal abriu um sorriso e olharam um para o outro. Foi Antônio quem respondeu:

– Nós temos muito prazer em receber vocês por aqui. Podem comer à vontade. Ouviram a tempestade de madrugada?

– Ouvimos, sim, Antônio. Ainda bem que amanheceu com céu claro e sol radiante.

Manoel aproveitou a boa disposição do homem para lhe perguntar o que lhes havia deixado intrigado na madrugada anterior:

– Também ouvimos uivos assustadores pela madrugada. E da janela, vi fachos de luz passando ao longe, acho que na floresta. Tudo me pareceu muito estranho e sinistro. O que pode ter sido isto?

A fisionomia de Antônio modificou-se. Ele olhou novamente para a esposa, que baixou os olhos e virou-se para lavar as louças na pia.

– Talvez algum lobo. Existem muitos animais selvagens por aqui, sabe? A mata que circunda o vale é muito velha. Já estava lá no tempo dos avós dos nossos avós. Parte dela está dentro da propriedade da fazenda, mas é muito maior e vai se encompridando pelas roças de umas três cidades das redondezas. Os proprietários antigos sempre a respeitaram, não deixando derrubar nenhuma árvore.

– É bom que tenham deixado a floresta intacta. De qualquer forma, hoje a legislação exige que uma determinada parte de qualquer propriedade rural seja deixada intacta como reserva florestal legal.

– Ah, mas não foi por isso que respeitaram a mata, não senhor. Todos sempre tiveram medo daquela imensidão verde lá... tem muitos animais selvagens, e não é só isso: coisas estranhas acontecem com qualquer um que se aventura por aquelas bandas.

– Coisas estranhas? Como assim, Antônio? Seja mais claro.

– São coisas que ninguém entende, ficam sem explicação... como estes fachos de luz que o senhor disse que viu. E muito caboclo daqui da região já se perdeu por lá. Os poucos que voltaram, ficaram meio lelé da cachola, sabe? Como o Jorge Paraíba, vizinho aqui de perto. Era o melhor e mais corajoso caçador da região. Certa vez entrou na floresta. Reapareceu muitos dias depois. O coitado virou uma sombra do que era. Agora tem medo até de formiga.

Dona Geralda se virou e disse, com olhos esbugalhados, temerosos e aflitos:

– Tem assombração por lá... Alma penada... Isto é que é, digo para o senhor, Seu Manoel.

Os rapazes se olharam e deram um riso nervoso. Na madrugada anterior também tiveram medo.

Antônio continuou:

– Daqueles que entraram na mata para caçar, pouquíssimos retornaram. Da maioria ninguém nunca mais ouviu falar. Nem dos cães, quando foram levados. Houve aqueles que entraram para fazer busca por lá, e só ouviram gritos e assobios. Aquela mata é mágica e encantada. É bom ficar sempre distante dela.

– Tenho certeza de que deve haver uma explicação racional para o que eu vi ontem à noite e para as coisas misteriosas que já aconteceram. Com todo respeito às suas crenças, Antônio, e às de sua senhora, não acredito nesta coisa de lugar assombrado.

– Ah, eu também não acreditava muito não. Então numa noite eu vinha próximo daquelas bandas e vi um vulto negro muito sinistro. Apressei o passo e a coisa ficou em meu encalço. Nunca senti tanto terror em minha vida. Mas tive sorte. Encontrei com uma turma de uns dez lavradores que também voltavam para casa, e, talvez por estarmos em maior número, a coisa tenha ido embora e não tenha me atacado. Desisti de andar por aquelas bandas à noite. Então, quem já viveu algo assim, sabe do que estou falando.

– Entendo o susto que você passou, Antônio, o que não quer dizer que eu tenha passado a acreditar em assombrações. Vamos deixar isso para lá. Melhor aproveitar o dia de sol para você nos mostrar toda a fazenda.

– Ah, isso é comigo mesmo. Vocês vão se encantar com esta bela propriedade a ponto de não desejarem voltar à capital. Aonde vocês querem ir primeiro?

Foi Pedro quem respondeu:

– Podemos ir conhecer a floresta?

Houve um silêncio constrangedor.

Retorno ao Rio de Janeiro

No fim da tarde de domingo, Manoel dirigia pela estrada sinuosa. Deixara os garotos na companhia de Antônio e Geralda. Desejava ligar para a esposa. Quando estava próximo da área urbana de Santos Dumont, percebeu, enfim, o sinal do celular, estacionou e ligou.

– Alô, Cláudia?

Nervosa e aflita, ela respondeu. Suas palavras atropelavam-se, sem sentido. Parecia em estado de choque.

– Cláudia – disse Manoel. – Calma! Não estou entendendo nada. Respire fundo! Fale devagar!

Ela ficou alguns segundos em silêncio, depois disse:

– Manoel, graças a Deus você ligou! Tem duas horas que estou ligando para seu celular. Arrombaram nossa casa, reviraram tudo.

Manoel a ouviu soluçar e segurar o choro. Entrou em pânico.

– Você está ferida? O que aconteceu?

– Nosso apartamento está de pernas para o ar. Eu estou bem. Quando cheguei no prédio, a polícia já estava aqui e havia confusão na portaria. Quando subi ao apartamento, vi a porta arrombada e tudo revirado, numa bagunça infernal. Os bandidos já tinham ido embora.

– O porteiro não viu nada?

– Ele foi encontrado amarrado. Falsos policiais enganaram-no, alegando ter um mandado de prisão para um dos moradores do prédio, e ordenaram que o portão fosse aberto. Quando o abriu, foi rendido e trancado no banheiro do saguão.

– As câmeras de segurança. Alguém assistiu aos vídeos?

– Não, os bandidos levaram as mídias.

– E os arquivos de segurança no computador da recepção?

– Também foram apagados. Não temos as gravações.

– Droga! O que os verdadeiros policiais fizeram?

– Apenas tomaram notas. Não têm nenhuma pista.

Manoel pensou rápido. Havia chegado à fazenda em Minas no sábado pela manhã e planejara voltar ao Rio de Janeiro na segunda.

– Escute bem, Cláudia. Peça ao síndico para trocar a fechadura da porta. Vá ao hotel mais próximo. Vou retornar com os garotos. Chegaremos mais à noite e iremos ao seu encontro. Tudo bem?

– Mas é preciso arrumar esta bagunça...

– Nem pensar. Faça o que eu disse. Amanhã nós arrumamos tudo, com a ajuda da empregada. Acho que o hotel mais próximo é o Hotel Vila Verde. Te encontro por lá daqui a umas cinco ou seis horas.

– Está bem. Me ligue assim que chegar ao Rio.

Manoel voltou às pressas para a fazenda. Contou sobre o acontecido. Todos ficaram apreensivos e pesarosos, compreendendo a partida urgente. Dona Geralda lhes fez levar doces e biscoitos, e Antônio os convidou a voltar para uma visita mais longa. Manoel decidiu deixar o *Livro Perdido* na fazenda, pois achou que ali estaria a salvo. Pediu segredo aos rapazes. Despediram-se dos caseiros e se foram.

Descendo a estradinha de terra, os garotos reclamaram de tanto que o carro sacolejava. Manoel percebeu que deveria recuperar a calma e diminuir sua ansiedade, afinal tinha algumas horas de viagem pela frente. Respirou fundo tentando se acalmar e desacelerou o veículo.

Caio e Pedro discutiam sobre o incidente e sobre como poderia ser evitado pelos porteiros. Assim que surgiu sinal em seu celular, Caio ligou para a mãe e também tentou acalmá-la, dizendo que já estavam a caminho e que chegariam em breve. Ela respondeu que já estava no Hotel Vila Verde, no apartamento 301.

O display no painel do veículo marcava 22h15 quando Manoel estacionou o veículo em frente a uma das bombas do posto de combustível no Rio. O tanque do carro estava quase vazio. Os rapazes se espreguiçaram, acordando. Caio reconheceu o lugar.

– Estamos próximos do centro do Rio. Por que paramos?

– Acabou o combustível. Apenas isto.

O frentista aproximou-se. Manoel pediu para encher o tanque.

– Alguém quer ir ao banheiro?

Vagando pela noite numa van preta, dois homens conversavam, desanimados. Seus nomes eram Fábio e Murilo. O primeiro era jovem e musculoso; o segundo, mais velho, franzino e moreno, dirigia a van. Foi ele quem disse:

– O dia hoje foi perdido. Rodamos durante todo o dia e parte da noite e não conseguimos nada. Alguém não vai gostar nada disso.

– Fizemos todo o possível. O irmão evaporou-se. Deve ter culpa no cartório mesmo. E deve ter viajado para bem longe daqui.

– Acho que devemos avisar o Venerável. Você pode ligar?

– Sim – disse Fábio, já retirando o celular do bolso. – Não há mais nada que possamos fazer agora.

Murilo viu um posto de combustível. Precisava abastecer, após ter rodado o dia inteiro de um lado para outro.

– Vou parar para abastecer naquele posto ali.

– Droga, perdi minha agenda. Você tem o número dele aí?

Entrando no posto, Murilo não respondeu. Reconheceu o carro à sua frente. Era de Manoel. Viu-o descer do carro e ir em direção a uma porta a uns dez metros à sua direita.

– Olha lá, Fábio. É ele. Nós o encontramos.

– Caramba! É mesmo! Vamos pegá-lo.

– Há dois rapazes no carro em que ele está, veja. Um é filho dele; o outro, do falecido Jonas.

– Não temos opção. Temos de abordá-lo e levá-lo conosco.

Os dois homens desceram da van e se encaminharam ao banheiro do posto de combustível.

Manoel estava saindo pela porta quando deu de cara com os dois homens. Reconheceu-os.

– Oi, meus irmãos, como vão?

Os dois homens o cumprimentaram secamente. Fábio lhe disse:

– Estamos o dia inteiro à sua procura. Você tem que vir conosco agora. Ordens do Venerável.

Manoel não entendeu nada.

– Como? À minha procura, por quê? E que Venerável?

– Tobias é o Venerável agora. Nós lhe explicaremos tudo pelo caminho. Você tem de vir conosco.

– Tobias? Que loucura é essa? Não posso ir agora. Estou chegando de viagem. Minha casa foi invadida por bandidos. E estou com meu filho e o de Jonas no carro. Preciso levá-los para casa.

Fábio levantou a camisa de malha e mostrou-lhe uma arma enfiada na cintura.

– Ordens são ordens.

Manoel assustou-se. Estava sendo ameaçado e coagido. Abafou a explosão de raiva dentro de si; seu ímpeto era o de reagir sem se importar com as consequências, mas temeu pela segurança dos garotos.

– Ok, ok. Mas antes me deixem apenas avisar aos rapazes que estão comigo para que eles possam ligar para minha esposa vir pegá-los aqui no posto. Isso não vai atrapalhar em nada o plano de vocês.

Os homens se olharam. Murilo fez um gesto quase imperceptível para que Fábio deixasse Manoel se aproximar dos garotos que o aguardavam no carro.

Fábio foi logo avisando:

– Seja breve. Não temos tempo a perder.

Manoel falou rapidamente com os garotos, ordenando que o escutassem: não poderia explicar nada no momento; era uma urgência e tinha de ir com os dois homens. Incrédulos e surpresos, Caio e Pedro viram Manoel entrar na van e partir.

Manoel observou pesaroso o veículo se afastar do posto. Fábio encontrou o número do contato que procurava, discou e informou que estavam a caminho.

Momentos depois, Cláudia desceu do táxi e correu para o veículo estacionado no posto. Sentou no banco do motorista, beijou Caio, que estava ao lado do carona e apertou a mão de Pedro, no banco de trás. Ainda nervosa e confusa, perguntou:

– Para onde foi Manoel, Caio? Explique-me direito. Não entendi essa história. Você disse ao telefone que ele saiu daqui com dois homens. Quem eram?

– Não sei, mãe. Tudo foi muito rápido. Ele disse que explicaria tudo depois e que tinha de ir com eles.

– Eram maçons – disse Pedro. – Já os vi antes em jantares comemorativos abertos aos familiares lá na loja.

– Tem certeza?

– Sim, não esqueço fácil uma fisionomia. Já os vi por lá.

– Não é tão ruim quanto imaginei, então. Isso descarta a hipótese de ser um sequestro relâmpago. Mas por que ele saiu de forma repentina? Não é da natureza de Manoel fazer isso.

Os garotos se entreolharam sem uma resposta.

Cláudia tentou novamente ligar para o celular de Manoel. Mais uma vez, a mesma mensagem frustrante foi ouvida. O celular estava desligado ou fora de área.

– Talvez – disse Pedro – Manoel não tenha tido escolha, Cláudia.

Ela o fitou. Provavelmente tinha razão.

Procurou na agenda o número de uma amiga, cujo marido também pertencia à Maçonaria. Ela informou que realmente estava havendo uma reunião urgente e muito importante, embora não soubesse dizer o motivo. Seu marido também tinha saído às pressas, após receber uma ligação.

Um pouco mais aliviada, Cláudia decidiu voltar com os garotos e dirigir ao hotel onde estava hospedada. Aguardaria que Manoel entrasse em contato. Se não o fizesse até amanhecer, acionaria a polícia.

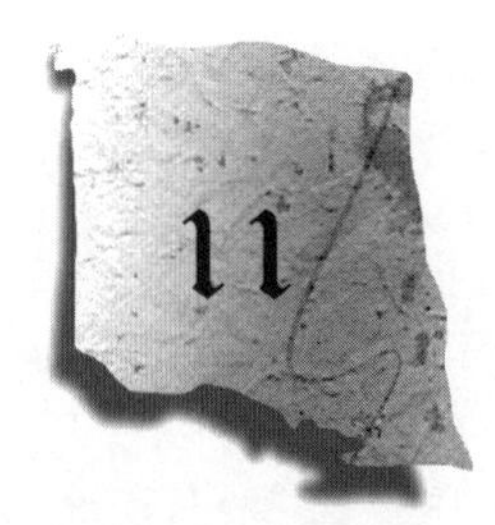

Divergências

A van estacionou em frente à porta de entrada da loja maçônica. Manoel se deu conta de que aquela era a primeira vez que iria entrar naquele prédio sob coerção.

Ao chegar à sala de reuniões, admirou-se ao se deparar com a maioria dos membros presentes. Uma atmosfera pesada pairava no ambiente. Tobias se encontrava conversando com três homens. Tão logo os viu chegar, se sentaram à mesa. Num tom solene, Tobias declarou:

– Irmãos, estamos aqui reunidos em virtude do desaparecimento de um documento sigiloso. Diante da gravidade da situação, incumbi alguns membros de investigar o caso. Pesa sobre nosso irmão Manoel a acusação de ter subtraído desta casa o precioso documento. Tem algo a dizer em sua defesa, irmão Manoel?

– Ei, esperem aí. Não estou entendendo nada – disse Manoel, surpreso e indignado. – Vocês estão me acusando de ter roubado alguma coisa?

– Sim – respondeu Tobias, após breves tossidos. – Você está sendo formalmente acusado de ter roubado um documento desta loja.

Manoel estava cansado da viagem e preocupado com Cláudia. Não conseguiu conter sua ira.

– Calúnia! Difamação! Com que direito vocês ousam me lançar tal acusação? Sempre honrei e trabalhei para o crescimento desta casa e para a evolução de seus membros. Como podem? E ainda por cima, por que mandaram dois irmãos arrastarem-me até aqui, sob a mira de um revólver? Desde quando esta casa passou a tratar seus membros como párias?

Um murmúrio de espanto percorreu a sala ante as revelações de Manoel. Tobias logo rebateu:

– Nossos irmãos Fábio e Murilo foram orientados a *convidá-lo gentilmente* a comparecer a esta reunião. Se houve algum excesso da parte deles, você pode registrar uma queixa contra os dois, e vamos apurar o que se passou. Mas agora vamos ao fato: o documento desapareceu. Você foi visto saindo do prédio quando ninguém mais aqui estava presente.

Então, alguém o havia visto, pensou Manoel. Porém, estava limpo das acusações. Ainda mais se se referissem ao *Livro Perdido.*

– E daí? Desde quando é proibido entrar no prédio? Não retirei nenhum documento da Ordem. A que documento se referem, afinal?

Tobias manteve o ar formal, superior e arrogante.

– Com certeza você sabe que este documento sigiloso só era conhecido por três pessoas nesta entidade. O falecido Jonas era uma dessas pessoas. A outra sou eu. E a terceira, claro, é você.

Manoel agora tinha certeza. Era sobre o *Livro Perdido* toda aquela encenação. Tobias com certeza procurara o livro, como ele mesmo fizera, e, não o encontrando, presumira que ele, Manoel, o havia roubado. Falou, olhando para os demais membros:

– Irmãos, sendo assim, se apenas três pessoas conheciam o documento e, se uma delas está morta, restam apenas duas: Tobias e eu. É a palavra dele contra a minha. Quem garante que não tenha sido ele a esconder o documento? Ou ainda que o Venerável Jonas o tenha escondido antes de morrer? Por que me acusam sem fundamentos?

Rumores correram pela sala. A dúvida fora plantada nas mentes. A fim de não perder o controle da situação, Tobias foi incisivo:

– Eu posso jurar pelo G.A.D.U.[5] que não roubei esse documento e que encontrei vazio o lugar onde ele era guardado. E você, irmão Manoel, pode jurar o mesmo?

Manoel concluiu que podia jurar quanto a isso. Quanto a ter encontrado o livro, no entanto, era outra história.

– Juro. Não o roubei, nem o retirei por qualquer motivo do lugar onde nós o havíamos guardado, neste prédio.

Uma leve sombra de dúvida passou pelos pensamentos de Tobias. Afastou-a, no entanto, e demonstrando poder, já que percebia a hesitação dos demais membros, decidiu:

– Na condição de Venerável, com o objetivo de apurar e esclarecer o desaparecimento do documento secreto sem que o suspeito de roubá-lo atrapalhe a investigação, SUSPENDO o irmão Manoel de todas as reuniões desta loja maçônica e o proíbo de entrar neste prédio até que tudo esteja esclarecido.

– Isto é um ultraje – gritou Manoel. – Não pode condenar alguém sem provas.

5 - Grande Arquiteto do Universo (termo maçônico).

– Não é uma condenação, mas uma medida para evitar transtornos nas investigações.

– E quem vai investigar? Você mesmo, Tobias? Vai também investigar a si próprio?

Duas outras vozes se levantaram:

– Nós investigaremos. E vamos expulsar o culpado.

Manoel procurou de onde vinham aquelas vozes. Seus rostos ostentavam um sorriso irônico. Foram Fábio e Murilo quem responderam.

– Esta reunião encontra-se encerrada – Tobias declarou. – Todos os membros estão dispensados.

Manoel olhou para os membros presentes. Seus rostos estavam impassíveis.

– Irmãos, vocês não podem concordar com isto. Não podem me suspender apenas por uma acusação infundada.

Os irmãos maçons se levantaram e foram se despedindo.

– A ordem do Venerável deve ser obedecida – disse um deles antes de lhe virar as costas. – É parte de nosso juramento.

Manoel ficou estático. Estava perplexo demais com tudo aquilo.

O quarto de hotel onde Cláudia se hospedara era conjugado. Um quarto de casal se interligava por uma porta a um outro quarto com duas camas de solteiro, onde instalou os rapazes. Eles estavam tão cansados que deitaram imediatamente e caíram no sono.

Cláudia puxou a porta de acesso e ficou no quarto de casal. Estava alerta e não conseguia dormir. Ansiosa, ficou esperando a chegada de Manoel. Olhou para o relógio. A impressão que tinha era que o tempo congelara.

Eram quase duas horas da madrugada quando o telefone tocou. Cláudia correu para atender a recepcionista do hotel e autorizar a entrada de Manoel.

Ao passar pela porta do apartamento, Cláudia o abraçou e beijou:

– Graças a Deus! Achei que tinha sido sequestrado. Quase liguei para a polícia. Se você não chegasse antes do amanhecer, eu teria mesmo ligado. O que aconteceu?

– Acho que foi assim que me senti hoje: sequestrado!

– Pedro disse ter reconhecido os homens que o levaram como sendo maçons. Eram mesmo?

– Sim, eram. Enviados pelo louco do Tobias. Eu já não simpatizava com aquele idiota. Agora passei a odiá-lo.

– Por que o Tobias?

– Foi eleito Venerável numa reunião urgente ocorrida no fim de semana. E acusou-me de ter roubado um documento sigiloso.

– Mas isto é um absurdo!

– Tudo é um absurdo. Tanto a acusação quanto o fato de o terem elegido como Venerável.

Manoel respirou fundo, farto daquele assunto, e disse:

– Mas como você está, meu bem? O que aconteceu em nosso apartamento?

– Foi horrível, Manoel. Passei o dia de domingo com meus pais e, quando retornei ao apartamento hoje à tardinha, dei de cara com tudo revirado.

– Nada foi roubado?

– Não, não roubaram nada...

Manoel, então, rememorou os fatos e fez algumas deduções. A acusação de ter roubado o livro... O apartamento revirado... Seus pensamentos dispararam.

Tobias deve ter algo a ver com isso. Teria mesmo sido capaz de chegar a esse ponto? O que mais ele pode estar tramando?

O Telefonema

Pedro acordou cedo pela manhã. Estava esperançoso de que pudesse voltar em breve à Fazenda Bela Vista. Gostara tanto da região que decidira pesquisar na internet sobre ela.

Após conversar um pouco com Caio e terminar seu café da manhã, abriu o *notebook*, conectou-se ao sistema de internet sem fios do hotel e pôs-se a navegar pelos *sites* de busca, procurando informações sobre aquele local da Mantiqueira. Esquadrinhou visualizações de mapas e fotos de satélites. Leu sobre a cultura local e os acontecimentos históricos de Minas Gerais.

Entrou na comunidade virtual na qual havia feito inúmeros amigos espalhados pelo Brasil inteiro. Deixou um recado por lá, convidando interessados no folclore brasileiro a entrarem em contato.

No mesmo dia, recebeu várias mensagens de seus amigos, de norte a sul do país. Envolveu também Caio na comunidade, e todos ficaram conversando sobre casos do folclore. Imediatamente alguém deu a ideia de transformar aquela conversa num grupo específico de discussão. Surgiu, então, o grupo *Os Tupiniquins*[6], que, por sua vez, deu origem a um *blog* para que os membros postassem matérias e notícias. Em apenas um dia, centenas de pessoas se associaram, e vários artigos foram publicados.

O telefone tocou no apartamento de Cláudia e Manoel dois dias depois que ele chegou de viagem com os garotos. Já haviam colocado tudo em ordem. Caio atendeu.

– É para você, pai. Acho que é alguém da Maçonaria.

Manoel estava lendo o jornal diário. Alarmou-se. Quem seria?

– Alô?

---

6 Até a data da publicação da primeira edição deste livro inexistia qualquer *site* ou blog na internet com esta denominação.

– Manoel? É Henrique, tudo bem?

Henrique era também um membro maçom. Estivera viajando e ausente das últimas reuniões convocadas por Tobias.

– Oi, Henrique. Nem tanto. Ficou sabendo de tudo o que tem acontecido na loja?

– Já me colocaram a par. E é por isso que estou te ligando. Ontem à tarde, Tobias me ligou no trabalho e pediu que entrasse em contato com você. Parece que tudo já foi resolvido. Ele quer que você vá à loja hoje à noite.

– Haverá reunião?

– Não sei dizer, ele não me disse exatamente a finalidade. Parece que quer conversar com você. De qualquer forma, não poderei estar presente.

– E por que ele não me ligou?

– Ele disse que preferia que eu lhe ligasse para evitar atritos entre vocês. Posso confirmar com ele sua presença?

– Sim, tudo bem.

Henrique despediu-se e desligou.

Manoel sentiu um alarme interno disparar. Algo naquilo lhe parecia não cheirar bem. Desconfiado do caráter desleal que Tobias vinha apresentando, achou que precisava estar preparado para se defender.

Há alguns anos Manoel participava do clube de tiro de sua cidade. Nesse clube, com fins meramente esportivos, os membros aprendiam a atirar primeiramente com armas de pressão e, depois, com armas de fogo. Nos últimos campeonatos estaduais, em que se reuniam centenas de atiradores de inúmeras cidades, ficara entre os dez melhores. Com isso, Manoel conseguira adquirir sua própria arma e a licença legal para sua posse um ano após ingressar no clube de tiro.

Largou o jornal, foi ao seu quarto, tirou uma caixa do fundo do guarda-roupas e, de dentro dela, sua arma, uma pistola automática calibre 45. Carregou-a e a deixou junto de sua carteira e chaves. Quando, à noite, saísse de casa para a reunião, não a esqueceria.

Todo Venerável sempre anotava algumas instruções fundamentais para o seu sucessor, em caso de sua falta. Jonas também cumprira esta função, deixando várias anotações no cofre da sala proibida, cujo acesso era restrito ao Venerável e seus convidados. Tobias folheava estas anotações sem qualquer interesse. Entretanto, assim que percebeu a palavra secreta, a sua atenção despertou. Leu sobre a existência do escaninho e as instruções referentes a como encontrá-lo.

Tobias estava manuseando as pedras preciosas encontradas, cheio de prazer, quando seu celular tocou. Visualizou no identificador de chamada do aparelho o número que chamava.

- Irmão Henrique. Pode falar.

- Já efetuei a ligação. Manoel confirmou presença hoje à noite.

- Obrigado, irmão. E apague este evento de sua memória. Você nunca efetuou esta ligação, entendido?

- Sim, Venerável.

- Tenha um bom dia.

- Bom dia, Venerável.

Um sorriso de satisfação passou pelo rosto de Tobias. Normalmente já achava fácil manipular alguns tipos como Fábio e Murilo: ambos sujeitos de temperamento sanguíneo, facilmente irascíveis, desprovidos de imaginação e perspicácia. Fábio era policial. Truculento, já se envolvera em situações conflitantes. Murilo, policial aposentado, trabalhava como segurança de empresa privada. Eram homens feitos para cumprir ordens, jamais para comandar.

Jogue-lhes um osso e eles o morderão sem questionar.

Tipos como Henrique, sujeito articulado e medianamente inteligente, exigiam apenas um pouco mais de conversa e persuasão. Agora que se tornara Venerável, entretanto, sentiu que nem mesmo precisava fazer qualquer esforço: os membros o obedeciam cegamente. Seu rosto contraiu-se.

Manoel. Era o único que o desafiava.

Mas não por muito tempo.

O brilho das pedras em suas mãos atraía e mantinha fixo o seu olhar enquanto esboçava um sorriso de satisfação. Em breve Manoel não o incomodaria mais.

No mundo virtual, logo surgiu entre *Os Tupiniquins* a ideia de um encontro pessoal, preferencialmente num local onde a natureza fosse preservada, para que os integrantes do grupo pudessem se encontrar e jogar conversa fora.

Caio percebeu que alguns membros provenientes de diferentes Estados do país moravam ali mesmo, no Rio de Janeiro. Então, ficaria fácil marcar um encontro pessoal com eles. Quanto aos outros que moravam no resto do país e que não pudessem estar presentes, poderiam acompanhar depois a discussão pela comunidade.

Pedro, que ficara antes encantado com a Fazenda Bela Vista, logo sugeriu tal lugar. Na próxima vez que Manoel sugerisse ir à fazenda, poderiam também marcar um encontro por lá. Pelo menos cinco pessoas vibraram com a ideia. Pedro buscou o GPS de Manoel, procurou no histórico a localização geográfica, encontrou as medidas de latitude e longitude, jogou-as num *site* de mapeamento terrestre, encontrou o local e passou o *link* da pesquisa para seus amigos.

Às 20h exatas, Manoel entrou no prédio da loja maçônica. A porta de entrada dava acesso ao salão de eventos. Foi direto para a sala de reuniões onde as luzes estavam acesas. O cômodo estava vazio. Perambulou pelos outros lugares: a biblioteca, o templo, o almoxarifado. Não encontrando ninguém, rumou para a sala proibida. Levou um susto. Tudo estava bagunçado: o cofre aberto, documentos e papéis espalhados pelo chão, a gaveta secreta da mesa caída, jogada a um canto, com os objetos espalhados ao seu redor. As joias, pedras preciosas, dinheiro e títulos haviam sumido. Deduziu que haviam sido assaltados e achou que deveria chamar a polícia. Voltou-se ao ouvir vozes se aproximando no corredor.

Quando Tobias, Murilo e Fábio passaram pela porta é que enfim percebeu tudo: caíra numa armadilha.

– Desta vez o pegamos em flagrante, Manoel. – A expressão de dissimulação e espanto no rosto de Tobias era incapaz de esconder seu contentamento.

Manoel observou que Fábio e Murilo ficaram próximos à entrada da sala, provavelmente de forma premeditada, a fim de impedir sua saída. Tobias aproximou-se, observou o ambiente e foi logo acusando-o:

– O dinheiro da loja... as joias... onde está tudo, Manoel? Fale já ou chamarei a polícia neste instante.

– Isto tudo é uma armação sua, Tobias – Manoel irritou-se. – Acabei de chegar aqui e vi esta bagunça toda. Vocês entraram em seguida.

– Mesmo pego em flagrante, ainda nega? Da mesma forma que negou ter roubado o *Livro Perdido*?

- Então é isso? Toda esta sua armação é para me incriminar? Pois saiba que, embora não tenha roubado o *Livro Perdido*, ainda que soubesse onde ele se encontra, não lhe diria.

– Apenas devolva tudo, irmão, e cuidaremos do caso em sigilo, dentro de nossa própria entidade.

– Você está insano. Afinal de contas, por que me chamou aqui?

Tobias olhou para Murilo e Fábio, encenando uma expressão de surpresa e inocência.

– Chamar você aqui? Do que está falando? Não o chamei.

– O irmão Henrique me ligou e transmitiu seu convite para um encontro aqui às 20h. Foi por isso que vim.

– Nunca ouvi nada mais ridículo. Não pedi ao irmão Henrique que marcasse qualquer encontro com você. Se eu tivesse esta intenção, eu mesmo o faria. Isto é mais uma de suas mentiras. Você não me deixa escolha.

Tobias virou-se para um dos outros homens e disse:

– Ligue para seus colegas policiais que estão de serviço, Irmão Fábio. Diga que é urgente e que temos o flagrante de um roubo aqui.

A ira subiu à cabeça de Manoel. Não seria tratado como um marginal. Já bastava a traição de Tobias e toda a humilhação que sofrera na reunião anterior.

Levou a mão direita às costas, sacou a arma que trazia consigo e apontou em direção aos três homens.

– Todos de mãos para cima! E você, Fábio, tire vagarosamente a arma da cintura, jogue-a no chão e chute-a na minha direção. Se tentar sacá-la, eu atiro. Pode apostar que não vou errar desta distância!

Hesitante, após o olhar de concordância de Tobias, Fábio cumpriu o ordenado, não reagindo.

– Vocês estão brincando com fogo. Não se calunia um homem íntegro.

Pela primeira vez, Tobias temeu a reação de Manoel. Achou que ele fosse atirar.

– Calma, Manoel, calma. Podemos dar um jeito nas coisas. Não atire.

– Calma? Você me apronta uma cilada com estes dois imbecis me ameaçando o tempo todo e agora vem me pedir calma?

– Não atire. Podemos conversar. Apenas diga onde está o livro...

– Se depender de mim, você nunca colocará as mãos no livro que procura. E chega de conversa, seu patife. Os três para o banheiro. Já!

Os homens moveram-se para dentro do pequeno banheiro da sala do Venerável e apertaram-se ali. Manoel puxou a porta, fechando-a.

– Fiquem aí dentro por meia hora – gritou Manoel, ouvindo os tossidos e arfados de Tobias, cada vez piores. – Se saírem antes, meto uma bala na cabeça de cada um.

Manoel tremia com a arma na mão. Nunca na vida passara por uma situação como aquela. Disse para si mesmo que deveria manter a calma e agir com frieza.

Caminhou vagarosa e silenciosamente para a saída, a fim de que os homens no banheiro não percebessem que se afastara.

Saiu do prédio, entrou no carro e afastou-se dali, dirigindo em direção à sua casa. Pegou o celular, não se importando desta vez em falar enquanto dirigia. Ligou primeiro para o advogado das empresas de Jonas, o Dr. Plínio Miranda, e pediu que o orientasse.

O advogado não titubeou:

– Em primeiro lugar, desapareça!

– Como assim?

– Vá para algum lugar distante. Fique longe de tudo e todos. Vou saber amanhã como estão as coisas e depois lhe dou uma posição. Se Tobias der queixa na polícia, pode influenciar o delegado a pedir sua prisão preventiva. Se não o encontrarem, haverá mais tempo para negociar com o delegado responsável a sua presença para depoimento.

Manoel ficou aturdido. Como poderia *desaparecer*? Como iria viver?

– Mas tudo foi uma armação. Eu sou inocente.

- Isto não importa num primeiro momento. Além de Tobias, haverá o testemunho dos dois outros homens acusando-o. Faça o que estou dizendo: desapareça por alguns dias. Depois entramos em contato e o informo sobre como as coisas ficaram.

– Não posso fugir como um bandido. Sou uma pessoa de boa índole. Não tenho nada a esconder.

– Se armaram para você conforme está dizendo, deve seguir minhas instruções. Não foi por isso que me ligou? Faça o que estou dizendo, vai ser melhor para você. Tire uns dias de folga, viaje e deixe as coisas esfriarem um pouco. E desligue seu celular e o de seus familiares. E também tire a bateria deles. Hoje em dia a polícia é capaz de localizar instantaneamente qualquer um que esteja portando um aparelho. Ligue-me daqui a alguns dias.

Manoel ligou para Cláudia, explicando-lhe também o que acontecera. Ela ficou horrorizada.

Quando chegou ao apartamento, às 22h30, no entanto, ela já tomara todas as medidas necessárias. Inclusive avisara a diretora de sua escola que não poderia comparecer pelos próximos dias.

Duas grandes malas estavam prontas para que viajassem com os dois garotos.

– Não sei nem para onde vamos – disse Manoel.

– Eu sei – respondeu Cláudia. – É bem distante de tudo e todos. Vamos partir neste minuto. Afinal, de tanto ouvir você e os garotos conversarem, fiquei curiosa sobre o lugar. Mas primeiro passaremos na casa de minha mãe para deixarmos as chaves de nosso apartamento. Ela pode vir aqui dar uma olhada em tudo enquanto estivermos fora.

Os olhos de Manoel se iluminaram.

– Você quer dizer... ir para a Fazenda Bela Vista?

Cláudia abriu um sorriso.

– Sim, vamos para Minas! Vamos para a Fazenda Bela Vista!

Corria desenfreadamente em círculos acompanhando as paredes de palha da oca. Quando se deu conta de onde estava, parou por uns momentos e ficou olhando para cima, as madeiras encaixadas e a palha cobrindo a habitação coletiva na aldeia.

– Membirabitu, Membirabitu, venha cá. – Alguém gritava. Só depois de algum tempo percebeu que era ele mesmo quem estava sendo chamado. Era agora muito mais jovem, um pequeno curumim[7] *travesso e alegre.*

Lá estava a jovem índia morena, de cabelos negros, lisos e compridos, sua querida mãe, e, ao seu lado, o mesmo caraíba que vira anteriormente, agora menos velho. Ele estendeu os braços em sua direção.

O pequeno curumim correu para aqueles braços e neles se jogou, sendo levantado para cima e apertado contra aquele corpo, o que lhe causou uma sensação de prazer e segurança.

Desvencilhou-se do abraço e voltou a correr pela oca. Logo foi chamado novamente.

– Venha cá, meu pequenino. Vou te ensinar a escrita dos homens brancos.

O caraíba colocou uma pena na mãozinha do curumim; pegando com a sua mão a do pequenino, fez com que molhasse a pena na tinta e foi desenhando primeiro animais, depois, índios, ocas e aldeias inteiras. O pequenino ria com prazer.

Muito depois, sozinho, o curumim já desenhava símbolos e algarismos...

7 Menino

Sonhos e Visões

Tão logo soube que viajariam de volta a Minas, Pedro postou na comunidade virtual um convite para os amigos se encontrarem na fazenda. Dentro do carro, viajando pela BR-040, nomeada Rodovia Washington Luiz, checava secretamente pelo celular se alguém havia confirmado presença. Caio o observou, apreensivo. Cutucou-o para que ele se mancasse, pois sabia que se Manoel o visse com o aparelho ligado, haveria bronca na hora. Viu-o desligar o aparelho e retirar a bateria, a contragosto. Aliviado, Caio prestou atenção à conversa de seus pais.

– Por que razão Tobias tem tentado prejudicar você, Manoel?

Passavam agora pela região serrana de Petrópolis, uma pitoresca cidadezinha da serra fluminense, fundada por D. Pedro II ainda na época do império. Haviam estado ali várias vezes: viveram momentos de romantismo e prazer nas belas pousadas incrustadas nas montanhas cobertas pela mata atlântica, e passearam pelas antigas ruas da cidade imperial.

– Por conta de um livro centenário. É um segredo da loja maçônica. Apenas Jonas, eu e Tobias sabíamos de sua existência.

– E daí?

– Segundo os preceitos estabelecidos, o livro seria entregue a um descendente do autor, desde que este preenchesse alguns requisitos; entre eles, o de seu pai ser ou ter sido membro da loja maçônica. Jonas, antes de morrer e por algum motivo que desconheço, atribuiu-me a tarefa de entregá-lo imediatamente ao herdeiro, ainda que este não tenha completado a maioridade. Tobias não concorda com isso. Deseja que o livro seja destruído ou, pelo menos, oculto para sempre.

– E se ele o destruir na sua ausência?

– Ele não fará isso.

– E por que não?

– Porque ele não sabe onde o livro está. Acha que eu o roubei.

– E você...?

– Não, Cláudia, eu não o roubei. Jonas o retirou de onde o guardávamos sem o nosso conhecimento e o escondeu bem longe dali, por algum motivo. Mas me deixou pistas para encontrá-lo através de um bilhete, daquele bilhete no verso da foto que você viu de nós dois, lembra-se?

– Sim, me lembro. Você o decifrou?

– Sim... Fui deduzindo... Em parte, estava desconfiado de onde o livro estaria; no final, Caio o encontrou.

– Caio...? Como...? Onde...?

– Na Fazenda Bela Vista. Estávamos no sótão e havia vários móveis cobertos por lençóis. Caio descobriu um baú. Um magnífico baú entalhado com figuras de animais e índios. O livro estava dentro dele. Tobias não sabe disso. Eu não lhe disse. Ele ainda pensa que eu o roubei.

Neste momento, Caio se intrometeu na conversa.

– Então é aquele livro que encontramos no sótão da fazenda, naquela noite de tempestade?

– Este mesmo.

Pedro religou o celular. Constatou que alguns amigos haviam confirmado presença.

– Já não disse para desligar o celular, Pedro? – ralhou Manoel.

– Estou desligando. Desculpe, havia esquecido. – E, mudando de assunto, disse: – O livro a que vocês estão se referindo é aquele que você me deu?

Cláudia ficou confusa.

– Como é que é, Manoel? Você deu um livro que pertence à sua loja maçônica para Pedro? E com que direito? E a atribuição que Jonas lhe deu?

– Eu a cumpri. Dei o livro imediatamente ao herdeiro: Pedro.

– Como é que é? Pedro é o herdeiro de quem mesmo?

– De Dom Afonso Queiroz, um português que veio ao Brasil em 1573 e viveu entre os índios. Estudou e escreveu sobre a cultura indígena. De lá para cá, o livro foi atualizado por cada um dos seus descendentes.

Cláudia ficou nervosa.

– Quer dizer que tudo que temos passado é por causa de um livro? Tobias o persegue por isso, a ponto de mandar invadir e revirar nossa casa e de criar ciladas para vê-lo preso? E você não acha que poderia ter evitado tudo isto lhe entregando o livro sob certas condições?

– Não é um livro qualquer, Cláudia, é o *Livro Perdido*, desaparecido séculos atrás e reencontrado por um maçom que tratou de preservá-lo secretamente para evitar sua destruição. É um tesouro histórico de valor inestimável. Não adiantaria tentar fazer um acordo. Tobias já provou que não é confiável. Além disso, fiz uma promessa a Jonas. Tinha de cumpri-la. Sinto muito que tenha acarretado tanto transtorno para todos nós. Espero que você me desculpe por isso. Mas acredito que há algo mais nesta história.

– Como assim?

– Não sei dizer. Para Jonas ter ordenado que o livro fosse entregue a Pedro antes do previsto, deve ter existido um motivo muito forte.

Cláudia ficou em silêncio por minutos. Depois, sentiu ter sido dura demais. Respirou fundo e disse:

– Tudo bem, querido. Deixa para lá. Confio em você e sei que sempre procura fazer o melhor para todos.

Tentando quebrar o clima, Cláudia virou-se para Pedro e brincou:

– Então você é descendente de um português famoso, hein, rapaz? Vai precisar aprender a fazer uma bacalhoada lá em casa para mostrar que herdou mesmo o sangue português.

Todos riram e brincaram entre si, mudando totalmente de assunto. Exceto por Manoel, caíram no sono na metade da viagem. Era madrugada, e o dia fora cansativo. Manoel se preparara para evitar o sono tomando duas xícaras de café expresso antes de sair de casa. Estava atento à estrada.

Entardecia.

O horizonte destilava amarelo e púrpura, e a mata abaixo dele se enegrecia.

Deslizando suavemente pelas curvas do rio a canoa seguia lentamente. Os sons dos pássaros e do remo eram os únicos que chegavam aos ouvidos do curumim. Brincava, encostando uma varinha de bambu na água, observando o sulco que se formava na superfície.

Houve um estrondo. O curumim voltou os olhos para o céu azul, intrigado. Se não havia nuvens de chuva, como poderia haver trovão?

O caraíba ficou atento. Quando soou o segundo estrondo, jogou-se na canoa, ordenando ao curumim que também se deitasse. Perscrutou as margens do rio e observou muito à frente a bandeira que um grupo de brancos ostentava. Irou-se.

Bandeirantes. Atiravam em sua direção, confundindo-o com um índio, o que, de fato, se tornara. Pensou no quanto havia abandonado sua gente. Não tinha arrependimentos. Ver outros brancos por ali, naquela floresta no interior do país, longe das comunidades litorâneas estabelecidas, lhe causava ódio e aversão.

Entendia que aquele grupo de bandeirantes era a ponta da lança com que sua civilização destruía toda a raça nativa. As bandeiras capturavam indígenas, não só com o fim de torná-los mão de obra escrava como também de satisfazer o desejo voluptuoso dos brancos, já que havia escassez de mulheres na colônia brasileira. Em sua maioria, salvo as poucas famílias que se instalaram em algumas povoações, eram os homens portugueses quem migravam para o Brasil, não as mulheres. Não bastasse isso, as índias ainda tinham corpos mais belos. Dom Afonso entendia o desejo dos bandeirantes, embora não o aprovasse.

A venda das peças ou bugres, como eram chamados, dava lucro aos bandeirantes e fazia girar a roda do escambo na colônia. Também alimentava os jesuítas com nativos para trabalho e evangelização, o que significava, no decorrer do processo, a destruição total da cultura nativa e a assimilação da doutrina branca.

O caraíba foi remando com as próprias mãos, ainda deitado, mudando a canoa de direção, a favor da correnteza. O curumim percebeu que não era mais a direção de sua aldeia e alertou. O caraíba lhe respondeu:

– Vamos dar uma volta rio abaixo para chegar na aldeia, senão os homens brancos irão nos seguir. Vamos fazer com que se percam ao nos seguirem. Depois tomamos o caminho de casa.

O curumim notou a mudança no rosto do caraíba. Sua expressão agora era fechada e dura como uma pedra. O pequeno índio idolatrava aquele homem tão grande e sábio aos seus olhos, talvez mais sábio ainda que o pajé da tribo, porque se o pajé conhecia os segredos da natureza, este homem conhecia o segredo dos brancos e suas grandes naus de outros mundos e outras gentes. O curumim o amava; tentava compreender as expressões de seu rosto, mas não tinha idade suficiente para imaginar tudo o que havia por detrás delas: as recordações de outros tempos e o receio da aniquilação do povo índio.

A canoa foi se distanciando. O caraíba ficou de pé. Embora ainda ouvisse um ou outro tiro, parecia saber que estava fora de alcance. Ele conhecia o rio e sabia que logo mais abaixo haveria uma curva em meia circunferência e que, ao atingir seu centro, ficaria longe dos olhos dos brancos e sob a proteção das árvores. Daí aportaria na margem à sua esquerda. Ao final da curva, havia uma trilha mais longa de onde seguiria para a aldeia. Naquela margem, o curumim saltou, afundando seus pequenos pés no barro, caminhou em direção à vegetação densa e esperou o caraíba. Ele colocou pedras dentro da canoa e a escondeu no fundo do rio. Depois, ambos seguiram pela floresta.

Lei da Selva

O rato caminhava despreocupado no meio da grama, procurando por comida. Parava, farejava o ambiente e continuava seu caminho – ora em passos lentos, ora em pequenas corridas. Imobilizou-se. Pressentindo que um inimigo o sondava, deu meia volta e correu na direção oposta, mas já era tarde demais.

A jararacuçu deve seu nome à língua tupi. Seu bote é dado a longa distância; na verdade, este pode ser quase tão longo quanto o seu comprimento, razão de seu nome.

Foi a uma distância de um metro e meio que a cobra, amarela e marrom, atravessou o ar, atingindo o corpo do pequeno roedor e inoculando-lhe veneno.

Tobias assistiu à cena impassível. Tinha por *hobby* criar cobras como animais de estimação num cômodo de vidro anexo à varanda, parecido com um jardim de inverno. Várias espécies eram mantidas ali.

Caminhou e parou em frente ao viveiro da ibiboca, conhecida como coral-venenosa, e admirou os anéis vermelhos e amarelos que havia na extensão de seu corpo.

Uma vez por semana as alimentava com ratos vivos. Quando achava necessário, extraía veneno de suas presas. Através de experiências com ratos, descobriu que, se misturasse o veneno de ambas as cobras e inoculasse uma gota que fosse na corrente sanguínea da vítima, a morte seria quase instantânea.

Fora assim a morte de Fábio. Tão rápida quanto à daquele rato. Um destino imprevisto, prontamente executado como recompensa à sua curiosidade. Naquela mesma noite que enfrentaram Manoel, após saírem do cubículo travestido de banheiro em que ficaram presos por meia hora, Fábio resolvera vasculhar todo o prédio e encontrara a maleta de Tobias. Uma maleta que não deveria ter sido aberta, porque ele a escondera de todos e a levaria consigo ainda naquela noite. Tobias o surpreendera no exato momento em que, perplexo, observava o brilho das joias, pedras preciosas e todo aquele dinheiro vivo. Fábio não teve tempo de pensar ou reagir.

Tobias aproximou-se comemorando o fato de Fábio ter recuperado os valores roubados. Deu-lhe um leve tapa nas costas e o elogiou, confundindo-o por alguns segundos. A picada veio a seguir.

Uma ínfima seringa acoplada a um anel que Tobias usava na mão direita inoculou o veneno mortal em Fábio.

Tobias o viu cair. Esperou que o corpo se imobilizasse e o arrastou para os fundos do prédio, deixando-o no chão de terra, distante uma dezena de metros das margens do rio que cortava a cidade.

Atraído pelo grito de socorro de Tobias, Murilo chegou rápido. Ao ver o corpo no chão, achou que Fábio tivera uma parada cardíaca. Chamaram uma ambulância para levá-lo ao hospital. Quando foi colocado na maca do pronto-socorro, já estava morto. O funeral foi feito no dia seguinte.

Um registro de roubo foi feito pelo Venerável na delegacia de polícia. Manoel não foi encontrado e o delegado considerou-o foragido.

Frustrado e raivoso, Tobias observou o réptil. Num movimento rápido e voraz, a jararacuçu terminou de engolir o rato.

Mais uma vez, ele teve a nítida sensação de que o mundo era um lugar onde ou se era presa ou caçador.

Afirmou para si mesmo:

– Sempre serei um predador.

Montanhas da Mantiqueira

Antônio já estava de pé quando o galo cantou ainda na madrugada. Sempre levantava cedo para cuidar das coisas da fazenda. Ainda estava escuro. Ao olhar o horizonte a leste, viu a claridade denunciar que o sol se levantaria muito em breve. Aspirou fundo o frescor da manhã.

A vida na fazenda começava cedo, pois sempre havia muito trabalho a fazer. Enquanto Dona Geralda preparava o café, Antônio foi ao pátio atraído por um barulho distante.

Homem acostumado à vida no campo, Antônio podia discernir os sons habituais da região de qualquer outro. A fazenda situava-se no extremo de uma montanha, e, dali, era possível ouvir qualquer barulho vindo do vale mais abaixo.

Caminhou ao mirante por cerca de uns quinhentos metros atrás da casa-grande e constatou o que ouvia: as luzes dos faróis denunciavam o carro que percorria o vale. Aquela estrada vinha do município mais próximo, Santos Dumont, e se estendia ao município seguinte, Antônio Carlos. Antônio acompanhou o trajeto do carro e se certificou: dentro de uns cinco a dez minutos teria visita. Voltou rapidamente à sua casa para avisar Dona Geralda.

Nuvens de poeira subiam enquanto Manoel dirigia seguindo as instruções do GPS. Não queria errar a bifurcação que dava acesso à Fazenda Bela Vista. Só agora, depois de muitos solavancos pela estrada, Cláudia e os garotos ameaçavam acordar. A fim de acelerar o despertar, Manoel ligou o som e deixou que a música invadisse seus ouvidos. Cláudia balbuciou:

– Onde estamos?

– Nos arredores da fazenda. Mais alguns minutos e chegaremos à sede. Você vai se impressionar com a arquitetura colonial da casa-grande.

– Estou curiosa.

Na porteira de acesso, Manoel comentou:

– Olha só quem está nos esperando. Parece até que já sabia que viríamos. É Antônio, o capataz.

Cláudia reparou no homem.

– Ele é o típico caipira, não é mesmo?

Manoel concordou.

– Não se engane com o jeito simples dele. É muito inteligente e administra melhor a fazenda do que um executivo a uma empresa, pode apostar. Eu mesmo fiquei admirado com ele.

Antônio abriu a porteira para que o carro passasse.

– Bom dia, Antônio. Voltei mais cedo do que imaginei.

– Bom dia, patrão. Bem-vindo. O senhor dirigiu durante toda a madrugada, né? Vamos chegando que o café está sendo passado agorinha.

Cláudia ficou mais que impressionada. Estava perplexa ao avistar a casa-grande da Fazenda Bela Vista com suas janelas, parapeitos, telhados, varandas...

– É quase inacreditável... Belíssima e grandiosa. É um tesouro do patrimônio histórico, sem dúvida. Deve valer uma fortuna.

– Jonas era um homem muito rico, não se esqueça...

Manoel estacionou em frente ao pátio da fazenda e acordou os garotos. Havia, enfim, chegado ao seu destino.

Uma comprida haste de metal estava presa no alto do telhado. Sua base estava fixada por braçadeiras a uma das paredes laterais da casa.

– Ei, Antônio, aquela antena não existia ali... Para que é?

–Fui lá na cidade e mandei um rapaz vir colocar ela aí no dia seguinte que o senhor foi embora. É uma antena rural de celular. Assim o patrão não vai precisar descer toda a serra para se comunicar. Vai poder falar daqui mesmo no seu celular. E se precisar ligar para cá, pode ligar que comprei um aparelhinho desses... está ligadinho no fio da antena.

Num olhar para Cláudia, Manoel lhe comunicou silenciosamente: *Não lhe disse?*

– Muito obrigado pela atenção, Antônio. Foi uma ótima ideia e uma grande consideração de sua parte.

Após o café, Antônio sugeriu que os hóspedes o acompanhassem num passeio a cavalo pela extensão da fazenda, pois na visita anterior não conseguira lhes mostrar toda a propriedade. Assim poderiam conhecer a geografia do local, visitar os currais, os pomares e plantações, os viveiros de peixes e as divisas com outras terras. Na parte da tarde, bem depois do almoço, caminhariam até uma bela cachoeira da região.

Os rapazes toparam na hora. Manoel olhou para Cláudia, numa pergunta implícita, e ela respondeu:

– Por que não?

– Ok, é mesmo uma boa ideia, Antônio – concordou Manoel. – Estamos todos prontos para o *Fazenda Tour*...

A névoa fina formada pelas gotículas que se desprendiam da cachoeira umedecia a vegetação ao redor. A queda d'água era de cerca de dez metros de altura e formava um pequeno lago antes do riacho continuar seu curso.

Próximo à queda d'água, a profundidade faria a água cobrir facilmente um adulto; nas margens, entretanto, a água mal chegava à cintura. Pedro mergulhou no meio do lago e tocou o fundo, ora pedregoso, ora barrento. Ainda estava submerso quando começou a ter uma outra visão. Flashes repentinos se misturavam à realidade.

Nadou até uma grande pedra e a escalou, sentando-se acima da linha d'água. Inerte, passou a olhar a cachoeira sem nem mesmo percebê-la.

O curumim se divertia na água com a graciosa cunhataí[8]*. Jogavam água um no outro, mergulhavam, se perseguiam debaixo d'água, riam, se tocavam e se abraçavam numa doce e inocente brincadeira juvenil.*

A água cristalina refletia os raios do sol num bailado mágico. Misturado ao som da queda d'água, ouvia, além de seus próprios risos, o canto dos pássaros que voavam por entre as árvores e, vez ou outra, por cima do lago, projetando pequenas sombras a deslizar rapidamente na superfície. Uma brisa suave tocava seus corpos. À distância, nas margens gramadas, havia outros como eles entretidos em suas próprias brincadeiras. Entre um momento e outro, ouviu-se chamar o nome dela: Nayara.

Ela tocava de leve seu rosto, um rosto que ele tinha a consciência de ser tão diferente quanto o seu sangue, pois exibia ao mesmo tempo os traços do povo da selva e daqueles que vieram de além-mar, em grandes canoas.

8 Do tupi- guarani: menina-moça

– Filho de caraíba. Membirabitu! – ela dizia, rindo alegremente, destituída de qualquer traço de malícia. Tinha apenas o puro prazer de contemplá-lo e de estar em sua presença.

A cena tocava fundo seu coração e ele não entendia isto.

Depois, ela correu para a aldeia com seus longos cabelos esvoaçantes ao vento, e ele a viu se afastar. Olhou novamente o lago, hesitou diante da possibilidade de continuar a se divertir, mas preferiu correr atrás dela.

Então, tudo se confundiu.

Enxergou apenas fogo e fumaça.

A água fria fez Pedro gritar. Seu corpo estava aquecido pelo sol quando Caio aproximou-se da pedra em que estava sentado e, com as mãos, atirou-lhe água. Pedro saiu imediatamente do transe, esqueceu-se da visão e pulou na água, desejoso de revidar o golpe. A tarde passou entre brincadeiras e conversas no lago.

A noite caíra na fazenda.

Durante a tarde os serviçais haviam empilhado, a pedido de Antônio, várias toras de madeira como uma pirâmide, para que, tão logo escurecesse, fosse acesa uma fogueira no quintal. Os hóspedes poderiam assim se distrair assando batatas-doces, espigas de milho verde, pipocas, bolinhas de queijo e outros petiscos.

Manoel e Cláudia despontaram na escadaria, observando as primeiras estrelas no céu.

Uma claridade no pátio lhes chamou a atenção. Junto à madeira seca, Antônio havia jogado um pouco de álcool na palha. Acendia agora um fósforo para atear fogo nas toras.

– Olhe – disse Cláudia –, teremos uma noite de São João fora de época...

Manoel abraçou-a.

– Que bacana. Há anos não vejo algo assim. É a vantagem de vir ao interior: a vida passa mais devagar e há tanta qualidade de vida nas coisas simples. Vamos chamar os rapazes aqui para fora. Vai ser legal ficar conversando perto do fogo.

Caio já se aproximava de mansinho enquanto Pedro ficara sozinho no quarto.

– Que legal, teremos uma fogueira para iluminar a noite.

O sótão da fazenda estivera por muito tempo abandonado. Pedro espirrou por causa da poeira. Pediria a Antônio para que os empregados limpassem todo o sótão e o deixassem habitável. Afinal, era um local muito interessante. Naquele instante, não podia deixar de pensar no livro que ganhara de Manoel.

Era certo que algo passara a lhe acontecer desde que vira aquele livro pela primeira vez: emoções estranhas o invadiam, cenas de um outro tempo se abriam perante seus olhos. Divagava sobre fatos que não entendia e não conseguia explicar. Além disso, sentia um desejo latente de saber mais sobre o livro, seu conteúdo e sua história. Precisava continuar a ler.

Levantou alguns lençóis procurando a localização exata do baú. Ao encontrá-lo, passou a mão pelas figuras entalhadas e as admirou. Teve uma sensação estranha.

Viu a cena inteira acontecendo: *os índios ao redor da fogueira cercados por animais bravios e irritados em círculo. Estavam prontos para atacar. Pedro olhou para os lados. Estava imerso na cena. Eles vinham em sua direção. Iriam atacá-lo. Então, um lobo-guará deu um salto, e Pedro abaixou-se horrorizado. O animal passou por cima dele e começou a lutar com algo que estava mais atrás. Quando Pedro se virou, viu monstros e seres horrendos, urrando e bufando. Descobriu-se no meio de uma luta insana.*

Gritou e se levantou, distanciando-se do baú. A cena se desvaneceu.

O sótão ecoou seu grito no vazio e no silêncio.

Achou que estava ficando maluco. Estava acordado e sofrendo com pesadelos.

Reticente, aproximou-se novamente do baú, abriu a tampa apressadamente, evitando olhar as ilustrações e, esforçando-se, tirou o livro lá de dentro. Havia esquecido o quanto era pesado.

Releu o prólogo de Dom Afonso Queiroz. Ansioso, folheou o livro. Havia muito para ler. Sua mente estava ávida. Queria ler tudo ao mesmo tempo. Conteve-se e voltou às primeiras páginas. Numa delas uma frase fisgou sua atenção:

No princípio, luz e escuridão, em completa desarmonia, habitavam o mundo.

Pedro não conseguiu parar de ler.

No princípio, luz e escuridão, em completa desarmonia, habitavam o mundo.

Então Nanderú, o Pai Primeiro, as separou para reinarem em momentos diferentes medindo a mesma duração. Chamou de dia o período de luz, e de noite o de trevas. Os primeiros seres fantásticos foram criados, cheios de poder e magia. Recusaram a luz e escolheram a escuridão. No seio das trevas, nasceu o mal que se espalhou entre as criaturas da noite. Essas passaram a viver em constante luta umas com as outras.

Para habitar durante o dia, foram criados os homens e os animais. As criaturas da noite, então, avançaram sobre eles e quase exterminaram todos. Foi quando Nanderú as separou num mundo à parte, reino mítico e lendário, onde se misturavam horror e mistério e reinava apenas a escuridão.

E chamou a este reino Ibitutiganhã[9] , o mundo das brumas, sombras, seres fantásticos e almas errantes.

Na Terra, ficou apenas sua segunda criação, convivendo nos dias e noites.

Entre os dois mundos, espalhou portais. Em certas ocasiões propícias, por curtos instantes, quando os elementos nos dois mundos combinassem, qualquer criatura poderia atravessá-los, passando de um mundo a outro. E houve uma profecia: quando os astros no céu se encontrassem, e o mal se houvesse espalhado em Pindorama [10] entre os homens, o mundo mergulharia na escuridão e os portais se abririam. Então, as criaturas que viviam em Ibitutinganhã voltariam a dominar a Terra.

---

9 Termo criado pelo autor a partir do tupi-guarani.

10 Região das Palmeiras. Antiga designação dada ao Brasil pelos povos nativos.

Os grãos de pipoca começaram a estourar na panela colocada próxima à fogueira. Dona Geralda balançava a panela para os grãos se misturarem, evitando que aqueles já estourados queimassem.

Cláudia sentiu o cheiro de pipoca espalhar-se pela noite. Dera pela falta de Pedro momentos antes e, como ele não apareceu, perguntou:

– Onde está Pedro, Caio?

– Estava no quarto quando desci. Ainda deve estar lá em cima.

– Vá chamá-lo.

– Depois, mãe. Esta pipoca está me dando água na boca.

– Agora, Caio! Lembre-se que já conversamos sobre isso e você concordou: nada de deixá-lo sozinho.

Resmungando, Caio subiu as escadas rumo à casa-grande. Passou pela sala e foi em direção ao quarto. Vasculhou vários cômodos e nada de encontrar Pedro. Então, lembrou-se do sótão.

Subiu devagar as escadas que davam acesso ao sótão. Sentiu um calafrio. O fato de estar sozinho à noite dentro do antigo casarão o deixou ressabiado. Quando viu a porta do sótão aberta, descontraiu-se um pouco. Teve a certeza de que o amigo estaria por lá. Ao ver os vários lençóis encobrindo tudo, voltou a sentir um início de medo. Havia um vulto sentado em frente ao baú.

– Pedro?

Não houve respostas.

Foi se aproximando de mansinho. Respirou aliviado quando o reconheceu.

– Ô rapaz, não está me ouvindo, não?

Pedro não respondeu. Parecia sonâmbulo como naquele momento no lago. Caio o cutucou.

– Acorda, Pedro. O pessoal está te chamando lá embaixo.

Pedro arfou, assustando-se.

– Hein? O que foi?

– Você estava dormindo acordado de novo... está se sentindo bem?

– De vez em quando tenho visto ou vivido umas cenas estranhas... é como se eu estivesse em outro mundo.

– Como é que é?

– Parece que vejo cenas da vida de Dom Afonso e de um jovem índio que conviveu com ele. Tudo parece muito vívido e real.

– Vou querer ouvir sobre isso depois. Mas temos de descer agora. O pessoal todo está lá embaixo ao redor da fogueira esperando por nós. E minha mãe mandou que viesse buscá-lo.

Pedro levantou-se, segurando o livro com as duas mãos.

– Está bem, está bem, vamos lá.

– Não vai guardar o livro?

– Não, vou levá-lo.

– Mas o livro é um segredo... vai escancará-lo para todo mundo?

– E daí? Por quanto tempo um segredo deve ser mantido? Para todo o sempre?

Caio não soube o que dizer. Pedro continuou:

– Já se passaram mais de quinhentos anos. Todo livro deve ser lido e conhecido. Não é para isso que se escrevem os livros?

– Então você vai mesmo revelar a existência dele para todo mundo lá embaixo?

– Era minha intenção até este momento, mas agora que você demonstrou tanta surpresa com essa ideia, vou primeiro conversar com Manoel. Será que ele tem algo contra isso?

– Sei lá... pergunte a ele.

Pedro guardou novamente o livro no baú e acompanhou Caio ao pátio. Sentiu-se bem ao ver a fogueira e o pessoal ao redor. O ambiente lhe pareceu descontraído. Assim que chegou próximo do pessoal e os cumprimentou, viu Bira, filho de Antônio e Geralda, aparecer munido de um violão junto com alguns peões. Eles cumprimentaram a todos e puseram-se a tocar músicas do campo.

Manoel e Cláudia ficaram a lembrar cantigas ouvidas ainda na infância nas cidadezinhas do interior de Minas. Caio e Pedro aproveitaram para comer.

Quando a música escasseou, porque os peões dormiam cedo e acordavam com a aurora, os hóspedes permaneceram ao redor da fogueira, conversando.

Manoel aproximou-se dos garotos.

– E então, Pedro, você gostou de voltar à fazenda?

– Sim, claro. Convidei também alguns amigos para virem. Espero que não se importe.

– Você o quê? – Manoel alarmou-se. – Está louco, rapaz? Depois de tudo que disse a você e Caio, você ainda faz uma coisa dessas?

Cláudia observou Manoel e perguntou:

– O que foi, Manoel?

– Pedro tornou público nosso paradeiro.

– Pedro, o que você fez? – Cláudia perguntou. – Viemos de tão longe, em sigilo, para ninguém nos seguir. O que você fez?

– Só convidei alguns amigos... de uma comunidade virtual. Não nos conhecemos pessoalmente. Não sabem quem somos. Não há como alguém ligar vocês a este local. É só uma turma interessada em folclore, nada mais. Não é, Caio?

Pedro olhou para o amigo. Os olhos de Cláudia e Manoel pousaram em seu filho.

– É... isso mesmo... a comunidade e seus membros são muito recentes. E nós temos apelidos por lá. Não há elo de ligação... no mundo físico. Seria preciso alguns *hackers* para nos rastrearem e chegarem até vocês. Por enquanto, a polícia comum não é tão eficiente assim...

Manoel procurou acalmar-se. Respirou fundo. Tentou racionalizar os fatos.

– Então, Pedro, me diga exatamente o que e como fez. Como seus amigos encontrarão este lugar?

– Enviei-lhes uma mensagem virtual com as coordenadas num mapa.

– Oh, droga, mais perfeito que isso impossível. Será uma sorte continuarmos ocultos.

– Não se preocupe, Manoel.

– Como não me preocupar com o fato de você ter divulgado o local exato para onde vínhamos? Mas vou tentar ser menos pessimista. Espero que você e Caio estejam certos e que não seja fácil qualquer ligação entre a comunidade e vocês. De qualquer forma, vocês estão proibidos de ligar seus celulares. Em caso de necessidade, podemos utilizar aquele que Antônio adquiriu. Contudo, necessidade aqui se refere a um caso extremo, como de vida e morte, Ok?

– Ok, já os desligamos – disse Pedro. – Pode ficar tranquilo.

– Tudo bem, pai – respondeu Caio.

Manoel insistiu na conversa com Pedro.

– Esses amigos... colegas virtuais... são do Rio?

– Moram por lá, mas são de outros Estados.

– E quando vêm?

– Creio que amanhã ou nos próximos dias. Todos eles fazem parte daquele *blog* que Pedro e eu montamos na internet, *Os Tupiniquins*. Todos se interessam apenas por folclore, sabe?

– Sim, você já disse. Poderemos conversar com eles a respeito. Agora o que está feito, está feito.

Cláudia entrou na conversa:

– Já que estão falando sobre folclore, alguém sabe a origem da palavra?

– Lá vem a professora... – disse Caio, acostumado ao jeito da mãe.

¬– Não seja chato, menino! – ela disse e continuou:

– Ela vem do inglês antigo *folk* que significa povo e *lore* que significa sabedoria. Então a palavra folclore pode ser traduzida como sabedoria popular, a cultura do povo.

Mudando rapidamente de assunto, Cláudia disse:

– Pedro, por que você demorou tanto para descer?

– Eu estava ansioso para ver o livro novamente. Por isso fui ao sótão e o peguei para ler um pouco. Ia trazê-lo aqui para baixo, para mostrar a todos e lermos algumas passagens dele, mas não sabia se Manoel aprovaria.

Manoel ficou surpreso com a naturalidade de Pedro e sua total despreocupação com o segredo do livro. Olhou para a fogueira e para o céu. Seu primeiro impulso foi o de proibi-lo de falar em público sobre o livro. Lembrou-se, porém, de sua conversa com Tobias. A quem interessaria continuar mantendo o livro em segredo? Em sua opinião, a sociedade brasileira poderia crescer com o conhecimento de sua própria cultura e de seu passado. Por fim, raciocinou que se Pedro era o legítimo herdeiro do *Livro Perdido*, também a ele caberiam os próximos passos. Decidiu não interferir. O livro já havia sido escondido por tempo demais.

– Faça o que achar melhor, Pedro. O livro agora lhe pertence.

– Percebi hoje o desenho duma cruz próximo à assinatura de Dom Afonso.

– Uma cruz?

– Sim, parecida com aquelas cruzes que ornavam as caravelas de Cabral: vermelha, com oito pontas emoldurando uma outra cruz branca simples.

– Ah, sim. Você quer dizer a *Cruz da Ordem de Cristo*.

– O que significa?

– Essa cruz é o símbolo da Ordem Militar dos Cavaleiros do Senhor Jesus Cristo, conhecida apenas como Ordem de Cristo.

– Uau! Eram como os templários?

– Sim. Na verdade, essa ordem herdou seus bens e reuniu os templários ainda existentes em Portugal à época. Cerca de uma década antes, em 1308 para ser exato, o Rei Diniz corajosamente recusou-se a cumprir a bula papal de Clemente V, que ordenava a extinção da Ordem do Templo a que pertenciam os templários. Essa bula também ordenava a expropriação de bens e o massacre dos cavaleiros, com sua imediata prisão e execução.

– E por que o Papa Clemente V fez isso?

– Bom, foi uma conspiração urdida entre o Papa e o Rei Felipe IV da França, apelidado O Belo, contra os Templários, cujos poder e riqueza aumentavam cada vez mais na Europa. Sob falsas acusações, os reinos europeus assassinaram inúmeros cavaleiros, dissolveram a Ordem do Templo e saquearam seus bens. Isso aconteceu numa sexta-feira 13, e é por isso que até hoje consideramos esse um dia azarento.

– Poxa, que história, esta. Parece uma trama de filme de aventura, suspense, ação e terror. Mas, então, pelo menos os templários de Portugal se salvaram.

– Pois é. A vida real muitas vezes ultrapassa qualquer obra de fantasia. E o fato é que, mais tarde, em 1319, o Rei Diniz de Portugal persuadiu o Papa posterior, João XII, a estabelecer a Ordem de Cristo em Portugal e, assim, a pendência foi resolvida: os bens da Ordem do Templo naquele país foram vertidos para a Ordem de Cristo, e os templários ainda vivos nela se refugiaram.

– E por que será que o Rei Diniz tinha tanto interesse nos cavaleiros?

– Creio que, além da dívida de gratidão com os templários, esse exército legitimado pela força da fé que ajudou a expulsar os muçulmanos da Península Ibérica, também havia muitos outros interesses econômicos e políticos. Os templários guardavam muitos segredos preciosos. Entre eles, os segredos da arquitetura gótica, da navegação e da astronomia, que foram estudados à exaustão no Castelo de Tomar. O local se tornou ao mesmo tempo a sede e o centro científico da nova Ordem. Não foi à toa que, décadas depois de estabelecida a Ordem de Cristo, Portugal se tornou uma potência marítima e iniciou as grandes navegações. As caravelas de Cabral, Américo Vespúcio e Vasco da Gama ostentavam a mesma bandeira: a da Ordem de Cristo. E também a de Colombo, que navegava a serviço da Espanha. Alguns dizem que todos eles tinham algo mais em comum: eram Cavaleiros da Ordem de Cristo.

– Eu fiquei intrigado nas aulas de história com o fato de Portugal, de um momento para outro na história, ter se tornado uma potência marítima à frente de muitos outros países. Isso explica tudo. Eles se apoiaram na ciência templária! E por que será que Dom Afonso desenhou a cruz em seus escritos?

– Isso, Pedro, ainda temos de descobrir.

Cláudia aproximou-se deles.

– Rapazes, já é tarde. Melhor irmos todos para a cama.

– A conversa está tão boa... – protestou Pedro.

A fogueira foi se apagando.

Após poucos minutos mais de prosa, foram deixando o pátio.

Entraram na casa-grande, desejaram boa noite uns para os outros e foram para seus quartos.

Sincronismo

Eram seis horas da manhã quando o despertador tocou.

Sonolenta no quarto ainda escuro, Marcela tateou com a mão direita até alcançar o celular na mesinha de cabeceira e o silenciou. Gostava do horário de verão, embora tivesse dificuldade para acordar cedo pela manhã. Cambaleante, levantou-se, lavou o rosto e vestiu-se. De frente ao espelho, ajeitou os cachos de seus cabelos castanhos. Os belos olhos azuis repararam, surpresos, num minúsculo ponto vermelho no rosto claro e delicado, próximo ao nariz. Vaidosa, aplicou logo um secativo para espinhas e uma maquiagem corretiva para disfarçar.

Gaúcha de Santo Ângelo, cidade situada no noroeste do Rio Grande do Sul, Marcela tinha vindo para o Rio de Janeiro aos doze anos de idade, quando seu pai, militar, fora transferido para outra unidade do exército. A princípio, Marcela sentira falta de seus amigos e de sua terra, mas apaixonara-se rapidamente pela beleza e pelas opções de lazer oferecidas pela cidade maravilhosa. Fizera novos amigos e tivera seu primeiro caso amoroso. Agora, aos dezesseis anos, sua cidade natal era apenas uma bela lembrança da infância, que a acolhia anualmente com carinho, nas festas de fim de ano, quando retornava para visitar seus parentes.

Enquanto tomava café da manhã, checou as mensagens no celular. Elas se acumulavam velozmente. Conferira e respondera todas antes de dormir, mas, ainda assim, já somavam quase duas dezenas pela manhã. Peneirando o que ler entre as mais importantes, se deparou com uma curiosa mensagem: era do grupo virtual que passara a fazer parte, *Os Tupiniquins*. Convocava os interessados a se encontrarem numa fazenda em Minas Gerais. Ela exultou. Há muito esperava uma oportunidade como aquela.

Estudante do ensino médio e apaixonada pelo folclore nacional, Marcela montara um *site* na internet sobre o assunto e estava desenvolvendo um estudo sobre os aspectos culturais das várias regiões brasileiras.

Por isso se interessara imediatamente pelo grupo virtual. Além dos livros e materiais de pesquisa, precisava também colher informações diretamente na fonte, de comunidades locais e pessoas ligadas à cultura. Quem sabe algum dia não lançaria um livro sobre o assunto? Afinal, enquanto outras jovens publicavam romances, ela queria ser a mais jovem escritora de um livro sobre o folclore.

Desceu as escadas de seu prédio e caminhou até o ponto de ônibus mais próximo. Não teve de esperar muito tempo. Logo estava sentada dentro do coletivo, olhando pela janela o trânsito e a paisagem. Enquanto o ônibus atravessava a cidade em direção ao centro, onde ficava a Biblioteca Nacional, onde sempre efetuava pesquisas, imaginava como programar o seu dia, já que, tão logo soube da ideia de o grupo reunir-se, decidiu comparecer. Precisaria apenas avisar em casa que viajaria com sua turma de amigos e poderia partir ainda naquela tarde.

– Ficarei apenas alguns dias fora – disse Inácio, os olhos castanhos, vivos, esperando uma resposta positiva de sua chefe. Havia quase cinco anos que trabalhava na agência de turismo no Leme, Rio de Janeiro. Nascido em Manaus, Amazônia, era filho de modestos comerciantes da cidade que prosperaram após a criação da Zona Franca. Viera estudar Administração na Fundação Getúlio Vargas, uma das mais prestigiadas faculdades da área. Após se formar no ano anterior, não desejou voltar a viver no norte do país. Sua alma se contagiara com o encanto das praias, a agitação cultural e a beleza das mulheres daquela terra.

O trabalho o fizera conhecer muitas regiões do Brasil. Era um dos melhores e, com apenas vinte e três anos, um dos mais novos funcionários da agência e, por consequência disto, trabalhava além de sua carga horária normal. Há muito não tirava férias. Precisava de alguns dias de folga. Vinha adiando esta decisão porque sabia que encontraria resistência de sua chefe.

Sentira que o momento certo chegara tão logo soube da proposta do grupo *Os Tupiniquins*. Acolheu-a como uma ótima oportunidade de lazer e descanso. Iria para um lugar absolutamente desconhecido, desconectado de toda sua vida, com pessoas também desconhecidas e afins num interesse: o estudo de mitos e lendas do país. Não poderia deixar a chance passar.

– Espero – respondeu a chefe – que compreenda o fato de estarmos sobrecarregados com a abertura da filial em Ipanema. Não posso simplesmente abrir mão de sua experiência e conhecimento. Veja bem, não estou negando, apenas lhe pedindo para postergar um pouco esse pedido de folga.

Inácio decidiu que desta vez não iria arredar pé de seus objetivos. Precisava realmente arejar sua cabeça.

– Compreendo a situação – retrucou –, mas, do jeito que estou cansado, posso cometer erros básicos ou tomar decisões equivocadas. Não vamos querer tomar prejuízos, não é mesmo? Ainda mais por questões banais que podem ser evitadas. Na verdade, já tenho férias acumuladas e seria bom usufruir de, pelo menos, um desses períodos...

Inácio fez uma pequena pausa, observou a simulada expressão de desentendimento de sua chefe ceder espaço à genuína surpresa pela sua ousadia de botar as cartas na mesa. Soube que marcara posição. Concluiu:

– Em virtude da abertura de nossa filial, estou me contentando apenas em tirar as folgas acumuladas. Quinze dias, apenas. Podemos marcar minhas férias para períodos de baixa temporada, que tal? Também posso instruir rapidamente um dos assessores para me substituir nas tarefas mais corriqueiras.

Os seus argumentos eram sólidos. A chefe de Inácio relutou um pouco, mas, afinal, concordou. Sentiria falta dele – não só para o trabalho. Sua companhia a agradava. Os traços de seu rosto aliados ao cabelo castanho o tornavam belo, e sua personalidade era agradável e atraente.

– Dez dias. É tudo que lhe dou. E é melhor voltar turbinado, pois, mesmo colocando alguém em seu lugar, seu serviço ficará acumulado com a ausência. Vai ter de revisar tudo que tiver sido feito, entendido?

O sol brilhava naquele início de manhã e foi com satisfação, como se tivesse retirado temporariamente um fardo das costas, que Inácio o sentiu em seu rosto ao sair do prédio e caminhar pelas ruas do Leme. Teve tamanha alegria em sentir de novo a liberdade que caminhou em direção à areia da praia, tirou os sapatos e a camisa, arregaçou as calças e mergulhou na água do mar.

O atendente da empresa de ônibus parecia farto de responder à mesma pergunta pelo telefone:

– O ônibus para Santos Dumont parte às 13h.

Liana agradeceu a informação e desligou.

A companhia de teatro para a qual trabalhava encerrara a peça em que vinha atuando há quase dois anos. Outro autor fora contratado, e novas peças em breve seriam escritas e encenadas. Até ser escalada para um novo papel, seus dias estavam livres, sem qualquer obrigação.

Sempre desejara ser atriz. Seus expressivos olhos verdes e o lindo rosto moreno emoldurado pelos cabelos negros lhe davam uma presença marcante, que, aliada à sua inteligência e talento, garantira seu passe de entrada para o mundo artístico.

Quando criança, atuava em peças escolares e brincava com suas coleguinhas fingindo ser personagens de contos de fadas: bruxas, princesas, fadas, plebeias ou empregadas. Preferia as personagens boazinhas, mas, já adolescente, deixou de se importar com o papel, pois havia intuído que qualquer um lhe proporcionaria a oportunidade de aprender a arte de representar a natureza humana e suas motivações.

Sentia ser preciso conhecer a fundo um personagem para atuar melhor. Quando escutava, lia alguma história ou assistia a filmes e desenhos animados, Liana sempre se imaginava em cada um dos papéis, o que a fazia repetir a aventura para si mesma à exaustão. À medida que o tempo passava, acreditou ser interessante conhecer pessoas de diferentes culturas, níveis sociais e atividades. Eram laboratórios vivos dos quais poderia destilar tipos e características. Por isso, gostava de conversar com estranhos e fazer amizades. Rapidamente sugava os gestos, sotaques, tiques quase imperceptíveis, maneirismos, palavras e comportamentos de cada pessoa, criando em sua mente o estereótipo de um possível personagem.

Mato-grossense de Cuiabá, Liana aos 11 anos mudara-se com a família para o Rio de Janeiro. Seus pais perceberam sua precoce vocação e a incentivaram a seguir carreira. Passou a fazer parte de grupos amadores e foi matriculada num curso com atores profissionais. Um portfólio também lhe rendeu papéis em comerciais de televisão e trabalhos como modelo. Após terminar o curso, foi contratada pela companhia de teatro em que trabalhava atualmente.

Uma semana após seu aniversário de dezesseis anos, recebera o convite do grupo *Os Tupiniquins*. Viera em boa hora. Estava de férias.

Precisava apressar-se.

O táxi parou junto ao Terminal Rodoviário Novo Rio.

Jair pagou o motorista, pegou suas malas e foi em busca dos guichês de passagens. Com isso se tornou mais um viajante caminhando apressadamente entre o fluxo humano, que circulava nos corredores da rodoviária. Ainda não havia comprado seu bilhete. Apenas algumas horas antes, decidira viajar. Apressou-se e torceu para que ainda desse tempo de comprá-lo.

Não deu. O atendente dissera que o ônibus já havia encostado, e a venda de bilhetes estava encerrada. Informou que talvez Jair ainda pudesse pegar o ônibus se corresse para a plataforma de embarque. Ele disparou pelos corredores. Passou por uma roleta onde pagou a taxa rodoviária com uma nota de cinco reais. Dispensou o troco e desceu as escadas correndo. Foi olhando, um por um, os ônibus encostados na área de embarque. Afinal, deparou-se com aquele que procurava. Entrou em último lugar na fila, o coração disparado, a respiração descontrolada, após tanta correria e preocupação de não conseguir embarcar.

Jair trabalhava na redação do jornal O Globo há cerca de um ano.

Era claro, tinha cabelos e olhos negros. Usava óculos com hastes imitando casco de tartaruga. Cearense de Jericoacoara, decidira por um destino profissional diferente da maioria dos jovens de sua região que certamente trabalhariam com turismo. Aos quinze anos, mudara-se para a casa dos tios na capital, Fortaleza. Ingressara numa escola noturna e fora trabalhar durante o dia como office-boy numa redação de jornal. Apaixonara-se pelo ambiente e decidira fazer jornalismo.

Oito anos depois, já formado e trabalhando há um ano como assistente de redação, após uma conversa com jornalistas mais velhos de casa, previu que seu destino ali seria enfadonho e que não teria crescimento profissional o suficiente. Então, deu outra guinada em sua vida. Pediu demissão e, com o dinheiro que havia acumulado durante os anos de trabalho, mudou-se para o sudeste do país. Escolhera o Rio de Janeiro porque, além de ser uma das cidades cuja vida cultural mais fervilhava, se sentiria mais em casa por conta do calor e da semelhança das praias. Não aguentaria a frieza de São Paulo e não cogitou a hipótese de ir para qualquer outra cidade.

Ainda pela manhã, na redação do jornal, enquanto navegava pela internet, vira a informação de que um dos recentes grupos de que participava estava convocando os membros para um encontro pessoal. Normalmente não teria interesse, não estivesse justamente escrevendo uma matéria sobre cultura popular. Já havia pesquisado e lido o suficiente. Seria uma boa maneira de se obter informação de campo, diretamente da fonte, como sabia ser tão importante em seu trabalho.

Entrou no ônibus e foi direto para os fundos.

– Depois do assento 27, há poltronas vagas – o motorista havia dito.

Enquanto caminhava pelo corredor, reparou nos viajantes já sentados. Algumas pessoas jovens e outras nem tanto. Teriam o mesmo destino ou parariam pelo caminho? Saberia mais tarde.

Sentou-se numa poltrona próxima à janela do lado direito e descansou. Seria uma longa viagem de quase quatro horas. Ficou satisfeito por ter lembrado de trazer seu material de trabalho. Repassaria seus textos ainda não publicados.

Durante a viagem, fez uma ou outra pausa na leitura e olhou a paisagem sem dar atenção. Imaginava o que iria encontrar em seu destino.

Confraria

Pedro olhou para trás, impelido por uma estranha sensação. Sentado no banquinho, o peão ordenhava a vaca marrom. O leite esguichava no balde de alumínio, formando espuma. Dez vacas haviam sido encaminhadas para ordenha e se encontravam dentro do curral, separadas por uma cerca interna. Do lado de fora, onde Pedro se encontrava, um outro peão escovava os pelos de um cavalo negro.

Então, aconteceu o inexplicável. A vaca mugiu e tentou dar coices, mas seus pés, amarrados minutos antes justamente para evitá-los durante a ordenha, não puderam completar o movimento. O balde pareceu revirar sozinho e entornou todo o leite. As outras vacas no curral mugiram e se movimentaram em círculos. O cavalo empinou e relinchou, correndo em disparada e, não fosse Pedro se jogar para o lado, teria sido atropelado. Ainda no chão, viu o redemoinho levantando poeira e se dissipando. Não saberia dizer se ouvira ou pensara ouvir uma gargalhada.

O peão que estava a escovar o cavalo partira em seu encalço. O outro que ordenhava a vaca correu em direção ao redemoinho e nele jogou uma peneira. Frustrou-se ao vê-la cair vazia, e bradou:

– Escapou de novo... Mas ainda te pego, coisa ruim!

Pedro levantou-se tentando compreender o que se passara.

– O que você disse?

– O diacho do coisa ruim... Escapou de novo.

– Coisa ruim? Que coisa ruim?

O peão olhou em volta, xingando e lamentando o leite derramado. Numa seriedade que impedia qualquer brincadeira, disse:

– O danado do saci. Essa bagunça toda é culpa dele.

– O saci? Você está brincando.

– Não estou, não. Essa confusão toda foi coisa do saci. Você não viu o redemoinho?

– Vi, sim, mas acho que os animais se assustaram à toa.

– À toa? Garoto, você não sabe o que diz. Sabe o que é o saci?

– Ora, todo mundo sabe; aprende sobre ele nas aulas de folclore, nos livros do Monteiro Lobato ou no *Sítio do Pica-pau Amarelo*[11].

– Pode acreditar: um deles resolveu nos assombrar.

– Um deles? Como assim? O saci não é um só?

- Que nada! Tem saci para tudo que é banda. Já vi que você nem sabe como surgiu o primeiro saci...

– O primeiro? Não sei. Como é que foi?

- Ah, isto é uma história danada de comprida. Tenho de arrumar esta bagunça toda. Num momento mais folgado te conto.

Pedro pensou ser apenas mais uma superstição daqueles peões. Saci? Era apenas história da carochinha.

Na hora do almoço, na fazenda, quando estavam todos reunidos, Pedro contou o acontecido no curral pela manhã. O pessoal da cidade riu. O do campo silenciou.

– Conte a história do primeiro saci para nós, Antônio. Pedro está curioso. E nós também.

Antônio hesitou. Por fim, disse:

– Não é uma boa história para a hora do almoço, não, Manoel. Depois eu conto lá na sala, antes de voltar para o trabalho.

– Tudo bem, Antônio. Pedro pode segurar mais alguns minutos sua curiosidade, né, Pedro?

– Tudo bem. Já estamos quase terminando.

Os visitantes combinaram uma pescaria após a refeição e um banho de cachoeira mais ao final da tarde.

Terminaram o almoço, saborearam os doces frescos servidos por Dona Geralda, e foram para a sala onde ficaram aguardando Antônio. Ele chegou, parecendo constrangido. A história não tinha muita explicação. Percebendo todos os olhos e ouvidos atentos, foi logo dizendo:

– Bom, a história do primeiro saci começou muito tempo atrás...

Pedro ouviu atentamente as palavras do camponês, guardando-as na memória.

11 Antiga série televisiva adaptada dos livros de Monteiro Lobato.

Ronaldo Luiz Souza

Diabruras e Traquinagens de uma Carapuça Vermelha

...é um tipo mignon, preto, lustroso e brilhante como o pixe, não tem pelo no corpo nem à cabeça; dois olhinhos vivos como os da cobra e vermelhos como os de um rato branco; a sua altura não passa de meio metro; possui dois braços curtos e carrega uma só perna: com esta pula que nem cutia e corre que nem veado, o nariz, boca e dentes igualam-se aos dos pretos americanos.

(**LOBATO, MONTEIRO.** O SACI-PERERÊ, RESULTADOS DE UM INQUÉRITO, SÃO PAULO: GLOBO, 2008.)

...espécie de ente fantástico, representado por um negrinho. (...) faz-lhe o saci toda a sorte de diabruras, com o fim, aliás mui inocente, de se divertir à custa alheia. (...) São inimagináveis as proezas que se contam deste ente imaginário; e entretanto, cumpre dizê-lo em homenagem à verdade, há muita gente que lhes dá crédito. Também lhe chamam Saci-cerêrê e Saci-jerê e este é unípede.

(**BEAUREPAIRE-ROHAN, Henrique Pedro Carlos de, Visconde de.** *Dicionário de vocábulos brasileiros. p. 137. Rio de Janeiro: Imprensa Nacional, 1889).*

Sasaci Sasaci Pererê
Saci, Saci Pererê
Pula, brinca e joga
Que eu quero ver
Dona Cuca vai querer fazer
Uma aposta com você
E essa aposta
Você vai ter que ganhar
Não pode perder não pode perder
Sasaci Sasaci Pererê
Saci, Saci Pererê
Pula, brinca e joga
Que eu quero ver
Pererê, Pererê
Dona Cuca vai querer
Que você aposte
O seu cachimbo e seu chapéu mágico
Contra uma torta de jiló, melancia e alho
Cuidado Saci, cuidado com a toca
Treine bem e não se compromete
Pois esta aposta consiste
Em que você ande
Pelo sítio de patinete
Saci Pererê, Saci Pererê
Sasaci Pererê (Jorge Bem Jor)

O porto do Rio de Janeiro era uma imensa azáfama naquele ano de 1758 de Nosso Senhor Jesus Cristo. Pessoas iam e vinham. Marinheiros portugueses gritavam ao carregar os navios com pau-brasil, cana-de-açúcar e café vindos das diversas fazendas do interior da colônia brasileira. E também gritavam ao descarregar os produtos vindos de Portugal, jogando-os nas ruas à espera das carroças.

Abrindo caminho entre a imensa desordem de pessoas, mercadorias e bichos, Dr. Benedito e seus homens foram em direção a um navio vindo diretamente da África. Nele encontrariam o que buscavam: escravos em grande quantidade. O doutor havia pensado então que, se conseguisse comprar todo um lote de escravos diretamente do comandante do navio, sem passar por intermediários, conseguiria braços mais fortes e quantidade mais generosa a uma ínfima parte do alto preço estabelecido nos leilões da praça central, onde um lote de poucas dezenas de escravos podia ultrapassar em muito o valor das terras de um fazendeiro.

O Dr. Benedito nunca se acostumara com toda aquela movimentação. No fundo, era um homem solitário, acostumado às fazendas e campos. Por isso, quando encontrou o comandante do navio negreiro, um homem de estatura mediana, cabelos grisalhos, pele enrugada pelo tempo, bronzeado, com feições fortes e uma grande barriga, se identificou logo com o sujeito: vira nos olhos dele a mesma vontade de estar longe dali, singrando sua solidão nos mares distantes. Ofereceu-lhe um valor muito maior do que lhe seria possível adquirir de um atravessador por cinquenta escravos. Relutante a princípio, o velho marujo, ao ouvir a oferta, abriu um largo sorriso.

Os escravos foram separados por Ademar, feitor da fazenda. Escolheu-os entre negros Bantos e Benguela provenientes do sul da África. Na sua opinião, eram melhores para trabalhar nas lavouras de cana e café e nos serviços braçais. Dentre estes, preferiu aqueles que possuíam boa dentição, músculos fortes, canelas finas e calcanhares altos. Das escravas, também expostas quase nuas, e apalpadas em cada parte de seus corpos, reuniu aquelas de melhores dotes físicos.

Negócio fechado, os escravos foram levados em carroças à fazenda do Dr. Benedito. Lá chegando, foram atirados dentro da senzala, exceto as negras mais belas que foram escolhidas para servir na casa-grande como mucamas, aias ou amas-secas. Estas foram limpas, vestidas e ensinadas no ofício da criadagem pela velha escrava que acompanhava há décadas a família do senhor do engenho.

Foi o acontecido, dias mais tarde na casa-grande, na primeira vez que o Dr. Benedito pousou os olhos na limpa negrinha, ainda adolescente, chamada Tiani, de curvas generosas, lábios carnudos e face agradável, seus anseios não foram outros que não os de possuí-la. E nos momentos em que sabia estar a sinhá ocupada em outros aposentos da casa, ordenava à negrinha que fosse ao quartinho onde ela dormia e cedesse às suas paixões. Ela, escrava, embora tivesse resistido nas primeiras vezes e sido tomada à força, passara, depois de algum tempo, a apenas obedecer: despia-se rapidamente, abria-lhe pernas e braços e entregava seu corpo.

Após meses de submissão carnal, Tiani descobrira surpresa a própria gravidez.

A Sinhá, Dona Joana Albuquerque, atribuiu o fato às ausências da negrinha e supôs serem motivadas por encontros amorosos na senzala, onde teria encontrado um companheiro. Como as escravas eram incentivadas a engravidar para aumentar o plantel de escravos, não fez caso do fato, apenas enviou-a para a senzala quando estava prestes a dar à luz para que não ouvisse as agruras do parto e o choro do bebê.

Cerca de onze anos mais tarde, Tiani desabrochou em sua plenitude de mulher. A maternidade de anos antes apenas realçara sua feminilidade. Tinha personalidade meiga e obediente. Compreendia sua condição de escrava e procurava agradar não só à sinhá, mas também ao senhor do engenho, cuja paixão e luxúria eram todas satisfeitas em sua carne, todos os dias, ainda na madrugada, quando ele abandonava o leito da sinhá, indo direto ao seu, nos fundos da casa-grande.

O garoto mestiço, Belarmino, filho da união de escrava e algoz, que mais tinha de negro que de mulato, nenhuma regalia possuiu. O senhor do engenho não lhe deu mais estima que à cria de um animal qualquer que possuísse, ordenando que as outras escravas da senzala o criassem. Tiani sempre procurava saber notícias do menino. Assim fizera amizade com Cipriano, que era o mais antigo escravo da fazenda, elo de ligação nas tarefas entre a casa-grande e a senzala, e homem de confiança do Dr. Benedito.

E aconteceu do pobre Cipriano também se afeiçoar de Tiani e sofrer calado por desejá-la. Temor e obediência, no entanto, lhe extinguiam qualquer impulso. Ela, se percebera qualquer gesto ou olhar, nunca o demonstrara ou o incentivara, pois sabia que seu senhor a possuía com imensa e selvagem paixão.

A sinhá já se acostumara a acordar sozinha no meio das manhãs, pois sabia da necessidade do marido de comandar o trabalho, ainda que possuísse capatazes para isso. Quis o destino que, numa madrugada de verão, a sinhá, que desconhecia as infidelidades conjugais do marido, acordasse antes do raiar do dia e, querendo agradá-lo, resolvesse fazer, por si mesma, a sobremesa favorita dele.

Chegando à cozinha, notou a falta de ovos na despensa. Ordenaria a uma escrava que os providenciasse, mas era ainda muito cedo e nenhuma acordara para os serviços do dia. À sua mente, veio logo a imagem de Tiani, sua prestativa e paciente mucama. Encaminhou-se ao quarto dela. Chegando ao corredor que dava acesso ao aposento, foi surpreendida por gemidos e sussurros de pura lascívia. Furiosa ao imaginar que a escrava havia recebido um negro e estava a desonrar sua casa, já ia voltando para trás com a ideia de mandar puni-los a chicotadas, quando, enfim, ouviu a voz rouca do homem e deteve-se:

– Isto, minha negrinha, vem satisfazer teu senhor...

Um calafrio percorreu a espinha da sinhá, seu coração disparou, e o estômago pulou como se tivesse levado um chute. Reconheceu aquela voz. Soube quem estava lá com sua mucama, maculando seu lar e sua dignidade. Sem querer acreditar no que ouvira, tirou os sapatos para evitar o barulho e aproximou-se pé ante pé da porta do quarto. Foi quando, pelo buraco da fechadura, pôde vislumbrar a cena de ardor e luxúria do casal.

Imediatamente voltou ao seu quarto e chorou por todo o dia e nos dias que se seguiram. Passou a seguir secretamente o marido e a ouvir do corredor a paixão que o enlaçava à sua mucama. Carregava esse segredo até que, porém, chegou um momento em que a tensão explodiu dentro dela, derivada da raiva, frustração, ciúme e desejo de vingança. Direcionou sua raiva para a parte mais fraca: a mucama. Ordenou a Teodoro, um dos capatazes, que levasse Tiani da fazenda e a matasse sem que o Dr. Benedito soubesse.

Teodoro, homem vivido e amadurecido pelas durezas da vida, sentiu o perigo: seria o alvo do ódio da sinhá, se a contrariasse. Por outro lado, obedecê-la seria ter a própria cabeça a prêmio, pois o doutor lhe confessara a paixão que nutria pela negrinha. Astucioso, enlaçou a sinhá num plano ousado que terminaria com aquela paixão sem que qualquer culpa viesse a repousar sobre ambos. Procurando por um futuro culpado, teceu os últimos laços de sua teia ao observar os olhos do negro Cipriano extasiados à passagem de Tiani. Teodoro o fizera acreditar que Tiani nutria por ele sentimentos românticos, tendo confessado o desejo de estar em sua companhia. Ela marcaria um encontro às escondidas em seu quarto na casa-grande quando, então, lhe satisfaria os desejos da carne. Cipriano não acreditou a princípio, mas tomado pela esperança de enfim satisfazer o desejo que lhe queimava as entranhas e incentivado pela insistência do capataz, no dia e hora marcada correu cheio de ardor ao quarto da negrinha.

A sinhá cumprira sua parte na trama: quando Tiani lhe trouxe a canja que pedira, fingiu atrapalhar-se com medo de uma barata que jurara ter visto e lhe derramou nas roupas todo o conteúdo do prato. Então, ordenou à mucama que fosse ao quarto se trocar enquanto outra negra limpava a sujeira.

Escondido no aposento, Cipriano viu Tiani entrar e começar a se despir. Seu coração disparou. Tomado de cega paixão, partiu para cima dela. Assustada, ela tentou em vão se desvencilhar de Cipriano. Ele avidamente lhe arrancou o restante da roupa. Tiani gritou, se debateu e resistiu, mas o negro, ciente de estarem sós, ameaçou matar na senzala o filho mestiço dela, caso não cedesse aos seus impulsos. Assim, forçou-a, aos prantos, a seus caprichos libidinosos.

O ardil preparado por Teodoro não fora outro que não inflamar, naquele mesmo instante, a ira do Dr. Benedito com a história da traição e luxúria de Tiani, que estava a rir-se dele entregando-se a Cipriano. Tomado de fúria, acompanhado de feitor e capataz, o Dr. Benedito atravessou correndo toda a distância do estábulo onde estava ao quarto de Tiani. A cena que se descortinou aos olhos do Dr. Benedito ao arrombar a porta fora a de sua amante e escrava preferida, em pleno ato de traição amorosa com o escravo mais antigo do engenho.

Em estado de choque, Tiani se desesperara. Seu choro e gritos só aguçaram a raiva do Dr. Benedito, o qual imaginara ser de medo e angústia pelo destino do negro Cipriano. Explodindo de ódio, mandou que levassem ambos para o mato, ainda naquela noite, e por lá lhes dessem fim, enterrando seus corpos.

Da senzala os escravos ouviram a gritaria que se passava na casa-grande. Curiosos, viram os feitores escorraçarem pelo quintal Cipriano e Tiani.

Belarmino, o menino mestiço, o qual andava livre dentro da senzala, ao ver a mãe sendo levada para a escuridão da noite, mata adentro, fugiu e correu em seu encalço. Chegou a tempo de ver a triste cena da mãe sendo morta a golpes de facão. Gritou. O feitor Ademar chegou a segurar seu braço por alguns segundos. Ele se desvencilhou e continuou sua fuga pela floresta, sem saber onde chegar, sendo arranhado pelo mato espesso, até que o chão faltou sob seus pés. Sentiu-se cair, tragado pela escuridão.

Feitores e capatazes, temendo a ira do Dr. Benedito, correram no encalço do negrinho, aos berros, xingando-o e prometendo-lhe surras memoráveis caso não aparecesse. Somente ao raiar do sol conseguiram avistá-lo caído no fundo de uma ribanceira, incapaz de se mexer. Quebrara o fêmur da perna direita.

Levado ao tronco, fora açoitado por dias. Teodoro, insensível a dor do menino, o chicoteara demais, abrindo-lhe a carne em feridas vivas. Quando, enfim, fora solto do tronco e jogado na senzala, sequer se suportava sobre a perna sã. Estava em estado febril e inconsciente. Só não morreu nas horas seguintes porque Barnabé, um velho escravo, ficara com muita pena dele. Munido de ervas, poções e rituais mágicos aprendidos ainda em sua tribo, salvara-lhe a vida ao amputar a perna quebrada em virtude de seu lastimável estado.

Escondido dos olhos do senhor do engenho pelo velho Barnabé, Belarmino foi se curando com o passar das semanas. O velho escravo temia que o mestiço, sempre discriminado na senzala por ser rebento do Dr. Benedito, fosse sacrificado pelos feitores quando visto com uma perna só, pois seria julgado imprestável para o trabalho.

Voltando à consciência, Belarmino fora distraído de sua desgraçada situação pelo preto velho que lhe ensinava a arte da pajelança: segredos ocultos, feitiços e talismãs. Sempre curioso, ele logo quis saber por que o velho negro usava um colar de ossos e pedras estranhas no pescoço. Barnabé, então, lhe revelou ter ungido com antigos feitiços o amuleto, para invocar o demônio que percorria o mundo e disseminava o mal. Com ele, fizera um trato para que seus dias na Terra se estendessem até a velhice, em troca de servi-lo em outro mundo quando morresse. E, agora, que já se encontrava velho, sabia que sua hora não tardaria a chegar.

Aos poucos Belarmino voltou a se locomover, pulando de um lado para outro dentro da senzala. Triste e revoltado, jurou que teria sua vingança.

Quando, numa tarde, um dos feitores adentrou a senzala, descobriu o estado do menino e levou a notícia ao capataz que, por sua vez, comunicou ao Dr. Benedito. Um instante antes de ser agarrado pelos feitores, Barnabé arrancou o amuleto e jogou-o aos pés do mestiço. O preto velho foi amarrado ao pelourinho e açoitado sob os olhares dos escravos, levados ao pátio para assistir ao castigo.

Enquanto assistia, entre as grades da senzala, às chicotadas desferidas em Barnabé, o ódio crescia e nublava os pensamentos de Belarmino. E o seu destino seria idêntico ao de sua mãe não fosse ter invocado, segurando o amuleto com as duas mãos, ao próprio senhor das trevas, demônio antigo, para que lhe concedesse poder sobre aqueles homens a fim de satisfazer sua vingança.

No pelourinho, o corpo de Barnabé continuava a ser castigado, embora este já tivesse dado seu último suspiro.

Na senzala, em meio à fumaça e ao fogo, o próprio chifrudo apareceu sob os esconjuros de alguns negros acorrentados, temerosos da aparição. O demônio ofereceu ao menino não o poder de matar, que também não possuía, mas o de estar além do alcance de qualquer pessoa e de atormentar a quem quisesse até não aguentar mais. Em troca, dissera o demônio, o negrinho lhe daria todo seu fluido seminal. Belarmino não tardou em concordar, selando o pacto com uma gota de seu sangue conseguido com uma lasca de madeira contra o próprio pulso.

O demônio gargalhou e desapareceu no instante em que o fogo se alastrou pela senzala. Naquele lugar Belarmino achou uma carapuça vermelha que pegou e enfiou na cabeça. Tentou se desvencilhar da corrente que prendia seu tornozelo e não conseguiu. Esta encontrava-se presa a um tronco fincado ao chão e a uma tábua pregada horizontalmente muito acima de sua cabeça. Puxou com ambas as mãos a corrente. O tronco caiu sobre si. Tentou suportá-lo, segurando na tábua de madeira. Não vira os dois enormes pregos existentes nas extremidades. Ao cair, os pregos lhe furaram as mãos. Debaixo do tronco, machucado, certo de seu fim, desejou estar na floresta, longe dali, num recanto próximo ao rio.

As labaredas seguiram, consumindo a senzala. Os homens da fazenda, escravos e algozes, ao perceberem o incêndio, correram à senzala a fim de apagá-lo; o esforço foi infrutífero. Salvaram os negros acorrentados. O fogo consumiu toda a construção. Ademar comentou com Teodoro que o menino mestiço da perna amputada estava lá dentro acorrentado quando o incêndio começou, e que as chamas o impediram de se aproximar e salvá-lo. Recebeu como resposta:

– Melhor que tenha morrido no fogo que no facão. Menos trabalho para nós.

Na manhã seguinte, a maioria dos escravos foi remanejada do trabalho na lavoura para a reconstrução da senzala que havia sido reduzida a cinzas. Procuraram pelo corpo do mestiço. Não o encontraram.

Às margens do rio, nas profundezas da floresta, Belarmino acordou assustado sem saber como fora ali parar. Olhando para suas mãos furadas, lembrou-se dos grandes pregos que as atravessaram, do incêndio na senzala, do calor das labaredas queimando seu corpo e, por fim, do mergulho num mundo de fogo e escuridão onde ouvira novamente as gargalhadas do demônio com quem pactuara. Seus olhos vermelhos e chifres pontiagudos eram os mais aterradores dentre as bizarras criaturas que o circundavam. Elas renomearam Belarmino de Saci. Gargalhavam juntas numa febril união de prazeres malignos cujo som alcançava alturas muito além dos abismos incandescentes em que se encontravam.

Penetrando em cada parte do ser do menino, aquelas gargalhadas alteravam seus pensamentos, personalidade e motivações. Sem início ou fim, refletiam escárnio e ironia pela raça humana: esta que cultuou Deus e praticou o profano, erigiu santos e fez escravos, contemplou o paraíso e trilhou a perdição, pintou-se com um verniz de civilizada com a alma ainda na idade das trevas, criou leis e as transgrediu... o mal que praticavam na Terra alimentava a fogueira que consumiria suas almas no inferno...

As gargalhadas ridicularizavam a história do mundo e da condição humana, que banalizou o mal ao praticá-lo continuamente. Loucura e insensatez aliaram-se à crueldade e, como uma massa pegajosa, foram impregnando o espírito de Belarmino até que a melodia macabra finalmente o contagiou, passando também a compor com sua voz a mesma gargalhada infernal. Agora estava ali, à sombra de um bambuzal, à beira do rio, no coração da floresta.

Ao ouvir um som baixinho, apurou os ouvidos e foi aos pulos em direção ao bambuzal de onde achara vir o som. Quebrou então um dos brotos e, surpreso, avistou lá dentro um garoto idêntico a si, do tamanho de um dedo, com uma só perna e uma carapuça vermelha, gargalhando. Quebrou outros brotos de bambu e descobriu que em cada um deles havia um garoto como o primeiro. Chocado a princípio, as gargalhadas se infiltraram em seus sentidos, irromperam de sua garganta e nunca mais o abandonaram.

Deitada na cama a sinhá estava satisfeita, tinha o marido em seus braços. Triste, ele insistia que os olhos lacrimosos eram por causa da fumaça do incêndio na senzala o qual tentara também apagar, sem sucesso. Ela não se importava: estava em seus braços e não nos de uma escrava qualquer. Fizeram amor de forma mecânica, ela notara, sem entusiasmo da parte dele. Pensou que isto mudaria com o tempo. Não importava se calado e triste, o importante era que agora o tinha ali, onde sempre deveria estar. O silêncio da noite parecia eterno. Não se ouvia sequer um pio de pássaro, parecia que o mundo parara.

Ambos, sinhá e senhor deram um pulo na cama ao ouvir uma gargalhada sinistra e mórbida ecoando. Então a gritaria começou.

Um redemoinho elevou as cinzas que sobraram da senzala, cobrindo os escravos que dormiam ao relento, juntos uns dos outros. Acordaram assustados, tossindo sem parar, os olhos cheios de poeira, pouco conseguiam ver.

No estábulo os animais ficaram inquietos. Na casa-grande e nas pequenas casas dos feitores e capatazes também houve barulho. Durante todo o tempo, o mais alto som era o de um riso diabólico. O senhor do engenho levantou-se furioso, pronto a punir o responsável. Percebeu que suas botas fediam, cheias de fezes. A casa-grande estava cheia de lama com os móveis revirados. Irou-se e foi em direção ao dormitório de seus capatazes. Pensou que puniria alguém. Descobriu que, tanto lá, como no pátio onde se encontravam os escravos, todos tossiam sujos e assustados. Gritavam horrorizados que fora coisa do menino mestiço, que entre uma e outra gargalhada disse agora se chamar Saci. Outros diziam ser o próprio coisa-ruim que viera atormentá-los. No estábulo, Dr. Benedito encontrou os animais assustados, as crinas e rabos dos cavalos cheios de nós e carrapichos. O pescoço dos animais sangrava, e o sangue havia sido espalhado pelas paredes do estábulo. Nenhum animal, entretanto, fora morto. No galinheiro havia aves depenadas, ovos quebrados, ninhos desfeitos.

Depois de cerca de uma hora, o silêncio voltou a reinar. Duas vezes mais ouviram-se na madrugada a gargalhada e o assobio de uma ventania forte; os homens temeram.

Pela manhã, a extensão da desordem foi notada: tudo parecia perdido e precisaria de muito esforço para ser recuperado.

O Dr. Benedito ordenou a seus homens que se armassem na próxima noite e capturassem quem ou o que quer que fosse que causara tamanha balbúrdia. Soltava baforada de seu cachimbo, conjeturando quem seria o causador daquele alvoroço.

Não demorou muito após a noite ter caído. Um baita redemoinho levantou poeira e cinzas deixando os olhos de todos arderem. E veio a gargalhada. E barulhos nos estábulos, nas casas, em meio aos escravos. O senhor do engenho gritou, raivoso e desesperado, para a escuridão da noite:

– Apareça, seu maldito.

Em frente a si, viu o que julgou ser um fantasma: o moleque pulando numa perna só, com uma carapuça vermelha, rindo de sua cara. Não hesitou, sacou do revólver e atirou. O mestiço, contudo, desapareceu diante de seus olhos, reaparecendo mais próximo, pregando-lhe um susto, roubando-lhe o cachimbo e pondo-se a rir e pitar. Levantando poeira num vendaval, desapareceu de novo.

Desde então, aquele engenho se tornou maldito. Noites e noites sem fim o saci aparecia assombrando a todos, com suas risadas infernais, aprontando mil e uma travessuras, infernizando homens e animais. Ora aparecia em tamanho normal, ora passava para o de um gigante ou de um diminuto ser. Com os nervos em frangalhos, as pessoas não aguentavam mais.

Os feitores e capatazes se reuniram e decidiram deixar a fazenda. Na mesma noite, os escravos fugiram seguindo o curso do rio. Fundariam algum tempo depois um quilombo numa das serras inexploradas da região, onde viveriam por anos, escondidos dos brancos.

O Dr. Benedito enviou a mulher e os valores para a cidade. Enlouquecido, disposto a capturar aquele ser infernal que destruíra seu en-

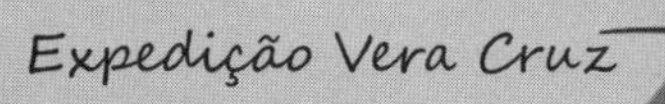

genho e provocara seu infortúnio, passara noites sem fim a perseguir e ser vítima das brincadeiras nefastas do saci. Até que numa daquelas madrugadas, atormentado pela gargalhada maldita, desesperado, atirando para todos os lados, sem sucesso, voltara a arma para sua própria cabeça dando fim a si mesmo.

Decepcionado, o redemoinho de vento parou de repente, dele saiu o saci. Ao se ver sozinho, sem ter a quem assombrar, voltou para a mata onde morava e, de vez em quando, saía para atormentar moradores de outras roças.

Antônio sentou e se pôs a enrolar um cigarro de palha.

Os visitantes pareciam acordar de um transe. Cláudia disse:

– É uma história macabra e triste. Coitado do negrinho...

– Lembrei-me – disse Caio – da história de um outro negrinho.

– Qual? – perguntou Pedro.

– A do Negrinho do Pastoreio.

– Hum. Só conheço essa história vagamente. Sabe contá-la toda?

– Ela conta que um fazendeiro cruel, senhor de negros e peões, mandou um negrinho pastorear seus cavalos. No fim do dia o acusou de ter perdido um cavalo baio, o açoitou até sangrar e o enviou a procurar o cavalo perdido. Desesperado, o pequeno escravo achou o animal pastando e o laçou, mas o laço se desfez e o cavalo fugiu. Não conseguindo encontrá-lo, retornou de mãos vazias. O fazendeiro o espancou. O menino, todo ensanguentado, desmaiou. Tido por morto, o fazendeiro mandou que jogassem o corpo, pelado, sobre um formigueiro. No outro dia, ao passar perto do formigueiro, encontrou o menino curado das feridas, sem qualquer marca de picada. Ao seu lado, Nossa Senhora. O fazendeiro, arrependido, caiu de joelhos e pediu perdão. Iluminado e sorridente, o menino montou no cavalo baio e saiu cavalgando até desaparecer no horizonte.

Cláudia não se conteve e novamente repetiu:

– Coitado do negrinho...

Pedro percebeu que algo diferia os dois personagens:

– Cada um deles escolheu um destino diferente. O saci tornou-se um ser maligno. Procurou vingança e ainda hoje assombra as pessoas com pequenas diabruras. Já o Negrinho do Pastoreio se tornou um aliado.

Dizem que lá no Sul, quando algo se perde, uma vela é acesa ao lado de um formigueiro. Então o negrinho ajuda a encontrar o que foi perdido.

– Muito sangue foi derramado no passado – Manoel explicou. – A violência contra nativos e escravos africanos é uma mancha em nossa história. Nosso país foi construído com suor, lágrimas e sangue. Hoje, somos um povo miscigenado. Para mim, essas duas histórias revelam claramente como era a sociedade da época.

– Ah, mas a escravidão se foi – disse Antônio – e o coisinha ruim ficou por aí. Não vamos esquecer das diabruras do saci. Desde que surgiu esse danado aqui na fazenda, não temos sossego.

– Também me lembrei de outro personagem endiabrado – disse Caio –, o Romãozinho. Já ouviram falar dele?

– Eu já ouvi – respondeu Pedro. – Era um garoto muito mal, né?

– Era – completou Cláudia. – Seu divertimento era maltratar animais e pregar peças nos outros. Caluniou a própria mãe, levando seu pai a acreditar que a esposa o traía. Enfurecido, ele sacou uma faca e a matou.

– Isso mesmo – respondeu Caio. – Antes de morrer, a mãe o amaldiçoou. Ele viveria para sempre e vagaria pelo mundo, sem qualquer descanso. O pai morreu de arrependimento. E, hoje em dia, o moleque ainda assombra muita gente, fazendo suas peraltices como o Saci.

– Que história! – falou Cláudia. – Estou arrepiada!

– Antônio – perguntou Manoel –, desde quando tem acontecido coisas estranhas na fazenda?

– Sempre aconteceram, mas as coisas aumentaram depois que Jonas esteve aqui. Parece que tem muita assombração solta por aí...

A conversa foi interrompida quando um dos peões, do lado de fora da casa, gritou a Antônio que já havia encontrado e reunido minhocas suficientes para servir de isca na pescaria.

– Oba! – gritou Caio, acendendo uma faísca de entusiasmo que se alastrou entre os outros. – Vamos pescar!

Eram 17 horas quando o ônibus vindo do Rio de Janeiro estacionou na rodoviária de Santos Dumont. Inácio foi um dos primeiros a descer. Encaminhou-se ao guichê de passagens e perguntou ao atendente sobre como chegar à região da fazenda; ele não soube responder. Um pouco perdidos, após descerem do ônibus, Jair, Liana e Marcela observaram que carregavam na mão o mapa que Pedro havia colocado na internet. Aproximaram-se e começaram a conversar. Inácio já ia passando por eles quando ouviu mencionarem a fazenda. Parou, impressionado com a beleza das duas moças.

– Não há condução que leve diretamente à fazenda – disse Inácio. – O ônibus que se aproxima mais é o da região chamada de Perobas, mas ainda assim gastaríamos muito tempo caminhando, perdidos numa área rural desconhecida.

– Vamos rachar um táxi - propôs Liana.

Concordaram.

No ponto de táxi havia um carro de luxo, estilo sedã, estalando de novo. Quando o motorista ouviu de Jair para onde queriam ir, hesitou, pensou por um momento, coçou a cabeça e disse:

– Nesse meu carro não vai dar, não. A estrada é muito ruim...

– Vamos procurar outro táxi – disse Marcela.

– Não há mais nenhum por aqui – respondeu Jair.

– Ô, moço - suplicou Liana –, deixa de frescura e leve a gente lá. Vamos lhe pagar em dobro.

– Hum... esperem um pouco. Vou ver se consigo algo para vocês.

O motorista pegou seu celular e fez uma chamada:

– Oi, Jorge, aqui é o Vanderlei, tudo bem? É possível você fazer uma corrida numa estradinha de roça? É lá para os lados de Perobas, alcançando a região que o pessoal chama de Serra do Navio... Quatro pessoas... Sim, ok... Está falado!

O motorista demorou alguns segundos para dizer alguma coisa. Ao perceber todos os olhares voltados para si, disse:

– Um amigo meu vai levá-los. Esperem que ele já está chegando.

Dez minutos depois, apareceu um jipe azul de cabine aberta com a pintura velha e descascada. O homem que o dirigia caminhou ao táxi e conversou animadamente com o motorista. Pareciam amigos muito próximos. Depois chegou perto do grupo e disse:

– Cobro duzentos reais para levá-los. Dá cinquenta para cada um.

– É caro – reclamou Jair.

– Não faço por menos.

– Façamos o seguinte – propôs Inácio –, pagamos trezentos reais ida e volta. Você nos busca no domingo após o almoço.

– Não quero ir nesta lata-velha – reclamou Marcela.

– Fechado – respondeu o motorista. E virando-se para Marcela:

– É melhor você voltar para casa. Não vai encontrar outro motorista disposto a levá-la ao local.

Marcela cedeu, contrariada. Todos entraram no jipe.

A pescaria ao longo da tarde rendera muitos lambaris apanhados com varinhas de bambus e pequenos anzóis na ponta das linhas, as quais Antônio preparara. Embora apenas Manoel tivesse experiência em pescaria, todos conseguiram pescar facilmente. Os peixes pareciam famintos, e os samburás ficaram cheios.

O sol já se punha quando chegaram à fazenda após uma longa caminhada. No momento em que despejavam os peixes na pia da cozinha para serem limpos, ouviram uma buzina do lado de fora.

Antônio foi atender e voltou em seguida:

– Há um jipe com cinco pessoas lá fora, perguntando por um tal grupo Tupiniquim. Também perguntaram por Pedro.

– Que legal – exclamou Pedro, surpreso. – Vamos lá, Caio.

Os garotos correram para o pátio em direção aos quatro visitantes. Pedro notou ser mais jovem que eles. Notou também que as duas moças eram muito atraentes e bonitas. Seu olhar foi instantaneamente capturado pela imagem de Marcela, que invadiu e se fixou em toda sua mente; sua beleza o impressionou. O conjunto de seu corpo e seu rosto lhe sugeria a mais pura harmonia que jamais sonharia vislumbrar numa mulher. Era uma expressão da mais bela e fina arte do criador, mas não só. Havia o seu sorriso. Sua voz. Sua simpatia e naturalidade. Sentiu ainda mais: quando se deram as mãos, cumprimentando-se, e seus olhares se fixaram um no outro, uma forte conexão se fez entre eles. Pedro teve uma visão instantânea: sentiu as barreiras do tempo caírem e seus olhos a enxergaram além do belo corpo feminino. Enxergava sua alma e, a enxergando, vislumbrava um sentimento existente entre ambos. Por um instante que logo se desfez, teve a impressão que ela se transfigurara numa índia.

Marcela sentiu o efeito que causara em Pedro. Estava acostumada a ser admirada por sua beleza. Entretanto, não tinha como explicar seu próprio estremecimento, a atração irresistível e a proximidade que sentiu crescer por Pedro dentro de si. Não seria ele alguém que conhecera tempos atrás? Não soube dizer.

Ambos tentaram disfarçar ao máximo o que sentiram. O instante de eternidade passou sem que ninguém mais o notasse, mas deixou em seus corações a semente do amor. Os outros se aproximaram e também os cumprimentaram.

Enquanto o pessoal conversava, o motorista do jipe despediu-se e foi embora, prometendo voltar na data combinada. Houve grande entusiasmo e alegria no ar. Marcela, Liana, Jair e Inácio estavam tão admirados com a fazenda quanto os outros ficaram da primeira vez em que a viram. Cláudia e Manoel também se aproximaram e convidaram todos para entrar. Dona Geralda serviu um café completo, e Antônio levou as bagagens dos novos hóspedes para dois outros quartos: um para os rapazes e outro para as duas moças.

Reunidos ao redor da mesa de café, todos estavam animados. Liana sentiu-se imensamente satisfeita:

– Acho que todos nós temos de lhe agradecer pelo convite, Pedro. Esta fazenda é maravilhosa, o lugar é incrível e posso dizer que estou imensamente feliz aqui entre vocês, curtindo cada momento. Muito obrigada.

– Concordo com você, Liana – completou Inácio. – Este é um lugar revigorante. Estou me sentindo leve como há muito não me sentia.

Pedro estava feliz ao ouvi-los.

– Vocês são bem-vindos, pessoal.

– Também posso dizer que estou adorando o local e a companhia de vocês – disse Marcela. – Para mim o ambiente é muito familiar, pois nasci numa cidade do interior. Estar numa fazenda encantadora como essa me traz boas recordações de minha infância.

Jair bateu com a colherzinha na xícara para chamar a atenção.

– Na redação do jornal onde trabalho, tenho a sensação de que o tempo é muito curto e as coisas estão sempre atrasadas ou em cima da hora. Nestes poucos minutos que chegamos, percebo a tranquilidade do lugar, e já respiro aliviado. E para concluir – disse, voltando-se para Dona Geralda que estava no canto da cozinha – quero dizer para Tia Geralda, posso chamá-la assim, né, Dona Geralda?

Ela apenas sorriu; ele continuou:

– Quero dizer para a senhora que em nenhuma padaria comi bolos, pães de queijo ou tomei um cafezinho tão saborosos. A senhora ficaria rica se fosse para a cidade e abrisse um negócio...

Todos concordaram, elogiando ainda mais o dom culinário de Dona Geralda. Estavam num clima de alegria.

Terminaram o café e ficaram conversando ainda, mas anoitecera e Cláudia sugeriu que todos fossem se refazer do dia com um banho, e depois, se encontrassem no pátio, ao redor da fogueira que já se tornara, nestes poucos dias, tradicional para eles.

As labaredas da fogueira iam a quase um metro e meio de altura e lançavam faíscas por todos os lados.

Estavam reunidos ouvindo os peões tocarem no violão algumas cantigas. Jair se juntou aos músicos e cantou modinhas do norte do país. Em pouco tempo, todos estavam sentados próximo aos músicos e à fogueira, entoando músicas populares. A noite animou-se.

Bem mais tarde, após ficarem cansados, quando o silêncio então se fez, Pedro levantou-se e, de frente para todos, disse:

– Em nome do grupo virtual *Os Tupiniquins*, agradeço imensamente a presença de vocês, Jair, Liana, Marcela e Inácio. É um grande prazer para mim e meus queridos amigos recebê-los por aqui.

– E para nós também – gritou Dona Geralda.

Pedro sorriu ao ouvi-la e continuou:

– Criamos o grupo para discutirmos o folclore, os mitos e lendas do nosso país. Por coincidência, hoje após o almoço ouvimos de Antônio um conto muito legal sobre o saci, o que nos levou a lembrar também do Negrinho do Pastoreio.

– Ei – disse Marcela –, o Negrinho do Pastoreio é um personagem do folclore gaúcho. Cresci ouvindo a história dele ser contada, afinal sou do Sul, lembram-se?

– É, me lembro de você dizer isso – respondeu Pedro. – De que lugar no Sul?

– De Santo Ângelo. É uma cidade no noroeste do Rio Grande do Sul. Fazia parte dos *Sete Povos das Missões.*

– O que eram esses sete povos?

– Eram espécies de povoados, chamados reduções, onde se concentravam os índios da região. Foram sete as reduções criadas pelos jesuítas no passado. Isto foi entre os séculos XVII e XVIII, ainda na época em que a Espanha disputava as terras com Portugal.

Cláudia completou:

– Isso mesmo. Já dei aula sobre este assunto para minhas turmas na escola. Lembro-me que depois houve o Tratado de Madri, pelo qual toda a região ficou à disposição dos portugueses em troca da Colônia de Sacramento. Isto desagradou a todos: jesuítas, índios e espanhóis. Depois de uma série de incidentes, houve a Guerra Guaranítica, que deixou um rastro de sangue e destruição pelo caminho.

– Foi assim mesmo – completou Marcela. – Estudei bastante a história da região. Depois da guerra, parece que houve uma campanha difamatória generalizada contra os jesuítas. Toda a Companhia de Jesus foi expulsa das terras portuguesas e espanholas. Isso foi o fim das Missões: as reduções foram esvaziadas, os jesuítas expulsos, e os índios subjugados ou dispersos.

– Ainda há ruínas das Missões na sua cidade? – Cláudia perguntou.

– Há, sim. E também uma bela catedral. Vale a pena conhecer a cidade. Aliás, toda a região.

– Muito legal, Marcela – disse Pedro –, talvez algum dia possamos conhecer sua cidade natal.

– Você já ouviu falar do primeiro saci? – perguntou Caio a Marcela. – Antônio nos contou como ele surgiu.

Jair interveio:

– Que tal recontar essa história agora que estamos todos aqui?

– Se Antônio não estiver cansado, ele é o mais indicado para contar – disse Pedro.

Antônio levantou-se e se pôs novamente a contar a lenda do primeiro saci, conforme ouvira. Ao ouvir as primeiras palavras Jair ligou uma pequena filmadora para registrar. Quando terminou, Pedro disse:

– O que vocês não imaginam é que hoje testemunhei algo muito estranho no retiro de leite. Pareceu de fato ser obra do saci.

Pedro relatou o que acontecera: a passagem do momento de quietude ao de alvoroço, os animais nervosos e agitados sem motivo aparente, o cavalo assustado que correu em disparada, o balde que se entornou sozinho, derramando todo o leite.

– Ah, você está brincando – disse Inácio.

– Não mesmo. Tanto os peões quanto Antônio acreditam que foi o saci, não é Antônio?

– Com certeza. Esse danado apareceu por aqui tem pouco tempo, está nos atazanando, mas ainda vamos capturar ele, vocês vão ver!

O pessoal da cidade riu do modo bravateiro de Antônio.

– Vou dar uma boa notícia para vocês, Tupiniquins, que já devem estar curiosos: este livro grande aqui ao meu lado é uma raridade que lançará alguma luz sobre a origem de nossa cultura. Vou ler alguns trechos vez ou outra para vocês.

Pedro informou a todos sobre o livro e seu autor. Contou a origem do mundo conforme lera antes, ali narrado. Depois começou a ler um outro trecho das anotações de Dom Afonso que havia escolhido no livro:

Como pode também aqui o paraíso conter em si a semente do mal?

Pois, se no Gênesis bíblico o mal estava personificado na serpente, aqui ele se disfarça num ou outro hábito indígena e, furtivamente, de tempos em tempos, se materializa em monstros traiçoeiros que atacam, aterrorizam e matam muitos nativos.

A inocência contém em si o germe do pecado?

Perguntas me faço desde que aqui cheguei e tento compreender a natureza dos índios. São um povo simples e belo, de alma pura e sorridente, fruto da própria natureza exótica e exuberante destas terras tropicais. Acolhem-nos como irmãos em suas tendas e conosco repartem seu alimento, pois não possuem a noção de posse individual, apenas a coletiva. Embora sejam muito comunitários, são capazes de alimentar rusgas com outras aldeias e guerrear entre si. Não o fazem por domínio ou poder, mas apenas para vingar a morte de um dos seus, o que gera outras vinganças sangrentas e recíprocas sem fim. Possuem tamanha generosidade que chegam a oferecer a companheira ao forasteiro e ao prisioneiro condenado, a quem tratam bem até o momento em que, regados à beberagem de cauim – uma bebida alcoólica preparada a partir da mandioca, milho e frutas silvestres –, o matam e se alimentam de sua carne. Tentei dissuadi-los de tal prática abominável; não fizeram caso disso e continuaram sua sanha. Esse mesmo povo inocente desconhece a ideia de pecado. Não parecem ter a noção exata de um único Deus, mas de vários Deuses, cada qual regendo um elemento deste mundo. Para eles, o feminino é sagrado; concebem uma mãe para cada coisa que existe na terra ou fora dela. Desconhecem a figura do Pai.

Dão mais importância aos males que lhes sucedem, a cuja culpa atribuem a diferentes demônios que os afligem e que evitam confrontar, do que a algum Deus. A um destes demônios chamam de Mboi-tatá, e, embora não o tenha visto com meus próprios olhos, vi o resultado de sua fúria: cinco guerreiros foram atacados pelas chamas infernais da criatura. Seus corpos foram encontrados queimados, sem que houvesse a presença de qualquer outro índio ou inimigo no local. A este demônio, os índios o chamam cobra de fogo. Inquirindo uns e outros, até o mais entendido deles, o pajé, colhi a imagem de uma grande cobra voadora feita de chamas e labaredas, como se filha da própria fogueira infernal fosse. Seria um dragão, como nas lendas do Velho Mundo? Com a diferença de que os dragões cospem fogo, mas não são feitos deste elemento, e ainda que dificilmente, dragões podem ser mortos. Os relatos dizem que nada pode contra o Mboi-tatá. Se ele avançar, mesmo os guerreiros mais fortes e corajosos perecem. A única forma de não ser atacado quando ele aparecer é ficar imóvel de olhos fechados, sem respirar. Qualquer movimento o faz agredir. Com o tempo, perceberam que ele é atraído pelo fogo. Se alguém acende uma fogueira nos campos, à beira ou dentro das florestas, ele inflama-se e ataca sem dó, queimando até a morte os infelizes que estiverem por perto. Conforme ouvi do pajé, relato aqui a origem do Mboi-tatá.

Pedro fez uma pausa e observou a reação das pessoas. Os rostos voltados para ele estavam iluminados pela luz amarela da fogueira e lhe pareceram imensamente interessados. Até os peões haviam parado de conversar. Ouviam-se apenas o crepitar do fogo consumindo a madeira, o soprar dos ventos, o barulho dos grilos e cigarras, o pio de alguma ave noturna e o som agudo de um morcego tentando se localizar no escuro da noite.

Inácio quebrou o silêncio:

– Lá no Norte costumam chamar de Batatão essa criatura.

– De onde você é mesmo, Inácio? – perguntou Pedro.

– De Manaus, na Amazônia.

– Já ouvi falar muito do famoso teatro que existe lá, mas o que eu gostaria de conhecer mesmo é a Floresta Amazônica.

– Existem ótimos hotéis por lá. É um bom lugar para se conhecer.

– Jair – perguntou Manoel –, você também é do norte do país? De qual Estado?

– De Jericoacoara, no Ceará.

– Já ouvi falar – disse Liana –, é um lugar de praia famoso. E tem uma lenda de uma cidade subterrânea e encantada.

– Isso mesmo – confirmou Jair. – Dizem que abaixo do farol há uma cidade encantada onde habita uma linda princesa que foi enfeitiçada e transformada numa serpente com escamas de ouro, mas com a cabeça e os pés de mulher. Diz a lenda que apenas sangue humano, em sacrifício voluntário, abriria os portões para a cidade encantada. A cruz feita desse sangue no dorso da serpente teria o poder de desencantar a princesa que surgiria em toda sua beleza, junto dos tesouros e maravilhas da cidade.

Marcela fez renascer o assunto do boitatá:

– No Sul, dizem que a Boiguaçu, cobra grande, é que se transformou no Boitatá.

– Também já ouvi chamá-la de outros nomes – disse Jair –, mas acho que tudo é a mesma coisa: Boitatá, Bitatá, Batatá ou ainda Baitatá. Dizem que, se alguém a vê e tenta persegui-la, ela sempre foge mais rápido não importa o quão veloz se tente apanhá-la. E, se alguém foge dela, aí sim, ela é quem persegue, inferniza e mata o pobre coitado.

Manoel, desde a primeira noite que passou na fazenda, ficara preocupado e curioso com as chamas que vira da janela. Perguntou:

– Vocês já viram o Boitatá aqui na fazenda, Antônio?

– Já vimos sim. E é como o menino leu aí no livro: parece uma chama da fogueira do inferno se alastrando como uma cobra.

– Vou continuar a leitura – interrompeu Pedro. – Prestem atenção:

Guardiã de Fogo

Há também outros (fantasmas), máxime nas praias, que vivem a maior parte do tempo junto do mar e dos rios, e são chamados Mbaetatá, que quer dizer cousa de fogo, o que é o mesmo como se se dissesse o que é todo de fogo. Não se vê outra cousa senão um facho cintilante correndo para ali; acomete rapidamente os índios e mata-os,(...); o que seja isto, ainda não se sabe com certeza.

(ANCHIETA, José de. Carta de São Vicente. Cartas, Informações, Fragmentos Históricos, etc. do Padre José de Anchieta. Rio de Janeiro: Civilização Brasileira, 1933. Outra ed.: Belo Horizonte: Itatiaia/EDUSP, 1988).

Credo! Cruz!
Lá vem a Cobra-Grande,
Lá vem a Boi-Una de prata!
A danada vem rente à beira do rio...
E o vento grita alto no meio da mata!
Credo! Cruz!
Cunhantã te esconde
Lá vem a Cobra-Grande
A-a...
Faz depressa uma oração
P'ra ela não te levar
A-a...
A floresta tremeu quando ela saiu...
Quem estava lá perto de medo fugiu
E a Boi-Una passou logo tão depressa,
Que somente um clarão foi que se viu...
Cunhantã te esconde
Lá vem a Cobra-Grande
A-a...
Faz depressa uma oração
P'ra ela não te levar
A-a...
A noiva Cunhantã está dormindo medrosa,
Agarrada com força no punho da rede,
E o luar faz mortalha em cima dela,
Pela fresta quebrada da janela...
Eh Cobra-Grande
Lá vai ela...
Cobra Grande (Waldemar Henrique)

Na noite dos tempos, vivia nas matas e campos uma cobra arisca e feroz. De qual espécie era ninguém saberia definir, mas a danada era comprida como um bambu crescido e esperta como uma raposa.

E aconteceu que a perdida da cobra, procurando um abrigo para descansar e fugir da tempestade que já ameaçava desabar, subiu num monte e, ali, encontrou um buraco no qual se esgueirou, tomando-o como toca. Porém, toca não era aquilo, e sim um dos portais entre mundos por onde ela alcançou Ibibitutinganhã[12].

Ela logo soube que havia criaturas estranhas naquele mundo: umas de fogo, outras de rocha, outras de água, ou de ar denso como uma neblina, além daquelas de carne. Havia ainda tantas outras que não sabia do que eram feitas. Elas causavam arrepios, porque guinchavam, urravam, e se enfrentavam com feroz violência.

Rastejando pelos campos, a nefasta da cobra chegou a uma região de pedras e montanhas. Dali subia uma fumaça negra, pois no pico mais alto havia um vulcão que volta e meia lançava chamas e lava. Ali vivia uma criatura, mistura de réptil e pássaro, chamada Ave-de-fogo. Era capaz de mergulhar na lava incandescente e dela se alimentar. Seu corpo então se tornava fogo e ardência.

A Ave-de-fogo estava a chocar seus ovos num ninho de pedras na base do vulcão. Pusera uma dúzia deles e os vigiava quase todo o tempo. Em raro momento, resolvera se afastar: sentiu fome e

---

12 - Nome criado pelo autor a partir do tupi-guarani: Terra das brumas e almas errantes.

fora mergulhar no vulcão em busca de seu alimento preferido: a lava mais líquida e quente. Num instante voltaria ao ninho.

Rastejando entre grandes rochas, a perversa da cobra encontrou o ninho de pedras da Ave-de-fogo. Chegara de mansinho e ficara à espreita, observando-a e cobiçando os ovos. Quando ela se afastou, a cobra grande aproximou-se do ninho e devorou um dos ovos. Tão logo foi engolido, começou a se inflamar, queimando-a por dentro. O rastilho de fogo se alastrou por seu corpo, da cabeça à cauda. O seu corpo se tornou incandescente: fogo, brasa e labaredas brotaram dentro de si. Num piscar de olhos, a cobra transformou-se toda em fogo. Um fogo vivo capaz de voar.

A matreira da cobra, em chamas, sentindo-se fraca e doente, decidiu voltar por onde veio. A Ave-de-fogo retornou a tempo de vê-la saindo de seu ninho e perceber que faltava um de seus ovos. Atacou-a, lhe cuspindo fogo e tentando capturá-la com suas garras incandescentes.

Rapidamente a cobra afastou-se do ninho e escondeu-se num buraco entre as rochas.

Após a infrutífera perseguição, a Ave-de-fogo voltou ao seu ninho, pois tinha que cuidar dos outros ovos, mantendo-os aquecidos e protegidos de outros predadores.

A salvo, a traiçoeira da cobra transpôs novamente o portal entre mundos, retornou à Terra e ficou quieta num canto dentro da toca. Dormiu por vários dias e noites até acordar numa tarde ensolarada.

Desejou sair do seu esconderijo; a claridade do dia a impediu. A luz do sol fustigava seus olhos acostumados à escuridão e a manteve presa na toca a lastimar sua ausência do dia.

Esperou pela noite, único momento em que poderia vagar após a maldição que se lhe abateu. Quando a lua e as estrelas vieram, ela soube que podia deixar a toca. Seu corpo se transformara. Ainda era uma cobra, embora dentro de si o fogo queimasse e fosse visto através da pele translúcida. Arrastou-se para fora, pois tinha fome e precisava caçar. Com leve movimento, percebeu que flutuava e podia controlar não só o voo, mas também o fogo dentro de si, para fazê-lo arder com maior ou menor intensidade e expandir-se ao seu redor. Ciente de suas novas habilidades, matou logo uma anta que passava por perto, saída da mata para a campina. Ao ver o corpo da anta, seu desejo pela luz do dia fez com que devorasse apenas os olhos do animal, estes que guardavam em si a visão do mundo diurno. No momento em que os comia, foi como se visse a noite transformada em dia, sua visão se ampliou e se iluminou. Passou, assim, a caçar inúmeros animais apenas por seus olhos.

Tanto os comeu que mais uma habilidade conseguiu: a de enxergar muito além do que qualquer criatura viva, fosse na noite mais escura ou na mais longa distância.

Passou muito tempo aterrorizando, perseguindo e matando outras criaturas. Nem os índios escapavam. Dos cadáveres de suas vítimas, apenas os olhos desapareciam.

Aconteceu de um dia sete índios chegarem aos domínios da cobra para caçar. Durante o dia e a noite abateram diversos animais, pois havia inúmeras bocas para alimentar naquela tribo. Na madrugada fria, úmida e clara pela luz da lua, já cansados e famintos, resolveram fazer uma fogueira para se aquecer e assar a carne de um dos animais abatidos. Dividiram as tarefas: dois limpavam a carne, três juntavam lenha para o fogo, e dois outros traziam água do rio, logo abaixo.

Quando os três que juntavam lenha acharam que era o suficiente, agacharam-se para acender o fogo. Lascando pedras, conseguiram as primeiras faíscas que incendiaram o mato seco e a lenha. Aos poucos, o fogo alastrou-se vigorosamente, consumindo a lenha seca, e poderia ser visto à distância no campo.

Todos viram um corisco brilhante no horizonte, como se outra fogueira estivesse acesa ao longe. Conforme ela se aproximava, notaram o corpo longilíneo voando pelos ares como se estivesse rastejando e chamaram-na cobra de fogo, Mboi-tatá.

Dois índios traziam a água em cabaças. A carne seria lavada antes de espetá-la sobre a fogueira. Caminhavam, quando viram seus companheiros gesticulando e apontando o corisco.

O Mboi-tatá avistou ao longe a fogueira na campina e imaginou ser a Ave-de-fogo que o seguira. Agora se sentia forte o bastante.

Voou sinuosamente em direção à fogueira e aos índios que ali se encontravam. Seu ódio alastrou-se e seu corpo explodiu em labaredas que alcançaram e queimaram os cinco índios. Um daqueles que trazia água veio rápido para socorrer seus irmãos, mas a água nada fez, antes evaporou no calor insuportável. As chamas do Mboi-tatá também o atingiram e o mataram.

O sétimo e último índio que ficara para trás, ao ver que os amigos já estavam mortos e que o inimigo era forte demais, conteve-se e ficou quieto. De tanto terror, não conseguiu esboçar reação. Fechou os olhos e paralisou-se, sem emitir um único gemido. A própria respiração tornou-se frágil, lenta e silenciosa; desmaiou, caindo na escuridão e nada mais pôde ver.

Deste o Mboi-tatá não fez caso, pois não fora por ele notado. Devorou os olhos dos corpos carbonizados. Da fogueira que os índios fizeram e ardia, aspirou as labaredas, brasas e calor, deixando apenas frias cinzas. E foi-se embora.

Muito depois, saído do susto e do torpor, o único sobrevivente abandonou todas as coisas no mato e retirou-se, procurando não chamar a atenção daquele ser. Quando já estava embrenhado na mata, correu como louco e, já em sua aldeia, gritou, contando a todos os que se puseram a escutar, o acontecido, da grande serpente de fogo que matara os seus amigos.

Vários incidentes aconteceram posteriormente. Muitos índios morreram nas chamas e labaredas da Cobra. Até que um pajé enfim compreendeu que o Mboitatá era atraído pelo fogo. E o tomou por guardião e protetor dos campos.

– Essa história – Inácio comentou – me lembrou de um momento ruim que vivi.

– Com o Boitatá? – perguntou Pedro.

– Não. Com uma outra cobra lendária: a Boiuna. Só de falar dela meu corpo se arrepia todo por causa do ocorrido. Vocês já ouviram falar dela?

– Já ouvi falar do Minhocuçu e do Minhocão – disse Jair, desligando sua filmadora. Todos riram do tom malicioso, mas Jair tentou consertar:

– Não é sacanagem, não, gente. O Minhocuçu é um bicho de verdade: uma espécie de minhoca gigante que dizem chegar a atingir dois metros de comprimento. Os pescadores esportivos acham ser a isca ideal para capturar qualquer tipo de peixe. E por causa disso, de tão perseguido, já se fala na sua extinção... Agora, o Minhocão é uma lenda mesmo. Conta-se que é um bicho gigantesco, meio serpente, meio peixe, que vive no Rio São Francisco e também passeia debaixo da terra. Sua passagem causa terremotos e desmoronamentos por conta de seu grande corpo. Os ribeirinhos dizem que ele escava buracos nos barrancos, faz naufragar os barcos, persegue e devora as pessoas e embarcações. Contam ainda que ele pode tomar a forma de um surubim ou de um pássaro grande, branco, com um pescoço fino e comprido.

– Você já viu o Minhocão? – perguntou Caio, segurando o riso.

– Sai para lá, rapaz – respondeu Jair, agora também rindo da própria história. – Nunca vi não, mas dizem que o bicho é feroz e duro de encarar...

O clima de seriedade foi quebrado e muitos continuavam a rir. Então, Liana se lembrou de Inácio e pediu para ele continuar o que dizia antes de ser interrompido por Jair. Como todos ficaram à espera, Inácio continuou:

– Da Boiuna eu posso falar para vocês. Não vou pedir que acreditem, porque eu mesmo, se não tivesse vivido a situação e se estivesse agora escutando algo semelhante, não daria muito crédito. Então vou contar o que aconteceu num verão, dois anos atrás, quando estava de férias, lá na Amazônia, nas profundezas da selva. Alguns amigos e eu queríamos ver quem traria o maior Pirarucu. Vocês tirem suas próprias conclusões, tudo bem?

Todos balançaram a cabeça concordando, mas Antônio não se conteve e perguntou:

– Ôpa... espera aí... espera aí. Antes de começar a contar a história, diz aí o que é que é este tal de Pirá... u...

– Pirarucu, Antônio. É um peixe gigante lá do Amazonas. Pode chegar a medir três metros de comprimento e pesar duzentos quilos.

– Ah, está entendido... mas rapaz, que peixe danado de grande, sô! Agora você pode continuar a contar o *causo* da Boiuna.

Inácio continuou:

– Alugamos um barco lá em Manaus e subimos o rio por uma semana. Pescamos muitos peixes e deles nos alimentamos durante nossa jornada. Numa daquelas noites quentes, enquanto conversávamos degustando uma cerveja, qual não foi nossa surpresa quando vimos ao longe dois olhos flamejantes pouco acima da linha d'água. A luz do luar revelou um corpo imenso e monstruoso, que deslizava por trás daqueles olhos e se estendia na mesma altura por metros, para depois mergulhar nas águas escuras do rio e reaparecer muito distante. Confesso que todos nós, pescadores experientes, tivemos medo. Descartamos qualquer possibilidade conhecida. Não eram olhos de jacaré refletindo alguma luz. Eram incandescentes como brasas a iluminar a escuridão, num corpo gigantesco e ameaçador. Vieram em nossa direção. Ficamos hipnotizados por aqueles olhos. Pararam a pouca distância e sentimos o convés estremecer. A ponta da cauda da cobra foi se enrolando no barco do ponto mais alto até abaixo da linha d'água e começou a apertar cada vez mais, até que ele se partiu e fomos jogados na água.

– Vi meus amigos serem engolidos por aquela monstruosidade. Agarrei-me a um pedaço de tábua que se desprendeu do convés e, apoiado nela, fui remando para a margem com as mãos, sem que o monstro desse pela minha fuga. Ele estava por demais entretido devorando-os e destruindo o que restara do barco. Passei o resto da madrugada nas margens do rio e, quando amanheceu, procurei um ponto mais alto onde ficasse visível para qualquer embarcação que por ali passasse. Somente no final da tarde é que tive sorte e fui socorrido por um canoeiro que retornava para sua casa. Peguei carona com ele e voltei a Manaus, onde registrei o ocorrido na polícia.

– A polícia fez buscas?

– Sim, e por pouco não fui acusado da morte de todos. Minha salvação foi que ninguém conseguiu explicar como um barco poderia ter sido partido ao meio daquele jeito. Os corpos também não foram encontrados. Fiquei quase um ano em depressão. Daquela época em diante, nunca mais voltei a entrar em qualquer barco.

– Dizem – completou Jair – que quando os índios viram os navios a vela pela primeira vez acharam que a cobra-grande havia se transformado neles. E até hoje os caboclos afirmam que a Boiuna se transforma em navios...

As labaredas da fogueira ainda estavam altas. Dona Geralda levou para perto dela um panelão cheio de milho de pipoca. De vez em quando se aproximava para sacudi-lo. Assim que os milhos começaram a rebentar, o aroma se espalhou dando água na boca do pessoal. Dona Geralda despejou a pipoca numa grande bacia plástica, que foi sendo passada de mão em mão para que todos comessem.

Ao lado de Bira, um dos peões quebrou o próprio isolamento:

– Pois o Boitatá e os olhos de fogo da Boiuna me lembraram da Mãe do Ouro.

– O que ou quem é Mãe do Ouro? – perguntou Liana.

– É uma bola dourada de fogo que dispara raios, trovões e ventos. Guarda as minas e os veios de ouro. Onde ela aparece é prova de que existe ouro no local. Uma vez eu vi, quando ainda era um garoto. Estava andando por uma das grotas lá da cidadezinha de Tiradentes e vi aquela bola luminosa voando pelos ares. Não sabia o que fazer, se corria ou ia ao seu encontro, mas, com medo, fiquei parado apenas admirando. Ela ficou ali por alguns momentos e depois foi se afastando até sumir.

– Eu ouvi falar – disse Antônio – que a Mãe do Ouro também se transforma numa mulher linda e loira e que ela vive debaixo d'água num palácio...

– Disso não sei. Apenas digo o que vi. E era uma bola de fogo enorme de grande...

– Quem sabe havia uma mina de ouro por lá?

– Se havia, também não sei. Quando aquela bola de fogo voou até o alto da muralha de pedra da Serra de São José e lá se alojou, saí correndo de volta para casa.

Marcela gritou a Pedro:

– Continue a ler algo. Estava muito interessante.

Pedro a olhou por alguns segundos, admirando sua beleza, agachou-se, pegou o livro e retornou à leitura do ponto onde parou.

Segundo os nativos, tudo tem seu lugar na natureza. A mesma semente de vida que lhes animou foi vertida às plantas e animais. Também eles possuem seus demônios. Seriam apenas monstros famintos? Assim eu queria acreditar. Os fatos me levaram a crer que em algum momento os portões do inferno se abriram e, para cá, escaparam e continuam a vagar alguns filhos das trevas.

Ontem cinco índios foram pescar para a tribo. Hoje pela manhã, sozinho e ferido, sem peixes, chegou-nos um daqueles, de nome Jereiçá. Atônito, não se fazia entender. O pajé o assistiu, dando-lhe poções e ervas que afastaram a mudez de sua língua e acalmaram seu espírito. Então, ele contou o que segue:

Estavam em duas canoas atravessando o rio de regresso à aldeia, após pescarem grande número de peixes. Quase chegando à margem foram atacados por Ipupiara, o demônio que habita o fundo das águas, da estatura de um homem e tão forte como dez guerreiros. O monstro revirou as canoas, atacando-os com fúria e selvageria. Matou aos quatro outros, comendo-lhes apenas os olhos e os narizes. E, embora tivesse tentado defender a si e seus companheiros, Jereiçá falhara e apenas por sorte escapara para contar à tribo o que acontecera.

Só de ouvir falar de Ipupiara, alguns caíam desmaiados, de tão grande pavor.

Resolvi ir ao local. Apenas dois guerreiros se apresentaram para tal aventura. Encontramos os corpos: estraçalhados, nenhuma carne lhes faltava; exceto, como relatado por Jereiçá, pelos olhos e narizes devorados pela criatura demoníaca.

Pedro levantou os olhos do livro e mirou as pessoas ao redor da fogueira.

– Eu nunca havia ouvido falar de Ipupiara – ele disse. – E vocês?

Houve uma negativa geral.

Manoel pensou um pouco e depois comentou:

– Talvez essa seja uma lenda tão antiga que tenha sido esquecida. Ou transformada ao longo dos tempos.

– Transformada como? – perguntou Caio.

– Ora, já ouviu falar naquele ditado: quem conta um conto, aumenta um ponto? Mitos e lendas existiram por muito tempo apenas na tradição oral, sendo contados aos pés da fogueira, como estamos fazendo aqui, até que alguns escritores começaram a registrá-los em livros. De repente, este Ipupiara se transformou em outra coisa, um outro monstro como a Boiuna...

– Ou a Iara – acrescentou rapidamente Marcela.

Pedro olhou para Marcela. Ela o atraía. Sentia-se tímido em sua presença, mas tudo o que queria era estar mais próximo dela.

Ela o incentivou:

– Folheie o livro, Pedro, e veja se encontra algo sobre a Iara.

Pedro folheou o livro e, apenas algumas páginas à frente, encontrou o que procurava. Exultou:

– Achei. Tem um texto aqui sobre a Iara.

– Então leia para a gente.

Dias de água, lua e solidão no Lago das Brumas Eternas

Há também nos rios outros fantasmas, a quem chamam Igpupiara, isto é, que moram n'água, que matam do mesmo modo aos índios. Não longe de nós há um rio (...) que os índios atravessavam outrora em pequenas canoas, que eles fazem de um só tronco ou de cortiça, onde eram muitas vezes afogados por eles (...)

(**ANCHIETA, José de.** *Carta de São Vicente. Cartas, Informações, Fragmentos Históricos, etc. do Padre José de Anchieta. Rio de Janeiro: Civilização Brasileira, 1933. Outra ed.: Belo Horizonte: Itatiaia/EDUSP, 1988).*

Estes homens marinhos se chamão na língua Igpupiara; têm-lhe os naturais tão grande medo que só de cuidarem nelle morrem muitos, e nenhum que o vê escapa; alguns morrerão já, e perguntando-lhe a causa, dizião que tinhão visto este monstro (...)

(**CARDIM, Fernão.** *Tratados da terra e gente do Brasil. Rio de Janeiro: Ed. J. Leite & Cia, 1925).*

Canta e encanta
Sereia dos lagos
Yara dos rios
Tua beleza é a própria melodia
Brota das águas
E invade a floresta em sinfonia
Encanto que surge ao luar
Que envolve o pescador
Que seduz navegador
E inspira o trovador
Voz sonora
Infinita brasa ou calor
Tudo em volta é fogo
Incenso, fumo e fervor
Canta minha sereia...
E quando você para
Para ouvir
E quando você pensa em voltar
Não há mais tempo
Tudo fica tão distante de você
O canto da sereia seduziu você

Canto Da Yara
(Ronaldo Barbosa, Boi Caprichoso)

Enquanto ensinava um curumim a fabricar as próprias flechas, um velho guerreiro o aconselhava severamente:

– Quando embrenhado na mata, ouvir um canto sedutor, se afaste noutra direção. Quanto mais o tente a curiosidade, mais rápido volte seus passos à aldeia. Porque aquele é o canto de um demônio sedutor que enfeitiça os guerreiros da tribo.

Aproximei-me curioso, ao escutar tais palavras, e ouvi, atento como o curumim, da boca do velho guerreiro, a lenda do tal demônio.

Retornando para sua aldeia, após um dia inteiro de caçada, Porã enxergou entre as árvores o espelho d'água do lago e viu, através das brumas que flutuavam acima das águas, flores que o fizeram lembrar da jovem índia por quem se havia apaixonado. Seu coração bateu forte, e a saudade lhe trouxe a vívida imagem de Indiara. Em nenhuma aldeia conhecida existia face mais bela, corpo mais sedutor, voz mais doce, alma mais gentil ou sorriso mais meigo. Na primeira vez que a vira, Porã teve seu coração atingido pela arte de Rudá, Deus do amor. A graciosa Indiara, cercada de pretendentes e emaciada pela mesma magia, outro não escolheu senão o jovem caçador de nome Porã. A paixão se infiltrou em seus corações, lançando-os ao mais ardente e intenso fogo. Desde então, eram um só.

– Hoje caçarei para a tribo – dissera mais cedo, antes de partir – e trarei a mais tenra carne da mais saborosa caça que encontrar para você, meu amor.

— Não, não mate nenhum animal por mim — respondeu Indiara. — Apenas tenha cuidado, volte o mais cedo que puder e estarei satisfeita com sua presença. Se nos caminhos que percorrer encontrar alguma flor, traga-a para mim, como sinal de que seus pensamentos, enquanto estava distante, visitaram o lar das lembranças e lhe trouxeram a saudade de minha presença.

Quando o disse, Indiara o beijou. Ele seguiu para a floresta e caçou. Agora, voltando para a aldeia, ao avistar o lago, viu as flores de Irupé[13]: magníficas, belas, exóticas e perfumadas. Dignas de sua amada companheira. Para colher as flores, no entanto, precisaria entrar no lago. Hesitou. Aquele era o Lago das Brumas Eternas, em cujas águas, segundo as lendas de seu povo, contadas pelos velhos índios, morava um demônio antigo, monstruoso, chamado Ipupiara, que feria mortalmente quem se aproximasse. Porã tinha a medida certa dos perigos da floresta. Animais da mata, não temia. Era grande guerreiro e caçador. As regras do mundo e da tribo haviam sumido de suas considerações ao ser atingido pelo amor que o Deus Rudá lhe lançara. Em sua mente, havia apenas a supremacia do amor, lei maior que se impunha a todas as outras. O amor, pois, afastou de sua mente o leve temor que lhe percorreu a alma ao se aproximar das margens do lago proibido. Tudo estava calmo e silencioso. Previu o promissor sorriso de Indiara ao ser surpreendida pela magnífica flor e achou que qualquer esforço estaria recompensado.

Abaixou a carga que levava. Tirou o arco, a aljava de flechas, o colar, e mergulhou. Colheu uma das maiores e mais belas flores e veio nadando de volta,

---

13 - Vitória-régia

com um dos braços para fora da água, protegendo a flor. Antes que chegasse à margem, algo emergiu em seu caminho. A princípio, pensou ser outro índio, mas assustou-se ao ver a forma grotesca e negra da criatura. Esta emitiu um urro que lhe horrorizou. Lançou a flor para próximo da margem e nadou o mais rápido que pôde para se afastar do monstro. Lamentavelmente não teve tempo de fugir de suas garras. Após um rápido mergulho a criatura emergiu novamente, abocanhou o corpo do índio pelo meio e o arrastou ao fundo do lago. Porã lutou o quanto pôde. Em vão. Seu sangue se espalhou pelas águas. Desgarrada, a flor ficou a flutuar, ao sabor das ondas e do vento.

Dois dias se passaram. Na aldeia, todos temeram que o pior tivesse acontecido ao forte e valente guerreiro, pois muitos eram os perigos da floresta.

Imiritê, mãe de Porã e mulher do pajé, e também a bela Indiara ficaram aflitas e desesperadas.

No terceiro dia, um grupo de índios partiu à procura do guerreiro desaparecido. Percorreram as trilhas de caça da tribo e em nenhuma delas o acharam. Espalharam-se pela floresta. Um dos índios encontrou os objetos de Porã e os animais que capturara. Imediatamente retornou às trilhas, reuniu os outros índios e levou-os ao lago. Então viram próximo à margem, trazida pelo vento, uma flor de Irupé que flutuava desgarrada e solitária. Provavelmente fora extraída por alguém que nadara até o meio do lago. Por fim, encontraram os restos de um corpo flutuando nas águas escuras. Desolados, concluíram que Porã mergulhara ali e fora vítima de Ipupiara, o senhor das águas e demônio das profundezas. Voltaram à aldeia e partilharam a notícia.

Das crianças e velhos, das mulheres e homens, partiram uivos de lamento e escorreram lágrimas de saudades. Todos se comoveram e choraram. A nenhum deles a notícia fora mais amarga ou atravessara o coração como uma flecha envenenada, destruindo-o, quanto o fora para as duas mulheres que mais o amavam: Imiritê e Indiara.

A mãe de Porã, Imiritê, mulher do pajé, temida por conhecer artes mágicas e fazer uso delas, imbuída do poder de pajelança, revoltou-se com a sorte de seu filho e, inconformada, buscando um culpado, acusou Indiara:

– Tua presença, beleza e canto atraíram meu filho e o enfeitiçaram. Por tua causa, ele mergulhou no lago proibido para colher flores e satisfazer teu capricho. Por tua culpa, ele agora não mais está entre nós. Invoco as forças das trevas e, junto a elas, eu a amaldiçoo. De agora em diante, está banida do seio de nossa tribo. Ao nascer da primeira lua cheia, tu não voltarás a pisar a terra. Teus dias serão de água... Viverás para sempre transformada em peixe, nos lagos e rios. Amaldiçoados serão todos aqueles que avistarem tua face ou ouvirem tua voz, pois, seduzidos, terão a morte por certo, e tu estarás condenada a procurar para sempre, em cada homem que cair em teus encantos, a alma daquele que te pertenceu. Quando enfim o encontrar, tua morte chegará... Serás conhecida como Iara, a que vive na água.

Dizendo isso, exaurida ao invocar as forças das trevas, caiu por terra e morreu de desgosto. A indiazinha ficou em prantos a chorar desesperadamente.

Endi, o pajé da tribo, estivera fora colhendo ervas raras na floresta, e chegou a tempo de assistir a maldição e a morte de Imiritê. Aflito, gritou:

– Imiritê, o que fizeste?

Então, percebeu que a mulher sucumbira diante do poder invocado. Era tarde demais para ajudá-la.

Ao ser informado da morte de seu filho, estremeceu e empalideceu, caindo de joelhos, afundando o rosto nas próprias mãos. Também o velho pajé chorou o destino de Porã.

Passadas horas de suas lamentações, ouviu, junto do seu, o choro convulsivo de Indiara e sentiu pena da pobre menina-moça. Sabendo que ela fora tão vítima do destino quanto seu filho, interferiu na maldição lançada por Imiritê:

– Não posso desfazer tudo o que foi feito, bela Indiara, cuja imagem meu filho carrega consigo para além das brumas da manhã, mas posso tentar amenizar o teu sofrimento. – Assim dizendo, ele elevou os pensamentos ao céu e orou:

– Ó Deusa Nandecy, mãe do mundo, tu que és o berço da vida, tenha compaixão desta irmãzinha, sofrida e amaldiçoada por seu amor.

Luz e trevas lutaram. Ao final, as palavras foram cuspidas da boca do pajé em transe para os ouvidos de Indiara:

– Seja qual for a forma que teu corpo vier a assumir, será apenas na metade inferior. Não estarás para sempre presa nesta forma, mas até que encontres aquele cujo coração a ti pertence. No dia do encontro, a morte não te achará. Tu terás em tuas mãos o direito de escolher o destino de tua alma e daquele cuja vida se entrelaçar à tua.

Na primeira noite de lua cheia, Indiara adentrou as profundezas da floresta, entrou nas brumas e postou-se às margens do lago onde Porã perdera a vida. Ali, ao nascer da lua, a maldição lhe arrancou gritos apavorantes de dor, sofrimento e aflição. Da cintura para baixo desconheceu seu corpo: suas pernas fundiram-se uma à outra, a pele se transformou em escamas e os pés em cauda. Após chorar por toda a madrugada, tendo apenas a lua como companheira, resignou-se ao seu destino e se lançou nas águas escuras. Indiara não existia mais. Nascia Iara, a dama das águas.

O tempo passou. Muitas vidas de índios se foram. Iara passou a viver nos lagos e próximo a cachoeiras, onde, em cima de uma pedra, punha-se a cantar com sua cauda de peixe exposta ao vento. Cedo descobriu que não estava tão só quanto imaginara. Havia algo maligno nas águas, a mesma criatura monstruosa que causara a morte de Porã. Aprendera a evitar os caminhos subaquáticos por onde aquele ser passava. Sentia sua presença antes que se aproximasse. Mais de uma vez, entretanto, enquanto nas pedras observava a lua, fora surpreendida e quase destroçada pelo monstro Ipupiara. Desde então, o monstro se cansara das tentativas fracassadas de capturá-la. Ainda assim, Iara sempre receava que ele voltasse a atacá-la.

Fora ainda nos primeiros tempos que Iara presenciara o horror causado pelo demônio das águas. Numa noite de céu límpido e estrelado, jovens e imprudentes índios, desrespeitando a tradição da tribo, desnudaram-se e mergulharam nas águas do lago. Iara postou-se numa das pedras e gritou para que se afastassem. Sua voz, que há muito não era exercitada, não soou como um grito, mas como um canto. Um leve e doce canto que, ao invés de afastá-los, fez com que nadassem ainda mais para o meio do lago em busca de sua origem. Horrorizada, Iara assistiu ao monstro estraçalhar seis dos sete índios. O último, que estava mais próximo da margem, conseguiu escapar com um leve ferimento na perna. Iara passou a seguir a criatura de longe, a fim de, com seu canto, alertar os índios, outrora seus irmãos, do monstro que os espreitava. Cada tentativa sua de avisá-los, no entanto, fracassava. Assim se afastou e desistiu de ajudar quem quer que fosse. Escondeu-se nas profundezas do Lago das Brumas Eternas, e seu canto passou a ser ouvido apenas pelas árvores e bichos da floresta.

Na aldeia, havia rumores da visão de uma bela índia, metade mulher e metade peixe, que atraía a todos que ouvissem sua voz ou vissem seu rosto, para dentro da água, onde morriam, vítimas de Ipupiara.

As estações, como o dia e a noite, se sucederam. E Iara continuava a cantar nas pedras, penteando seus cabelos com uma espinha de peixe, fazendo-se ainda mais bela para o dia do encontro. Com aquele cujo amor lhe pertencia. E haveria de vir, espírito reencarnado em homem, para lhe reencontrar, após tanto tempo.

E mais uma vez as estações se passaram.

As labaredas da fogueira se reduziram a pequenas chamas. A lenha já havia sido quase toda consumida pelo fogo. Assim que Pedro interrompeu a leitura do livro, Antônio e Dona Geralda desejaram boa noite e retiraram-se para seus aposentos. Os peões aproveitaram a deixa e também se foram. Apenas o pessoal da cidade, acostumado a dormir tarde, é que ficou ainda conversando.

– O que mais me surpreendeu – disse Cláudia – é que eu sempre ouvi que a Iara era uma sereia que atraía e matava os homens.

Manoel esclareceu:

– Acredito que algumas lendas, como essa da sereia, metade peixe, metade mulher, vieram de além-mar, trazidas pelos europeus de suas terras. Depois se mesclaram com outras lendas indígenas. Deve ter sido assim que, séculos depois da colonização, de contos e recontos, Iaras, Ipupiaras, Mães-d'água e Sereias se tornaram uma coisa só...

– Está aí uma boa teoria, Manoel. As histórias provavelmente se misturaram e se confundiram com o tempo. Isso parece-me bem plausível.

Marcela parecia comovida:

– A indiazinha teve uma vida bela, mas muito triste. Foi castigada por amar, apenas isto. Gostaria que ela tivesse tido um final mais feliz.

Manoel levantou-se e disse:

– E que tal irmos todos dormir agora? Já ficou tarde.

– Ah, vamos a uma última história... acabei de folhear aqui um texto muito interessante... sobre o Senhor das Matas...

Manoel olhou para os rostos de cada um da turma. Todos estavam voltados para Pedro, numa evidente curiosidade. Fora voto vencido para ir dormir. Voltou a sentar-se, mas advertiu:

– Esta será a última história da noite, pessoal. Amanhã levantaremos cedo como todo mundo na fazenda, ok?

Todos assentiram.

O Senhor das Matas

É coisa sabida e pela boca de todos corre que há certos demônios, a que os Brasis chamam de Curupira, que acometem aos índios muitas vezes no mato, dão-lhes de açoites, machucam-n'os e matam-n'os. São testemunhas disto os nossos irmãos, que viram algumas vezes os mortos por eles. Por isso, costumam os índios deixar de certo caminho, que por ásperas brenhas vai ter ao interior das terras, no cume da mais alta montanha, quando por cá passam, penas de aves, abanadores, flechas e outras coisas semelhantes, como uma espécie de oblação, rogando fervorosamente aos Curupiras que não lhes façam mal.

(**ANCHIETA, José de.** *Carta de São Vicente. Cartas, Informações, Fragmentos Históricos, etc. do Padre José de Anchieta. Rio de Janeiro: Civilização Brasileira, 1933. Outra ed.: Belo Horizonte: Itatiaia/EDUSP, 1988).*

... têm grande medo do demônio, ao qual chamam Curupira (...) e é tanto o medo que lhe têm, que só de imaginarem nele morrem, como aconteceu já muitas vezes (...)

(**CARDIM, Fernão.** *Tratados da terra e gente do Brasil. Rio de Janeiro: Ed. J. Leite & Cia, 1925.)*

Já andei três dias e três noites
Pelo mato, sem parar
E no meu caminho não encontrei
Nem uma caça pra matar
Só escuto pela frente, pelo lado,
O Curupira me chamar,
Ora aqui, ora ali s'escondendo,
Sem parar n'um só lugar...
Por esse danado muitas vezes
Me perdi na caminhada
E nem Padre-Nosso me livrou
Desse malvado da estrada.
Curupira feiticeiro!
Sai detrás do castanheiro,
Pula pra frente,
Defronta com a gente,
Negrinho, covarde, matreiro.
Deixa o caboclo passar!

Curupira
(Waldemar Henrique)

O velho índio fora caçar. Ainda antes do amanhecer deixou sua aldeia, onde viviam trezentas pessoas às margens de um lago, sob a sombra de uma montanha de pedra, nas terras altas da Serra da Mantiqueira. Por dois dias ficou embrenhado na floresta. Satisfeito após capturar alguns animais, decidiu voltar.

Retornava à aldeia, já imaginando o rosto alegre das cunhãs[14] e dos curumins, quando enxergou uma grande nuvem de fumaça no horizonte. Seu coração estremeceu. Observou que ela vinha da direção da tribo. Chegando lá, ficou paralisado. A povoação estava destruída; as brasas ainda queimavam o restante das malocas. Procurou por seus parentes: filhos, netos, irmãos. E ainda por qualquer mulher ou criança. Não sobrara ninguém vivo, apenas corpos espalhados pelo chão.

Pelas flechas nos corpos, soube que aquela matança fora obra de antigos inimigos de seu povo, tribo hostil que vivia ao norte. O velho deixou-se cair de joelhos. Sua vontade de viver se extinguiu. E ali, no chão de terra, entre corpos e cinzas, chorou e lamentou o brutal extermínio de sua gente.

Na noite de seu infortúnio, ele acendeu e atiçou a fogueira sagrada fazendo-a erguer labaredas mais altas que seu próprio corpo; jogou nela suas ervas e aspirou a fumaça produzida. Iniciou lentos passos do que fora um dia a dança ritualística ao redor da fogueira; suas forças e seu estado de ânimo não lhe permitiam executá-la fielmente.Rogou aos Deuses amerabas, com o maracá imbuído dos espíritos de seus ancestrais, que o tempo voltasse atrás, quando ainda existia vida entre os seus; e que o destino de sua gente fosse outro e

14 - Mulheres

que, ao retornar de sua caçada, os encontrasse. Implorou que lhes fosse concedido um novo amanhã, num alternativo passado que se fizesse presente, no qual o extermínio por mãos inimigas tivesse sido evitado e sua tribo ainda florescesse e continuasse a viver em paz no vale há tantas eras habitado por seus antepassados. Morrer e viver eram parte da natureza, e ele oferecia sua própria vida como sacrifício, e, não fosse o bastante, rogava aos Deuses que agissem por misericórdia.

A invocação do velho índio foi tão forte e tão longa que se estendeu pelos sete dias de plenitude da lua, do nascer do sol ao sumir das estrelas. Seus apelos eram também tão imbuídos da saudade, do amor e do desejo de devolver a vida à sua gente que, quando suas últimas forças se esvaíram e ele entregou, exausto e desfalecido, seu corpo à terra que o gerou, Nandecy, a mãe do mundo, comovida, lhe ergueu o espírito e o levou a Nanderú, o Pai Primeiro.

Ao redor do espírito inconsciente do velho índio, pairava a energia e a luz de suas orações; abaixo dele, podiam ser vistas, ligadas por um fino fio de luz, as almas de todos aqueles de sua aldeia.

A grande mãe pediu que se fizesse como rogara o ancião, porque nada pedira para si, mas apenas que a semente de seu povo fosse preservada. Lembrou à Nanderú que eles eram também seus filhos e que a Terra vinha empobrecendo a cada era com a extinção de muitas espécies. Condoído, Nanderú assentiu.

Houve luz. E ela se estendeu aos momentos passados e os transformou recriando o presente e o futuro.

Assim, naquele triste episódio de luta entre as tribos, uma grande tempestade desabara, dificultando o avanço dos guerreiros inimigos. Raios e trovões assustaram-nos, aplacando seu desejo de vingança e morte. A terra se ampliou entre uma e outra aldeia, afastando-as. A tribo do velho índio perdeu apenas alguns indivíduos. O sangue de seu povo foi poupado e sua linhagem prosseguiria. A tudo isto o espírito do ancião assistiu desperto, radiante e feliz. Seu corpo foi lançado nas águas da vida, rejuvenescido e energizado; nele, foi ancorado novamente seu espírito. Naquele momento passado em que trilharia a volta para a aldeia, retornando de sua caçada, lá encontraria quase a totalidade de sua gente.

O velho ancião ainda assistiu outra obra do Pai Primeiro.

Percebendo que tão mais frágil era a vida das outras criaturas das florestas, Nanderú resgatou um estranho ser de Ibitutiganhã. Fez acender nele a curiosidade, que o levou a cruzar um dos portais que ligavam o mundo dos espíritos e dos sonhos à Terra dos homens. Concedeu-lhe poderes e modificou seu destino, lhe dando uma missão: seria um novo ente, senhor das florestas tropicais, a proteger a mata e os bichos que nelas existem, com poder sobre a morte e a vida de cada criatura.

Quando aquele ser acordou dentro da imensa floresta que cobria quase todo um continente da Terra dos homens, sentiu em si toda a exuberância das múltiplas formas de vida que ali habitavam: o leve bater de asas das borboletas, o desabrochar e o perfume das flores silvestres, o rastejar das cobras, o voo dos pássaros, o nadar dos peixes e o germinar de cada semente. Do zumbido dos insetos ao rugido das panteras, daquele que caçava ao que era presa, nada escapou aos seus sentidos. Tudo percebeu. E se pôs a zelar pelo equilíbrio entre as espécies.

Sua atenção voltou-se àqueles que insistiam em causar mortes além do permitido para aplacar sua fome de predador. Quando notou que fêmeas prenhes, filhotes e grande número de animais estavam sendo mortos por pura diversão e ganância, soube que precisaria intervir.

Nas primeiras ocasiões, apenas observou o bicho-homem: espécie bípede e frágil, desprovida tanto de carapaça para se defender, quanto de garras, bicos, chifres, peçonhas ou grandes dentes para atacar. Ainda assim, tornou-se espécie dominante, embora hostil a si própria e às demais.

Capturou alguns filhotes humanos, pois os machos adultos se haviam mostrado violentos. Com as fêmeas apenas se divertia. Buscou compreender e ensinar àquela espécie. Achou-a estúpida.

Era certo que eles se assustaram com sua aparência: seus pés ao avesso, os cabelos avermelhados, as grandes orelhas, os olhos iluminados de verde-folha e sua agilidade sobre-humana. Chamaram-no Curupira, aquele do corpo de menino. E souberam que era ele o mais poderoso dos seres encantados que habitavam as florestas tropicais.

Não o compreenderam. O Curupira se cansou e voltou à companhia dos animais da floresta. Permitiu que caçassem apenas o suficiente para saciarem a própria fome. Nem um animal a mais.

O bicho-homem, por sua vez, continuou a matar desenfreadamente. O Curupira passou a desorientar os caçadores com longos assobios, distraindo-os da caça e fazendo-os se perderem na floresta. Outras vezes, lhes aplicou surras e castigos. Noutras ainda, os aterrorizou, montado em grandes manadas de caititus e acompanhado por matilhas de cães selvagens e nuvens de pirilampos que iluminavam a mata mais densa. Aí, ressuscitava os animais abatidos e desaparecia com eles, sem deixar vestígios. Por fim, quando a espécie foi se tornando mais e mais carniceira, alterando todo o equilíbrio natural, não mais aguentou, e, por vezes, chegou a matar alguns deles, ainda que tal ato lhe repugnasse.

O Curupira infligiu no espírito ameraba o terror de encontrá-lo mata adentro. Os indígenas chegaram a venerá-lo, com oferendas deixadas na mata quando por ali entravam, pedindo que não lhes fizesse mal. O Curupira os ouvia, invisível. Não conseguia que compreendessem: o mal que recebiam era aquele mesmo que semeavam. Oferendas não o apaziguariam; a única coisa que poderiam oferecer era respeito à Nandecy, a grande mãe da Terra e a todas as criaturas que ela gerara. Enquanto assim não procedessem, ele estaria à espreita.

A tudo isto o ancião assistiu antes de se sentir novamente lançado à Terra. Não saberia dizer se o que vira estava já no passado, no presente ou em algum dia futuro.

A fogueira crepitava do lado de fora das ocas iluminando a noite. O medo percorreu cada um dos muitos índios que circundavam o velho indígena, curiosos com sua história e sua aparência. Ele fora caçar poucos dias antes. Ninguém esperava que trouxesse sequer uma lebre ou uma pequena cotia; ele, no entanto, não apenas trouxe quantidade de caça suficiente para alimentar a aldeia, como também remoçara – seu corpo estava vigoroso e saudável. Aquilo só poderia ser obra dos Deuses. A história que contava era incrível: explicava o ataque inimigo sofrido, a tempestade sobre os guerreiros, e o tremor de terra sentido sob os pés.

Além disso, elucidava os estranhos fatos que aconteciam aos caçadores. Ainda os alertava para o estranho ser que passara a morar na floresta, protegendo os animais da muita cobiça dos caçadores.

O texto acima sobre o Curupira me foi contado por um dos pajés da aldeia exatamente como descrevi nessas páginas. Ele assegurou que tudo se passou exatamente conforme dissera.

O ar da noite nas montanhas tornara-se frio. Uivos distantes foram ouvidos. As mulheres tremiam e estavam sonolentas.

– Agora vamos pra cama – disse Cláudia.

Antes de se separar do grupo, Pedro chamou a atenção de Marcela e sugeriu:

– Que tal uma excursão pela fazenda amanhã?

Marcela lhe abriu um sorriso e despediu-se. Entraram todos juntos na casa e se dirigiram para seus quartos.

Pedro dormiu pensando em Marcela, a qual, já adormecida, sonhava com a Iara.

Manoel e Cláudia abraçaram-se um ao outro na cama. Cláudia logo adormeceu. Manoel, porém, estava tenso. Tudo o que vivera nos dias anteriores passava pela sua cabeça: a armação de Tobias, a conversa com o advogado e a fuga. Afinal, o que estaria acontecendo por lá, no Rio de Janeiro, em sua ausência?

Na corda bamba

O jacaré-açu saiu repentinamente da água e atacou. Tobias sentiu o coração disparar com a súbita descarga de adrenalina causada pelo susto.

Tudo aconteceu num átimo de segundo: estava sozinho na margem do rio, no meio da tarde, procurando um meio de atravessá-lo. Sabia que precisava chegar do outro lado, e que sua vida dependia disso. Tentava se lembrar do porquê e de como chegara ali, mas não conseguia. De repente, o rio explodiu. Apenas pôde vislumbrar o vulto do monstro negro e sua bocarra aberta atingindo seu quadril, os dentes afiados penetrando e rasgando sua carne. Ouviu seus próprios gritos. Desequilibrou-se e caiu. Lutou para escapar. O réptil de quase seis metros de comprimento, negro, com o dorso cheio de elevações, arrastou-o para a água e girou o próprio corpo, a fim de afogá-lo. Tobias debateu-se. A dor chegou-lhe às entranhas de seu corpo. Lançado num rio vermelho, compreendeu, para seu horror, que seu próprio sangue é que tingira a água. Tentava abrir a boca do jacaré para soltar-se. Chutou, esmurrou, tentou feri-lo, escapar e nadar de volta à margem. Não teve sucesso. Nada adiantou. Estava preso. O ar escapou de seus pulmões. O mundo girou uma, duas, três vezes. Os dentes apertaram ainda mais, e a dor aumentou tanto que gritou com todas suas forças; não houve som, senão o do borbulhar da água que invadiu seus pulmões. O ruído surdo abandonou seus ouvidos, e o silêncio e a escuridão reinaram.

Era madrugada quando Tobias acordou sem ar, tossindo e gritando. O pesadelo fora vívido demais. Apalpava-se a cada instante sentindo a dor, a imensa dor que o réptil lhe causara. Demorou alguns instantes para se dar conta, no escuro da noite, que estava em sua cama. Alarmado, levantou-se, sentindo o rosto e o colchão molhados. As lágrimas encharcaram sua face; suas excreções, o colchão.

Cambaleando, arrastou-se ao banheiro, abriu o chuveiro e, quando ia entrar na água, estremeceu: as lembranças o aterrorizavam.

Foi preciso muito tempo, após ficar encolhido a um canto do chão do banheiro, ouvindo a água do chuveiro escorrer e sentindo o próprio fedor, para que tomasse coragem e fosse se lavar.

Na manhã seguinte, acordado e alerta após o café, embora com os nervos em frangalhos, Tobias tentou interpretar e dar sentido a seu sonho. Seus planos vinham caminhando bem até dois dias atrás, quando planejara colher dois frutos de uma só ação: incriminaria Manoel pelo roubo de dinheiro e joias da loja maçônica, levando-o à prisão pela polícia. Com isso, adquiriria uma fortuna e retiraria Manoel de seu caminho na loja. Poderia ainda chantageá-lo na prisão com a esperança de sair da cadeia em troca da revelação do paradeiro do *Livro Perdido*.

Subestimara Manoel. Não imaginara que ele pudesse reagir violentamente ou que portasse arma de fogo. Tampouco previra a curiosidade de Fábio. Conseguira um médico para lhe fornecer um atestado de óbito por ataque cardíaco, eliminando qualquer suspeita da polícia. Também conseguira apoderar-se da riqueza da loja, acusar Manoel e passar incólume, sem despertar suspeitas. Logo depois, no entanto, tudo fugira ao seu controle.

Ficara vulnerável: Manoel sabia, senão da morte de Fábio, pelo menos da verdade sobre o roubo. Manoel estava sendo procurado pela polícia e, se fosse capturado e interrogado, o acusaria. As atenções se voltariam para ele, Tobias. Tinha que encontrar Manoel, fazer com que revelasse o paradeiro do *Livro Perdido* e dar um fim à vida dele.

Precisava fazer algo o mais rápido possível. Não sabia o quê e nem por onde começar. Onde iria encontrar Manoel? Estaria ainda no Rio, escondido em casa de parentes ou amigos? Teria a polícia pistas de seu paradeiro?

Pensou em ir pessoalmente à delegacia de polícia, mas avaliou que não seria uma boa ideia. Iria se expor desnecessariamente. Resolveu que efetuaria uma ligação. Seria bem mais impessoal e discreto.

No meio da manhã ligou para a delegacia de polícia para descobrir o que sabiam. A seu pedido, a telefonista o transferiu para o delegado Corrêa, responsável pelo setor de investigações criminais. Ele o atendeu.

– Bom dia, Delegado Corrêa. Aqui quem fala é Tobias Romano, responsável pela loja maçônica local. Gostaria de saber informações sobre o roubo acontecido recentemente por aqui.

– Sim, Sr. Tobias. Vou repassá-lo agora para o detetive encarregado do caso. Ele lhe dirá tudo o que precisa saber. Aguarde na linha.

O telefone emudeceu, tocou uma musiquinha irritante e deu sinal de chamada novamente. Uma, duas, três vezes. Por fim, uma voz áspera e cortante o atendeu.

– Detetive Jorge Silva. O que deseja?

Tobias tentou impor o máximo de autoridade em sua voz, sem, contudo, deixar de ser polido.

– Sou Tobias, o representante da loja maçônica local, Detetive Silva. Gostaria que me informasse sobre as investigações do crime ocorrido no prédio da entidade, anteontem. Há alguma novidade sobre o caso? O criminoso, Manoel, foi encontrado?

O detetive somente se lembrou do caso, entre tantas ocorrências policiais sob sua responsabilidade, porque os fatos eram muito recentes. Envolvia membros da Maçonaria em roubo de valores e uma morte inexplicável.

– Por enquanto, estamos em fase de investigação, Senhor Tobias. Testemunhas foram e estão sendo ouvidas. Manoel não foi ainda encontrado. Estamos em busca de pistas do seu paradeiro. Isso é tudo, senhor Tobias. Agora tenho de desligar porque estamos muito atarefados por aqui.

Tobias falou apressadamente a fim de evitar que o outro desligasse:

– Por favor, detetive. Tão logo encontrem Manoel, vocês podem me avisar do fato? Afinal, ele era membro desta entidade e deve responder não só às leis de nosso país como também àquelas que regem a Maçonaria.

O detetive foi seco, curto e grosso antes de desligar:

– Ligarei quando o encontrarmos. Agora não posso mais lhe dar atenção. Tenha um bom dia.

Tobias trancou-se durante quase todo o dia em sua casa. Ficou a raciocinar sobre os acontecimentos e todos os seus possíveis desdobramentos. Apenas no final da tarde teria de sair para fazer os exames restantes que o médico lhe pedira.

Iria recuperar o *Livro Perdido*. A raiva e a determinação cresciam dentro de si.

Não deixaria Manoel lhe escapar assim tão fácil.

Trilhas nas montanhas

A coruja atravessou a noite contemplando o solo, buscando algum roedor. Pressentiu a chegada de uma atmosfera opressiva, desistiu da caçada, pousou num galho de árvore e deu um último pio agourento. A lua havia chegado à metade de seu curso no céu quando densas e negras nuvens esconderam toda a abóbada celeste. A noite tornou-se tão escura quanto os mais profundos abismos da Terra. Um silêncio assustador se instalou. Algo sinistro estava presente no ar, um mal que se encaminhou para a Fazenda Bela Vista e que, encontrando seus habitantes dormindo, se infiltrou em seus sonhos.

Cada um deles se viu só, lançado e perdido num lugar desconhecido, sem qualquer ligação com a vida que tinham. Viram-se enfrentando horrores e perigos. Seres pavorosos os atacavam e feriam; tinham de lutar ou fugir. Sentiam dor, pânico e medo. Com o chão escapando debaixo de seus pés, gritavam com todas as forças. Um grito surdo, apenas tentado, imaginado. Nenhuma vocalização era emitida de suas bocas: nem voz, grunhido ou gemido. Algo lhes furtara a capacidade de produzir som. O desespero apoderou-se de cada um em seu inferno particular, no pesadelo reincidente, em que sofriam, morriam e acordavam no ciclo sem fim de um mar de terror e escuridão.

Então, um vento mais forte dissipou as nuvens, a lua voltou a brilhar tênue, espantando a escuridão profunda. O mal se afastou.

Na manhã seguinte, chegando à mesa de café, onde todos já se encontravam, Jair comentou, após um bocejo involuntário:

– Bom dia a todos e me desculpem pelo atraso. Não dormi bem esta noite. Tive uns diachos duns pesadelos... Ora um lobo me atacava, ora eu caía numa fogueira... minha voz sumiu e eu não conseguia gritar.

– Eu também tive pesadelos assim – disse Liana. – No meu caso era o monstro Ipupiara e a fogueira... e também perdi a voz.

– Um vulto negro me perseguia – disse Manoel – e quando me alcançava, eu sentia um choque elétrico percorrer meu corpo... me senti queimar numa fogueira... e não consegui falar ou gritar nada.

Cláudia, Inácio, Marcela e Caio também disseram ter tido pesadelos semelhantes.

– Que estranho – Cláudia comentou –, todos nós tivemos pesadelos muito parecidos. Simultaneamente... Coisa mais sinistra...

– O que esses sonhos querem dizer? – perguntou Inácio.

– No livro de Dom Afonso há uma explicação para isso. Existe um relato no qual ele conta que os índios tinham muito medo de serem visitados à noite em seus sonhos por um ente sobrenatural que lhes aterrorizava: era Jurupari, o demônio dos pesadelos, que também rouba a voz dos atormentados, impedindo-os de gritar.

Manoel ficou intrigado.

– Opa... esta me escapou, Pedro... Jurupari não foi um legislador indígena?

Foi Inácio quem respondeu:

– Essa é uma outra lenda, Manoel, a de Jurupari, filho do sol e legislador dos índios. As duas lendas convivem, porém não se deve confundi-las. Nessa última, Jurupari é filho do sol, concebido sem cópula, nascido de uma virgem perdida na floresta, que, ao sentir fome e se esbaldar de comer o fruto da cucura-do-mato, foi fecundada pelo sumo que lhe escorreu dos lábios por todo o corpo e penetrou em suas partes íntimas. Essa é a origem do Jurupari-legislador, aquele que veio reformar os costumes índios, retirando o poder das mulheres e o transferindo aos homens; também veio procurar uma mulher perfeita com quem o sol pudesse se casar, e só voltará ao céu quando a encontrar. Quanto aos nossos sonhos, o mito a que Pedro se referiu é o do demônio dos pesadelos, também chamado Jurupari.

Liana assustou-se:

– Ai, gente, que coisa mais macabra. Então fomos todos visitados por um ente maligno, este tal Jurupari...

– Talvez – disse Manoel – tenhamos todos nos impressionado com as histórias contadas ontem à noite, apenas isto.

Cláudia discordou:

– Mas que é muito estranho todos nós termos tido pesadelos ao mesmo tempo, ah, isto é.

Inácio bebericou seu café e pousou a xícara no pires, aliviado:

– Ainda bem que consegui voltar a dormir depois dos pesadelos ou estaria ainda mais cansado.

Marcela mordiscou uma fatia de bolo de milho e refletiu:

– Após acordar com meus próprios gritos e ficar um tempo acordada, peguei no sono novamente e sonhei com a Iara. No sonho, a história dela continuava. Tudo me pareceu tão nítido que cheguei a pensar que vivia parte daquela história.

– Conte-nos sobre seu sonho – pediu Pedro.

– Acho que a narrativa pode ser um pouco longa.

Pedro olhou para os outros, buscando apoio para insistir:

– O que vocês acham, pessoal? Gostariam de ouvir o sonho de Marcela agora?

Um após outro, concordaram. Olharam para Marcela, aguardando suas palavras.

Marcela hesitou. Pressionada a contar todos os detalhes, suspirou, com os olhos marejados.

– Num rio muito largo, cercado por uma imensa floresta, navegava um barco onde se encontravam dois homens...

Retorno ao Lago das Brumas Eternas

Sonhar na tarde azul
Do teu amor ausente
Suportar a dor cruel
Com esta mágoa crescente
O tempo em mim agrava
O meu tormento, amor!
Tão longe assim de ti
Vencida pela dor
Na triste solidão
Procuro ainda te encontrar
Amor, meu amor!
Tão bom é saber calar
E deixar-se vencer pela realidade
Vivo triste a soluçar
Quando, quando virás enfim?
Sinto o ardor dos beijos teus
Em mim. Ah!

Qualquer pequeno sinal
E fremente surpresa
Vem me amargurar
Tão doce aquela hora
Em que de amor sonhei
Infeliz, a sós, agora
Apaixonada fiquei
Sentindo aqui fremente
O teu reclamo amor!
Tão longe assim de ti
Ausente ao teu calor
Meu pobre coração
Anseia sempre a suplicar
Amor, meu amor!

Canção de Amor
(Heitor Villa-Lobos/Dora Vasconcelos)

O barqueiro ainda não se acostumara com o gringo. Estranhou quando ele se aproximou do barco e o contratou para levá-lo rio acima, para dentro da floresta. Calculou que ele deveria ter cerca de trinta e poucos anos. Loiro e magro, o sol avermelhara sua pele. Entendia pouco o português; era preciso ajudá-lo com mímicas. Hans Fontane era o nome dele. Para facilitar, apenas Hans.

Dissera ter vindo estudar os peixes do rio. O barqueiro não entendia porque um gringo do outro lado do mundo viria de tão longe para ver peixes. Afinal, peixe era peixe, e deveriam existir no mundo inteiro. Todos os dias, ao nascer do sol, levava Hans rio acima, o deixava a cerca de três horas de distância da vila e o buscava ao entardecer. O gringo voltava com os peixes, uns abatidos e outros vivos dentro de aquários.

O nativo o advertia sobre os rios e a floresta. Certa vez disse:

– Tenha cuidado, homem. Os lugares para onde você tem ido são perigosos. Ninguém se aventura nas profundezas da selva e sai impune.

– Eu já estarr acostumado... lidarr... animais selvagens. Cobras... onças... jacarés... não assustam... mim.

– Existem perigos maiores – disse, desviando o barco das correntezas mais fortes e levando-o para longe das pedras. – Esta mata é antiga e misteriosa. Os índios a temem. Ouvi falar de coisas sinistras. Uma delas é Ipupiara.

– Pu'ara... ? O que... serr... isso?

– O senhor das águas. Aquele que vive e reina nas fontes, rios e lagos. Um demônio das profundezas. Mata quem se aproxima das águas. Barqueiro, índio, caboclo ou gringo. Muitos já foram mortos.

Hans deu uma risadinha e pensou: *Então ele quer me assustar com as lendas e crendices de seu povo. Bobagens. Vim fazer pesquisa nos rios da Amazônia. Venderei minhas descobertas aos laboratórios químicos e farmacêuticos da Europa. Ficarei rico. Monstros dos rios? Não tenho tempo para essas crendices.*

Olhou para o barqueiro, João Mendes, homem moreno, cabelos negros, na casa dos cinquenta anos, queimado de sol, rosto cheio de rugas. Homem simples, sem estudo, que passara a vida inteira navegando por aqueles rios, ora pescando, ora transportando pessoas ou coisas de um lado para outro, a fim de ganhar o pão de cada dia. Hans não queria ferir seus sentimentos. Assim, acenou para João e simplesmente disse:

- Eu irá terr... cuidado..., João. Não... preocupe... este... U'ara só deve aparecerr... para quem vive... nesta terra.

Haviam chegado ao seu destino. Hans jogou seus apetrechos na margem e pulou do barco.

– Até... tardinha, João – disse, acenando.

Ajustou os cilindros de oxigênio, vestiu o traje, armou o arpão e mergulhou. Durante a manhã, apanhou mais peixes do que poderia transportar. Fotografou e catalogou todos eles. Ia comer algo quando ouviu, distante, uma voz feminina cantando uma suave canção. Não a compreendeu, mas ficou maravilhado por sua doçura e melodia.

Atraído pela bela voz, largou o que fazia. Sacou o facão e foi abrindo caminho na densa vegetação, seguindo o canto distante. Ansioso, caminhou por longo tempo.

No Lago das Brumas Eternas, Iara estava deitada numa das lajes de pedra ao lado da cachoeira, cantando sua solidão. Ficara assim por horas, quando, de repente, pressentiu algo que há muito evitava. Estremeceu. Interrompeu seu canto, mergulhou e foi embora para bem longe da sinistra presença do monstro que se aproximava.

Hans continuou a embrenhar-se na mata, parando vez ou outra para ouvir o belo canto e orientando-se por ele em seu caminho. Ficava cada vez mais próximo. Num determinado momento, porém, já não escutou mais nada, nenhuma voz, fosse de homem, mulher ou criança. Achou que enlouquecera. Talvez tivesse feito uma mistura errada na dose de oxigênio quando mergulhara com os cilindros, e isso afetara seus sentidos e o iludira. Qualquer um o acharia maluco se contasse que se embrenhara na floresta em busca de uma voz feminina... e que a voz se fora de repente. Apenas o barulho da floresta, dos animais e da água era ouvido.

Água... água corrente. Estou ouvindo o som de alguma cachoeira ou corredeira... Continuarei neste caminho.

E seguindo o rumo agora, não da voz, mas do som da cachoeira, Hans achou-se, por fim, às margens do Lago das Brumas Eternas. Uma leve névoa pairava sobre as águas. Admirou a superfície do lago, coalhada de vitórias-régias, cercada por árvores, e viu a cachoeira desaguar num dos lados, e o riacho que seguia seu fluxo, centenas de metros mais abaixo.

Sentiu falta do material de mergulho; ainda assim, não hesitou em entrar nas águas do lago e tentar avistar os peixes existentes ali. Um raio de sol atravessava as altas copas das árvores, iluminando uma porção da água que, naquele ponto, se mostrava clara e límpida, em contraste com a cor escura dominante no lago.

Hans admirou a transparência das águas, o que o fez se sentir dentro dum aquário ao ver os cardumes nadando.

Ao avistar uma sombra à frente, tratou de voltar à margem. Um imenso jacaré parecia vir em sua direção e, sem o seu arpão, receou ser atacado. Alcançou a margem e caiu de costas na terra, procurando afastar-se, ao ver um grande monstro emergir da água para atacá-lo. Escapou por um triz. Assustado, voltou ao acampamento.

Iara avistara ao longe aquele homem e sentiu algo há muito esquecido. Uma excitação nervosa que não soube descrever. Não esperava mais ter contato com as pessoas e, apesar disso, desejou reencontrá-lo. Era contraditório. Aquele homem lhe pareceu diferente.

Instigado pelo ocorrido, Hans passou a dedicar apenas metade de seu tempo à pesquisa. Após, ia ao lago tentar decifrar seus enigmas, em especial, aquela voz, aquela doce e irresistível voz, com seu canto sedutor, que desejava ouvir novamente. A curiosidade o impeliu a caçar aquela criatura que o atacara, a qual não soube classificar. Se fosse uma espécie desconhecida pela ciência, poderia se tornar uma celebridade mundial.

Hans entrava na água do lago, armado com seu arpão, quando percebeu, próximo à cachoeira, a mais exuberante e perfeita mulher que já vira em sua vida, sentada em cima de um platô ao lado da cascata que desaguava no lago. Estava distraída, penteando seus longos cabelos e admirando a queda d'água. Ela começou, então, a cantar. Sua voz era ao mesmo tempo doce, angelical e sedutora. O conjunto de sua beleza estava no mais alto patamar que poderia conceber. Imediatamente, Hans foi dominado por tamanha emoção que seu coração quase pulou para fora do peito. Nunca se apaixonara antes, mas a visão daquela estonteante beldade com seus maravilhosos seios nus o paralisaram. O suave canto de sua voz lhe arrebatou da miséria terrestre e o elevou aos píncaros da espiritualidade celeste, prometendo-lhe o paraíso, a alegria e o amor por toda a eternidade.

Essa é a mulher que procurei por toda a minha vida. Se eu puder ter uma chance que seja, serei seu escravo e seu amante e a exaltarei além de mim mesmo e de meu mundo.

Excitado com a simples possibilidade de aproximar-se dela, preparava-se para mergulhar quando avistou a mesma sombra de antes. Era o animal que o atacara no outro dia. A mulher estava entretida, não o percebera. O monstro iria atacá-la.

Hans gritou para que a mulher se afastasse das pedras. O barulho da cachoeira e a sua distração com o canto a impediram de escutar o grito. Desesperado, Hans mergulhou e nadou na direção de ambos. Precisava tentar salvá-la.

Após ter sentido a presença do misterioso homem, Iara lembrou-se de Porã, e a esperança de reencontrar o amor perdido lhe invadiu a alma. Cantava, num misto de tristeza e esperança, a alegria dos dias passados, quando ainda eram dois jovens entregues ao amor que Rudá lançara em seus corações.

Um urro cheio de terror e morte a despertou de seu transe, fazendo-a perceber a maligna presença do monstro que ignorara. Sentiu o hálito pestilento do monstro e ao ver suas garras e dentes tão próximos, compreendeu que, desta vez, estava perdida.

Forçando todos seus músculos a nadar o mais rápido possível para vencer a distância que o separava da mulher que avistara, Hans percebeu quando a criatura emergiu das águas, prestes a atacá-la. Imediatamente parou de nadar, destravou o arpão e atirou.

O arpão atravessou a criatura. Ela se debateu e afundou um instante antes de alcançar Iara. Recuperando-se do susto, Iara viu o homem misterioso. O tempo pareceu parar, como também o vento, as águas e o sol no firmamento. Tudo o que se moveu, tudo o que se ouviu foram as batidas de seu coração cada vez mais forte. Porque lá estava ele, contemplando-a. Era ele, não importava sua aparência, os cabelos loiros ou a pele clara. Podia ler no brilho de seus olhos a identidade de sua alma. E ele a salvara.

Quando ia mergulhar em sua direção, a voz lhe secou no fundo da garganta e seus músculos se paralisaram ao ver que o abominável Ipupiara, ainda com a lança transpassada em seu corpo, voltava à superfície e o atacava. Viu Hans retirar uma faca presa ao corpo e afundá-la no peito da criatura. O monstro desaparecia nas águas, e Hans afundava com ele quando, entre esperança e terror, Iara gritou aquele nome há muito querido e saudoso:

– PORÃ...!

Iara mergulhou e o buscou nas profundezas, livrando-o das garras de Ipupiara. Trouxe-o ao platô onde estava e, no mesmo instante, seu corpo voltou a ser o de uma mulher normal. Voltou a ser Indiara. Não se atentou a isso, pois os ferimentos do homem em seus braços eram graves; não resistiria a eles. Estava inconsciente e morreria em seguida.

Indiara chorou.

Em seus pensamentos, vieram a maldição de Imiritê e a oração do Pajé. Desesperada, uma voz dentro de si dizia que não era justo, que o amor era maior que tudo e que deveria prevalecer acima de todas as coisas. Lembrou-se das tristes noites por que passara, quando, solitária, aprendera a linguagem dos Deuses e da natureza.

O amor dizia que precisavam ficar juntos e serem felizes. Bastava de dor e solidão pela distância de seus corações.

Então, Indiara escolheu seu destino e o de ambos.

Voltou-se então à Yakacy, Deusa das águas, à Mãe das Estrelas, Ceiuci, e à suprema Deusa-mãe, Nandecy, criadora do mundo. E cantando uma elegia, orou:

– Deusa da Água, Mãe das Estrelas, Mãe do Mundo, ouçam minha prece. Atingidos, Porã e eu, pela arte de Rudá, Deus do amor, nossos corações se uniram e amaram um ao outro, mas a fortuna, nas garras impiedosas de Ipupiara, nos separou e a maldição de Imiritê pairou sobre mim. A compaixão de Endi o fez orar a meu favor. E tua bondade, Nandecy, permitiu que eu vivesse até este momento para escolher meu destino. Meu coração aguardava aflito o momento do reencontro com meu amado. E eis que Porã agora definha em meus braços, novamente ferido por Ipupiara. Nada desejo além do amor de Porã. Concedei-me, Deusas, que este momento nunca tenha acontecido na face da terra. Expurgai este mortal instante de nossa realidade, e consentirei em continuar na forma de Iara, até que, em outra existência de Porã, seja possível nosso enlace. Prefiro ser amaldiçoada pela eternidade a ser novamente o motivo da morte de meu amado.

As Deusas dialogaram entre si, comovidas pela história de Indiara. Ao perceberem a grandeza de seu amor, moveram Céu e Terra e lhe concederam seu pedido: que o encontro nunca tivesse acontecido, que ela continuasse como Iara em troca de seu amado continuar vivo, ainda que longe de si, até sua próxima existência. E, como num sonho, Iara voltou a cantar nas pedras da cachoeira e em outras margens, corredeiras, rios e lagos, onde seu canto passou a ser ouvido.

Hans acordou confuso às margens do rio. Não demorou muito a chegar seu último dia na Amazônia, quando pescou os últimos peixes e, enfim, completou sua pesquisa. Partiu em seguida, despedindo-se do rio e da floresta. Olhou uma vez mais para a água e teve a vaga lembrança de um lago e uma cachoeira. Seria um sonho, talvez, no qual ouvia um canto melancólico e belo. Pareceu-lhe por um instante que algo muito, muito importante lhe escapava. Sentiu um aperto no coração. Perguntou-se por que sentia estar deixando para trás a parte mais preciosa de sua vida. Uma agonia inexplicável lhe esmagou o coração; sem saber a razão, sentiu a tristeza crescer dentro de si a ponto de lhe provocar lágrimas.

O instante passou e, com ele, seus questionamentos. Entrou no barco, retribuiu os cumprimentos do velho barqueiro, retornou para a cidade e pegou o avião que o levaria de volta à sua terra.

Pedro bebericou seu café enquanto Marcela contava seu sonho. Percebeu que em alguns momentos, tomada de emoção, o timbre da voz dela se alterava. Sentiu vontade de estar ao seu lado e segurar-lhe as mãos. Quando a narrativa terminou, os olhos de Pedro já esperavam o encontro. Ela o fitou com um olhar sofrido e emocionado, que lhe pareceu dizer que carecia de um amor assim profundo e fiel, forte e sereno. Marcela se indagava se seu sentimento seria recíproco. Depois os olhos dela, acompanhados de um sorriso tímido, percorreram o grupo.

– Belo sonho, Marcela – disse Pedro. – Parece que complementa perfeitamente bem o início da lenda que li sobre a Iara no *Livro Perdido*.

– Seu sonho – comentou Liana – continua bem a lenda, embora a história prossiga como foi desde o início: bela e triste.

– Eu diria comovente – acrescentou Cláudia.

Desejando um ambiente mais alegre, Manoel quebrou o clima:

– Que tal planejarmos nosso dia? Agora pela manhã poderíamos cavalgar pela fazenda e à tarde ir à cachoeira ou visitar uma caverna aqui perto, conforme Antônio comentou comigo. O que preferem?

– Qualquer paixão me diverte – disse Jair. – Chegamos apenas ontem, não conhecemos nada do local, então, por mim podemos ir a qualquer lugar que estarei satisfeito. Deixo a escolha para vocês.

Liana, Marcela e Inácio concordaram com Jair. Caio perguntou:

– Onde fica essa caverna? É profunda?

– A Caverna dos Condenados – respondeu Antônio – fica a uma hora de caminhada por trilhas apertadas. É necessário levar uma lanterna.

– Por que este nome macabro? – Inácio perguntou, curioso.

– Porque na época da escravidão, escravos rebeldes e desobedientes eram jogados de uma das aberturas no teto da caverna. A entrada principal era tampada. Aqueles que não morressem na queda, morriam de fome. Dava menos trabalho que matar e enterrar eles.

Cláudia fez uma expressão de repulsa.

– Mas que coisa mais cruel e desumana.

– A história da humanidade – disse Manoel – foi escrita com guerras, violência, intolerância e crueldade. E a história de nosso país não é exceção.

Caio sugeriu:

– Que tal cavalgar agora pela manhã e ir na caverna à tarde? Assim o pessoal que chegou ontem pode conhecer grande parte da fazenda e à tarde nos aventuramos pelo desconhecido dessa caverna.

– Por mim, tudo bem – disse Cláudia. – E para vocês, está ok?

Um após outro, acenaram positivamente. Todos concordaram.

Antônio chegou à janela, gritou para um dos peões que passava no pátio para providenciar montaria. Seriam nove cavalos ao todo, escolhidos entre os mansos e dóceis.

O dia amanhecera ensolarado com muitas nuvens. Pássaros diversos eram vistos cortando o céu, saltitando pelo pátio ou nos galhos das árvores.

Pedro admirava-os, quando Antônio lhe falou:

– Ali – apontou –, os maiores são sabiás. Os menores, tico-ticos. Nas moitas de capim, são pintassilgos, bicos-de-lacre e Canários-cabeça--de-fogo.

– Que legal! E aqueles de um cinza azulado e metálico que ficam cantando lá naqueles arbustos, que pássaros são?

– São sanhaços. Estão comendo as frutinhas de marianeira.

Manoel e Cláudia se aproximaram e o surpreenderam:

– Aprendendo com Antônio sobre a natureza, Pedro?

– Bastante. Ele sabe o nome de todos os passarinhos por aqui.

– Imagino. Afinal, ele cresceu nesta região.

– Os outros garotos estão vindo.

Pedro olhou para a direção da casa-grande e viu Inácio, Marcela, Liana e Jair vindo pelo jardim.

– Agora já podemos iniciar nossa cavalgada, Antônio – disse Manoel. – A turma está toda reunida.

Encaminharam-se primeiro ao mirante, onde Antônio situou onde ficavam os limites daquele lado da fazenda por onde cavalgariam pela manhã. Mostrou ainda o passeio que fariam à tarde, caminhando. Disse que haviam duas entradas da caverna e apontou as trilhas para alcançá-las. Uma se estendia pela margem da floresta, à beira da encosta, descendo até alcançar o meio da montanha: era a entrada principal, atualmente livre. A outra levava para dentro da floresta onde ficava a abertura no teto de um dos salões da caverna.

Após admirarem a paisagem do mirante, cavalgaram pela fazenda e estradas próximas durante toda a manhã.

À tarde, caminhando para a entrada da caverna, passavam próximo às margens da floresta sobre a qual Antônio comentara. O grupo caminhava em fila indiana, conversando amenidades. Pedro olhou para as árvores, viu que a trilha se bifurcava e sentiu uma atração irresistível para entrar na floresta. Pensou em se separar do grupo para seguir naquela direção, porém não conseguiu encontrar uma boa desculpa para abandoná-los e aventurar-se sozinho. Acompanhou o grupo pelo caminho da encosta. Dali se via a deslumbrante paisagem da serra abaixo. Teve uma ideia.

A trilha foi ficando cada vez mais íngreme e estreita. Numa curva fechada à direita, para dentro da mata, percorreram quase meio quilômetro até começar a descer. O chão se tornou repentinamente mais úmido e pedregoso. Depararam-se com um pequeno riacho, cujas margens eram lamacentas. Um tronco grosso e desgastado fazia o papel de ponte.

Caminharam por mais algum tempo. As árvores da floresta começaram a rarear, e puderam voltar a ver a serra mais abaixo. O caminho se estreitou mais, dando passagem para apenas uma pessoa de cada vez. Enfim, chegaram a um platô que dava para a entrada principal da caverna. Era um enorme rasgo vertical e escuro aberto na montanha de pedra, emoldurado por arbustos e árvores altas, de troncos finos, nascidas entre pedras. Pedro deduziu que as árvores se esticaram ao máximo buscando alcançar a luz.

Ouviu Manoel gritar, uns quinze metros à frente:

– Agrupem-se aqui, pessoal. Cheguem mais perto. – Esperou que Liana e Cláudia se juntassem ao grupo. Depois continuou:

– Um minuto de atenção, pessoal. Sempre é preciso ter muito cuidado ao entrar em qualquer caverna e, nesta aqui, não será diferente. Seguiremos Antônio lá dentro, pois ele a conhece bem. Então vamos observar umas regrinhas básicas. Ficaremos próximos uns dos outros para não nos perdermos e nem nos machucarmos. Trouxemos lanternas e um lampião e vamos testá-los antes de entrar. Evitem tocar nas formações rochosas; são frágeis. Viemos apenas admirar. Não devemos danificar nada. Cuidado ao caminhar lá dentro: o piso é desnivelado, pedregoso e escorregadio. Hoje o tempo está bom e não é preciso nos preocuparmos. Quando está nublado, é preciso estar atento a chuvas repentinas que podem inundar o interior da caverna, dificultando o retorno ou causando risco de afogamento. Andem devagar, sem pressa. Iremos ao segundo salão, o que nos dará uma ideia de toda a caverna; retornaremos daí. Entraremos em fila indiana e cada um ficará responsável pela segurança da pessoa que estiver atrás de si, além da sua própria, claro. Tudo entendido?

– Sim – responderam em uníssono.

Pedro soube que esta era sua última oportunidade. Arriscou-se:

– Esqueci minha máquina fotográfica. Voltarei para pegá-la.

– Não é uma boa ideia – respondeu Manoel. – Você vai demorar.

- Não precisam ficar esperando. Podem entrar sem mim. Quando eu voltar, se vocês ainda estiverem dentro da caverna, esperarei aqui fora.

Manoel hesitou. Seu semblante fechou-se.

– Então Caio irá com você. Não deixarei que volte sozinho.

– Ah, não! – resmungou Caio. – Vou ficar de fora da caverna?

– Sei o caminho de volta – Pedro tentou justificar. – Posso ir e voltar sozinho. Não preciso que Caio vá comigo.

O olhar de Cláudia e Manoel foi o bastante como resposta.

– Está bem, está bem – respondeu Caio, puxando Pedro pelo braço. – Vamos lá, Pedro. Quanto antes formos, mais cedo voltamos.

Pedro retornou pela trilha e Caio o seguiu.

Marcela viu Pedro se afastar. Seu ar de decepção era nítido.

Numa última olhada para trás, Caio viu o grupo encaminhar-se para a entrada da caverna, iluminando seu interior com as lanternas que carregavam e, em seguida, sumirem na escuridão.

Caminharam em silêncio.

Antes de chegar ao riacho, Pedro parou por um instante e disse:

– Você pode voltar daqui, Caio. Ainda dá tempo de alcançar o pessoal logo no início da caverna. Eu posso seguir sozinho.

– Não posso voltar. Meu pai disse para acompanhá-lo, Pedro. Não posso desobedecê-lo.

– Olhe, eu estou bem. Sei o caminho de volta e não vou me perder. Prefiro que você volte daqui.

– Não, não posso voltar sem você.

– Volte daqui, rapaz. Não insista em vir comigo.

Caio manteve-se imóvel. Pedro se irritou. O rosto de surpresa do amigo o fez esmorecer. Caio nunca o vira nervoso. Respirou fundo e continuou a trilha num passo rápido. Caio o seguiu.

Quando chegaram à bifurcação novamente, o suor já escorria em seus rostos. Pedro olhou para a trilha que seguia floresta adentro e sentiu a mesma forte atração. Parou. Algo o chamava e o impelia naquela direção. Sereno e calmo, recomeçou a caminhar.

- Está indo na direção errada – avisou Caio, apontando à sua frente. – A fazenda fica para lá.

Pedro continuou a caminhar. Caio achou que não fora ouvido e repetiu. Não houve hesitação na voz de Pedro quando ele disse:

– Não vou para a fazenda.

Caio caminhava apressado para acompanhar os passos de Pedro.

– Não vai? E a câmera? Não foi por isso que voltou?

Pedro parou, abriu sua mochila e tirou de lá sua câmera digital e a entregou a Caio.

– Fique com ela e tire boas fotos. Agora faça um favor a nós dois: volte para se encontrar com o grupo.

– Você estava com a câmera na mochila esse tempo todo? – disse Caio, visivelmente surpreso. – Por que inventou essa história de tê-la esquecido? Por que mentiu tão descaradamente?

Pedro se irritou. Não gostava de ser vigiado. E nem tolhido. Sempre fora independente.

– Não tenho que lhe dar satisfações a todo momento, Caio. É melhor que você volte daqui e me deixe seguir adiante.

– Meu pai não me disse para ir buscar sua câmera – disse, devolvendo-a bruscamente – e, sim, para acompanhá-lo. Amigos não agem assim, Pedro, mentindo e enganando. Confiam uns nos outros. Como seu tio e meu pai. Nós nos preocupamos com você, porque somos seus amigos, entendeu, ô cabeçudo? Não traia nossa confiança. Diga logo o que está acontecendo porque estou na sua cola, quer queira, quer não.

Pedro sentiu-se culpado. Quase riu da forma como Caio se expressou e sabia que ele tinha razão: não era a melhor forma de agir. Raciocinou que eles apenas queriam protegê-lo, embora achasse desnecessário. Talvez tivesse a mesma atitude se os papéis estivessem invertidos. Respirou fundo e resolveu abrir o jogo.

– Sabe aquelas visões sobre as quais lhe contei? Pois é, algo na floresta me atrai de uma forma poderosa. Tenho de entrar lá. Talvez eu encontre respostas, talvez não. Pode ser perigoso e não sei o que haverá. Mas preciso ir, entende isto?

– Acho que sim.

– Como eu disse, é melhor você voltar daqui.

– Para isso servem os amigos. Vamos nessa!

O piso pedregoso da entrada da caverna cedeu lugar ao solo arenoso com pedras elevadas. Os passos do grupo seguiam tímidos. Apenas Antônio já havia estado dentro de uma caverna. Para os outros, tudo era surpresa e estupefação. As lanternas iam iluminando o caminho e as paredes, descortinando os segredos das trevas.

O primeiro salão tinha cerca de quatro metros de largura por cinco de comprimento, com um teto que variava de dois a oito metros de altura, de onde pendiam várias estalactites. A parede à direita era lisa e estriada de tons amarelo, laranja e cáqui. À esquerda, era ondulada, parecendo que a pedra tempos atrás se dissolvera num creme que escorregara lentamente e se solidificara de forma brutal e repentina.

Ao iluminar o chão onde pisava, Marcela deixou escapar um grito que ecoou pelo ambiente. Os fachos das lanternas se voltaram para ela.

– O que foi, Marcela? – perguntou Manoel.

– Uma aranha! Enorme!

Jair sentiu o movimento atrás de si e viu um pequeno animal.

– Olhem, tem um bicho ali.

- É uma jaguatirica – respondeu Antônio. – É uma espécie de onça pequena, mais para gato selvagem. Está fugindo para a mata, vejam.

Liana ficou preocupada.

– Ela é perigosa?

– Não. Sempre foge da gente.

Inácio apontou sua lanterna para o teto.

– Morcegos! - O grito de Marcela deve tê-los despertado.

– Esses aí também não fazem mal não. Tem uma espécie que chupa sangue, mas é outra, não é essa. Podemos continuar.

O fundo da caverna se estreitou num corredor baixo, com uns oito metros de comprimento, forçando o grupo a andar curvado. Depois, um amplo salão com o triplo do tamanho do primeiro se apresentou. Embora também mergulhado em sombras e escuridão, ao fundo fachos tênues e estreitos de luz, filtrados pela floresta, desciam de uma abertura no teto, e caíam sobre um pequeno lago interior, revelando, àqueles que se aproximassem, águas transparentes e esverdeadas.

– Uau...! Que beleza! – exclamou Liana.

– É lindo – concordou Marcela.

Jair foi circundando o lago, explorando o interior com cuidado para não tropeçar no que imaginou ser solo pedregoso. Estalactites pendiam do teto. Formações rochosas curiosas podiam ser vistas. Seu olhar foi atraído por pequenos pontos brilhantes numa parede. Chegando mais perto, percebeu que eram cristais incrustados na rocha.

Manoel explorava o lado oposto e percebeu que uma depressão no terreno dava continuidade à caverna. Era uma passagem em desnível. Iluminou lá dentro, mas pouco pôde ver. Daria para passar somente uma pessoa de cada vez. Não mais. Ainda assim, com muita dificuldade.

Inácio focou o lago para avistar seu fundo.

Marcela tropeçou. Iluminou o chão a seus pés. Avistou uma ossada. Ao perceber o que a rodeava, um arrepio lhe percorreu a espinha. O piso da caverna estava coalhado de esqueletos humanos.

A trilha na floresta se adensou. Pedro nunca havia imaginado que em plena luz do dia o interior de uma floresta pudesse ser tão cheio de sombras e carente de luminosidade. Parecia estar na hora do crepúsculo, quando não passava das primeiras horas da tarde de um dia ensolarado. Frestas nas copas das árvores deixavam passar alguns raios de luz que clareavam pontos ali e acolá, dando um aspecto mágico ao ambiente. Não fosse por elas, precisariam de lanternas para enxergar melhor o chão da floresta.

Ouviram barulho de água e o solo ficou úmido e barrento. Pouco depois, se depararam com uma cascatinha escorrendo de um paredão. O fio d'água prosseguia escorrendo pela floresta e os arbustos se adensavam ainda mais pelo seu curso.

Continuaram a percorrer a trilha. A vegetação mudou, com as árvores ficando mais esparsas. Um bosque de araucárias apareceu, com o chão coberto por gramíneas e arbustos espalhados. Pedro se encostou numa das araucárias, invadido pelo torpor. Sentiu-se fraco. Sua cabeça latejava.

– O que foi, Pedro? – perguntou Caio. – Está se sentindo mal?

Pedro não teve tempo de responder. Ouviram um farfalhar na vegetação e tentaram perceber a origem do barulho. Algo se aproximava. Distantes uns cinquenta metros, surgiram duas pequeninas chamas de fogo flutuando no ar, paralelas, deslocando-se da esquerda para direita, em sincronia, com movimentos curtos para cima e para baixo. Depois pararam, ainda distantes, e ficaram bem de frente a eles.

– Olhe lá – apontou Caio, tremendo de medo –, o que é aquilo? – Pedro percebeu as pequenas chamas no momento em que um raio de luz do sol atravessou a copa das araucárias e iluminou a criatura. O veado albino os encarou ameaçadoramente com seus olhos de fogo. Seu pelo alvo reluziu ao sol, e uma cruz negra em sua testa apareceu. Ao caminhar para as sombras seu corpo foi desaparecendo até restarem novamente apenas as duas pequenas chamas flutuando no ar.

– Anhangá... – murmurou Pedro, cuja consciência se perdia pouco a pouco, sugada por aquelas incandescências rubras. Sentiu cada parte de seu corpo arder e queimar. Gritou.

As chamas cresceram e se elevaram, envolvendo-o. No meio das labaredas, formou-se a visão de seus amigos dentro da caverna, perscrutando ao redor do lago os esqueletos de tantos que foram ali atirados pelo mal que habitara o coração dos homens de outrora. O mesmo mal que reunia, neste momento, suas forças para selar a entrada da caverna, tornando-a, também para aqueles que agora a profanavam, uma sepultura que tragaria suas vidas e suas almas. As chamas arderam ainda mais.

Pedro gritou novamente e saiu em disparada. Atravessou o bosque de araucárias e embrenhou-se na floresta densa numa trilha já quase tomada pelos arbustos. Instintivamente parecia saber aonde ela daria. A respiração estava pesada pelo esforço, os músculos doíam, forçava-se mais e mais pela trilha, não se importando com os galhos que o arranhavam. Era seguido por Caio, que, desesperado, gritava seu nome. Ignorou-os. Só importava chegar a tempo ao seu destino.

Na correria desenfreada, não percebeu a mata se interromper por um instante, e um enorme buraco surgir, fazendo o chão desaparecer adiante. Agarrou-se ao fino tronco de uma árvore para que não caísse direto no precipício. Viu um diminuto espelho d'água lá embaixo. Tinha chegado aonde desejava: na abertura do topo do segundo salão da caverna. Pôs-se a gritar.

Inácio desviou o foco de luz da água para trás de si. Um alvoroço havia tomado conta de todos. Percebeu que Marcela, nervosa, dizia que estavam dentro de uma sepultura. Vendo o chão iluminado percebeu que ela tinha razão: havia muitos ossos e esqueletos pelo chão, numa cena horripilante.

Antônio tentava desculpar-se:

– Mas eu disse para vocês que os condenados eram atirados aqui... A menina não imaginou que teria ossos dos defuntos por aqui, não?

– Acho que já vimos o suficiente – disse Cláudia –, podemos voltar.

– Quero ir embora – murmurou Marcela.

– Apenas deixem-me dar mais uma olhada nesta parede de cristal – pediu Jair.

Gritos chamaram sua atenção.

– SAIAM DA CAVERNA! Saiam daí o mais rápido possível! CORRAM!

Do alto do teto da caverna viram Pedro acenar.

– PEDRO? – Manoel gritou surpreso. – O QUE VOCÊ ESTÁ FAZENDO AÍ EM CIMA, RAPAZ? Como chegou aí?

– Ele teve de andar pelas trilhas da mata para chegar lá em cima, com certeza – Antônio respondeu.

– Ele está nervoso e continua gritando para sairmos – Cláudia observou. – Vamos logo, era o que queríamos mesmo. Vamos todos embora daqui!

Caio sentiu a ventania o atingir tentando derrubá-lo e impedi-lo de continuar a trilha atrás de Pedro. As árvores e arbustos balançavam. Sabia que já estava alcançando seu amigo. Tinha de continuar. Forçou-se a isso. Logo à frente, pôde ver Pedro agarrado ao tronco de uma árvore, sendo açoitado pelo vento, gritando para o vazio:

– SAIAM DA CAVERNA! CORRAM! SAIAM DA CAVERNA!

Caio correu até Pedro e conseguiu jogar-se ao chão e agarrar suas pernas. Salvou o amigo no exato momento em que as mãos do outro, desmaiado, se desprenderam do tronco da árvore que caía, derrubada pelo vento. Podia ouvir os estalos de mais árvores sendo dobradas e quebradas. Agarrado nas raízes dos troncos, deitado junto a Pedro, tentava recuperar o fôlego.

O vento forte descia pela abertura superior da caverna e criava um uivo medonho, que assustava os visitantes da caverna. Parecia-lhes que espíritos malignos os estavam perseguindo. Tentavam correr, e tudo que conseguiam era andar apressadamente entre pequenos tropeços amparados pela mão direita do amigo mais próximo. Manoel queria evitar que alguém se machucasse ou ficasse para trás.

Até mesmo a sensatez de Manoel foi abalada. Sentia uma urgência avassaladora, uma necessidade premente de estar do lado de fora, à luz do sol. Uma opressão surgiu, agravada ainda mais pelos uivos. Não acreditava em fantasmas. Até momentos atrás. Agora, no entanto, diante da atmosfera opressora e angustiante que se instalara, da lembrança dos esqueletos caídos e espalhados no segundo salão que tinham deixado para trás, dos uivos agonizantes do vento, do terror que se alastrara em suas almas e do desespero de Pedro gritando para que saíssem da caverna, sua descrença sucumbira. Havia algum mal ali e, fosse o que fosse, esse mal agora os perseguia.

O grupo retornava pelo corredor de passagem entre os salões, liderado por Antônio. De repente, ele estancou. O chão lhe pareceu movimentar. Iluminou-o diretamente com o facho de luz de sua lanterna. Dezenas de aranhas e escorpiões o cobriam, caminhando apressadas, atropelando-se. Sentiu aversão, mas evitou demonstrá-la. A presença das meninas e a urgência de sair da caverna se impuseram em sua mente.

– Depressa! – gritou nervoso. – Não parem! Vamos mais depressa!

As meninas gritaram assustadas, hesitando. Os rapazes praguejaram. Manoel forçou-os a prosseguir.

– Continuem! Mais rápido! Temos de sair já!

Sentiu seus pés esmagando as criaturas enquanto avançava pelo corredor. Com uma das mãos, a da lanterna, derrubava aquelas que lhe subiam pelo corpo; com a outra, segurava-se ao parceiro que ia à sua frente. Tão logo saíram da estreita passagem para o primeiro salão, foram surpreendidos por uma revoada de morcegos que impedia que avançassem.

– Cristo Jesus... – As palavras de Antônio morreram em sua garganta.

Liana tropeçou e arrastou consigo todos para o chão. Houve gritos e confusão. Algumas lanternas rolaram à distância. Aranhas e morcegos os fustigavam.

Manoel ignorou a dor que a queda lhe causou. Pôs-se de pé rapidamente e tentou reorganizar o grupo.

– Levantem-se! Rápido! – gritou. – Já estamos perto da saída.

Jair ajudou as meninas a se recomporem. Antônio pegou as lanternas caídas mais próximas e as colocou nas mãos de Liana e Cláudia.

– Direcionem a luz para frente! – ordenou Manoel. – Tentem espantar os morcegos com ela.

O facho de luz concentrado das várias lanternas abriu uma brecha na nuvem de morcegos. Deram-se as mãos novamente. Foram progredindo em direção à entrada da caverna e puderam avistar a claridade lá de fora. A ventania pareceu ter ficado mais forte, tentando empurrá-los de volta. Devagar, passo a passo, foram conseguindo caminhar de mãos dadas, arrastando-se para fora, aliviados por conseguirem sair à luz do dia. Seus olhos ardiam. Avançaram penosamente contra o vento, andaram duas dezenas de metros mais e jogaram-se ao chão. Ouviram atrás de si fortes estalos. O vento quebrou as árvores próximas e estas caíram, arrastando consigo pedras e terra da montanha para a boca da caverna.

– Meu Deus – murmurou Cláudia, estarrecida –, mais alguns minutos e teríamos ficado presos lá dentro.

– Graças a Deus conseguimos sair a tempo – disse Jair.

– E graças ao Pedro também – lembrou Marcela –, foi ele quem nos avisou a tempo.

– Antônio – chamou Manoel –, temos de ir ao encontro dele. Leve-nos até lá.

– O vento parou – observou Inácio, surpreso.

Liana olhou os troncos das árvores caídas e a entrada da caverna entupida de pedras e entulhos. Percebeu o silêncio e a calma retornarem e deixou escapar:

– Que coisa mais terrível... isso foi uma maldição ou o quê?

Ela não teve respostas. Antônio levantou-se logo e disse:

– Vamos, gente! Para encontrar Pedro temos de seguir a trilha floresta adentro.

Manoel respirou fundo, levantou-se com algum esforço e olhou o restante do grupo. Cláudia e Marcela estavam assustadas e ligeiramente confusas; Liana, nervosa; e Jair e Inácio, incrédulos. Todos tiveram arranhões e algumas contusões por causa da queda na caverna. Entretanto, ninguém estava seriamente ferido ou incapacitado.

– Vamos lá, pessoal, levantem-se! Ouviram Antônio. Temos de seguir a trilha até Pedro.

O mundo se transformara em fogo e cinzas. Sombras e desolação. Um céu rubro cobria a aridez da terra. Pedro sentiu o bafo quente do vento lhe entrar nos pulmões, causando-lhe uma sensação de esgotamento. Não enxergou mais o Anhangá. Não sabia dizer onde estava e vagou pela planície. Viu criaturas estranhas, medonhas e sinistras. Viu bruxas e duendes.

Abaixou-se assustado quando o pássaro de fogo passou voando bem alto acima de sua cabeça, guinchando e desaparecendo na linha do horizonte. Criaturas monstruosas lutavam entre si, a mais forte procurando devorar a mais fraca.

Enxergou buracos espalhados ali e acolá pela planície, de onde saíam alguns débeis pontos de luz. Alguns seres iam até eles e sumiam. Outros, mais familiares como cobras, corujas e gatos, surgiam deles. Viu um pequeno saci atravessar a planície, em pulos incessantes, e enfiar-se para dentro de um dos buracos.

Caminhou ao ponto de luz mais próximo. Era pequeno. Pouco maior que sua cabeça. Não conseguiria passar por ele. Uma enorme curiosidade o fez mover-se, agachar-se e olhar de perto o buraco cuja luz emanada o impedia de enxergar algo em seu interior. Afinal, como poderiam vários seres caberem dentro de um pequeno espaço?

Tomou coragem e enfiou a cabeça para dentro do buraco. Teve um sobressalto: o buraco era uma passagem, muito mais larga do que parecia à primeira vista. Olhava para dentro de uma floresta comum, como a que entrara com Caio. Ali a terra parecia normal, as árvores, o ar fresco e úmido, com o odor revigorante da mata virgem e o som dos pássaros e dos animais.

Retirou a cabeça dali, foi em direção a outro buraco e olhou através dele. Estava na margem do lago onde nadavam, formado pela cachoeira. Podia perceber a brincadeira das libélulas acima da linha d'água, o ar mais frio pelas gotículas espalhadas no ar, o capim cambaleante ao vento.

Foi para outra abertura e viu parte da casa da Fazenda Bela Vista e o penhasco em cujo topo ficava o mirante. Ouviu o grito de uma besta medonha, retirou a cabeça da passagem, correu e escondeu-se atrás de um arbusto ressequido. A fera passou direto por ele e continuou seu caminho.

Após contemplar aquele mundo por algum tempo, a aridez e o horror de onde se encontrava assolaram sua alma de forma mais dura. Procurando compreender melhor, correu para uma pequena colina, e, ao chegar em seu topo e encontrar um daqueles enigmáticos buracos, agachou-se novamente e enfiou sua cabeça. Teve uma vista superior da região onde se encontrava a Fazenda Bela Vista.

Viu que em vários pontos diferentes, próximos a lagos, riachos, cavernas, árvores e pedras, transitavam, saídas daquele mundo de trevas onde se encontrava, criaturas que não eram facilmente visíveis por humanos. As criaturas ficavam ali por algum tempo, mas a luz as incomodava, e elas retornavam novamente para o portal. Algumas, porém, não sentiam incomodo algum. Eram aquelas que, de uma forma ou de outra já, se haviam misturado ao sangue humano. O saci transitava ali tranquilamente, aprontando suas diabruras.

Compreendeu, então, que os buracos eram portais entre mundos. E que se alargavam pouco a pouco, deixando passar criaturas cada vez maiores e mais tenebrosas. Voltou ao buraco perto de onde estava inicialmente, e então os encontrou. Seu coração disparou ao ver os amigos desesperados ao redor de um corpo, tentando reanimá-lo. Quase gritou quando ouviu seu nome sendo chamado por Marcela e Cláudia, enquanto Antônio e Manoel esfregavam seus pulsos e Jair tentava acordá-lo. Nesse momento, a tontura o fez desmaiar novamente.

Quando abriu os olhos, Pedro estava deitado, com os olhares preocupados de seus amigos lançados sobre si. Estava meio tonto e arriscou se levantar, amparado pelos outros.

– Pedro! Graças a Deus! – exclamou Cláudia. – Como você está se sentindo?

– Ele parece desnorteado. Será que bateu a cabeça? – indagou Marcela a Caio, que não soube responder.

– Você está bem, Pedro? – insistiu Manoel.

Pedro olhou para os amigos. Sentia uma forte pressão na cabeça, uma leve tontura. Disse de uma forma um pouco grogue:

– Vocês estão bem... conseguiram sair da caverna...

– Sim, Pedro. Estamos todos salvos. Conseguimos sair da caverna a tempo. Mas e você, como se sente?

Pedro respirou fundo, uma, duas, três vezes. Sentiu-se revigorado e conseguiu dar maior firmeza à própria voz.

– Estou bem, pessoal... Estou com a cabeça doendo e um pouco zonzo, mas vai passar... Tudo bem.

– Porque entrou na mata, Pedro? – perguntou Manoel. – O que você buscava?

– Não sei...

- Como não sabe?

– Apenas *tinha* de vir para cá. Era um chamado irresistível. Eu tinha de vir.

Manoel irritou-se.

– Caio nos disse que você veio para cá direto. Que sua câmera estava em sua mochila o tempo todo. Você nos enganou, Pedro. Como pôde?

Pedro ficou em silêncio.

Marcela o defendeu mais uma vez.

– Se ele não tivesse entrado na floresta e feito o que fez, estaríamos todos presos naquela maldita caverna. Temos de lhe agradecer por nos ter avisado a tempo.

– Como soube que corríamos perigo? – perguntou Inácio, traduzindo a curiosidade de todos.

– O Anhangá... – disse Pedro, buscando compreensão em Caio, que abaixou os olhos sem nada dizer, receoso de ser tomado por louco.

– O que é isso? – perguntou Manoel, após recuperar a calma e o bom senso.

Pedro pensou em como iria explicar o que era o Anhangá. Entretanto, foi Antônio quem respondeu:

– É um espírito das trevas...

Matando um leão por hora

As pilhas de papéis se avolumavam na mesa do Detetive Silva. Inquéritos de crimes: de drogas a homicídios, de assaltos a crimes sexuais. Eram casos sem solução, já investigados por outros departamentos. Vinham sempre parar na sua mesa, junto daqueles que ninguém queria tocar, por envolver gente rica, políticos ou autoridades. Sempre sobrava para o investigador, o culpado por desvendar e expor à sociedade o seu próprio estado de putrefação.

No histórico de trabalho dele, constava o fato de ter concluído quase setenta por cento dos casos, até então, não solucionados. Não se importava com represálias e ameaças. Já era velho de casa – vinte e oito anos de serviço. Em mais dois estaria aposentado. Não tinha muito mais o que temer. Não poderia ser rebaixado de posto. Não tinha mulher, filhos, ou quem quer que pudesse ser alvo de vinganças.

Havia sido casado certa vez, no início de sua carreira, por três anos, até descobrir que era traído. Ao flagrar conversas telefônicas suspeitas, achou que estava sendo paranoico, mas, quando ela esqueceu o celular em casa e ele olhou as mensagens recebidas e enviadas, teve certeza: a danada da esposa passara a traí-lo regularmente. Tremendo de ódio, largou o aparelho e pensou friamente em qual atitude tomar. Depois de alguns dias, decidiu-se: armou uma arapuca para os amantes. Pegou-os em flagrante, em sua própria cama. Duas testemunhas que levara consigo, além dos dois amigos detetives e dois policiais militares, assistiram a tudo. O boletim de ocorrência foi lavrado, e, na mesma noite, ele a chutou para fora de casa. Para nunca mais vê-la. A partir daí, apenas teve casos. Relacionamentos sérios, nunca mais.

Hoje, aos cinquenta e um anos, não pensava em voltar a se casar. Tinha a aparência jovem, com poucas rugas, a pele clara queimada de sol pelas pescarias de fim de semana, o cabelo negro pouco grisalho, e o físico ainda atlético, mantido com esforço à base de exercícios diários e vitaminas. Tudo isso lhe rendia olhares, suspiros e favores femininos, mas jurara para si mesmo que não voltaria a se casar.

Folheou a pasta do *Caso Maçom*, como o chamara. De pronto, o delegado o transferira para sua mesa. Quem mais seria idiota de aceitar algo que já fedia de longe?

As peças ali não se encaixavam. Um integrante da loja, responsável, sem qualquer antecedente criminal, membro respeitado da sociedade, casado, com vida financeira estável, de nome Manoel, efetuara um assalto à mão armada. Rendera e trancara no banheiro três outros membros. Um deles, Murilo, era policial militar aposentado, de má fama entre os colegas da ativa; o outro, Fábio, um jovem policial ingressado há poucos anos na instituição, talvez parceiro do primeiro em negócios escusos. Fábio teria saído primeiro do banheiro, ido para o piso de baixo e morrido sem qualquer explicação. Manoel também fora acusado pela morte. O cadáver não possuía ferimentos à bala ou sinais de qualquer luta corporal. E agora, havia a ligação daquele senhor, não sabia bem se gerente ou presidente da loja maçônica.

Odiava receber ligações sobre os casos. Sentia-se ainda mais pressionado que o normal. Agiu como sempre o fazia: esquivou-se e buscou ganhar tempo. Dessa vez, porém, a despeito da irritação, julgou ter sido proveitoso. Captou, por baixo de toda polidez e autoridade na voz do maçom, uma certa ansiedade. Seria desejo de vingança? Ou uma preocupação genuína? *Tobias Romano*. Repetiu mentalmente o nome para memorizá-lo. Também iria investigá-lo.

O telefone tocou novamente. Praguejou. Buscou no identificador de chamadas a origem da ligação. Era Getúlio, médico legista. Silva relaxou. Havia lhe pedido que ligasse tão logo descobrisse a *causa mortis* de Fábio.

– Alô? – ele atendeu.

– Está me devendo aquele chope por esta chamada, meu camarada!

– Te pago dois logo de uma vez, se tiver encontrado alguma pista viável. Diga lá, o que foi que encontrou?

– O corpo foi encontrado na área rural?

– Não, na área urbana. Caído na grama, às margens do rio, aos fundos do prédio da Maçonaria.

– Bingo!

– Desembucha... Ele teve mesmo parada cardíaca?

– Não apenas...

– Como?

– Houve parada generalizada dos músculos – coração, pulmões e todo o sistema musculoesquelético. O coitado não conseguiu sequer respirar.

– Traduza isso, o que provocou a morte do infeliz?

– Algo assim... Só pode ser resultado de uma toxina muito poderosa...

– Está dizendo que ele foi *envenenado*?

– Sim. Por alguém... Ou alguma coisa. Há uma picada em sua nuca. Mas, a não ser que haja uma cobra banguela à solta por aí, eu diria que alguma outra coisa extremamente venenosa o picou.

– Uma seringa?

– Algo como isso...

O Detetive Silva desligou.

Como previa, o caso estava ficando quente; e o odor, cada vez pior.

Embora fosse uma manhã de céu azul, aqueles que se aproximavam de Tobias tinham a sensação de que nuvens negras pairavam acima e ao redor dele. Foi o que sentiu a empregada de sua casa ao lhe servir o café da manhã, lhe desejar um bom dia e receber o primeiro rosnado matutino. Seguiram-se aí o jardineiro e o motorista. O primeiro levou uma patada em forma de um *não me amole,* e o motorista, ao primeiro deslize, um coice travestido de xingamentos e ameaças de demissão.

Ao longo do dia, perambulou por suas lojas de artigos populares – armarinhos que vendiam bugigangas diversas e peças de vestuário –, e cada um dos subalternos sentiu seu amargor e tratou de evitar sua presença tanto quanto possível.

No final da tarde, foi tomar um café no bar costumeiro. Estava numa das mesas olhando o movimento da rua quando Murilo entrou. Ao vê-lo, veio em sua direção.

– Oi, Tobias. Alguma novidade?

A pergunta o irritou. Embora manipulasse Murilo como queria, não tinha por ele qualquer afeição. Em seu estado de ânimo, lhe respondeu:

– Sou jornalista por acaso? Acha que não tenho afazeres e que ser empresário não ocupa tempo e não dá trabalho? Diga-me você, que fica a vagar pelas ruas, se há algo que eu deva saber.

– Ei, ei... Calma aí, chefia... Não precisa ficar irritado, não. Só perguntei por perguntar. E, para o seu governo, não fico a vagar, não. Eu transito pelas ruas, ok? É isto o que significa ser dono de um lava-jato: eu busco e entrego em várias partes da cidade os veículos que meus empregados limpam. Você também está cansado de saber que faço meus bicos noturnos como segurança, porque o salário de um policial aposentado mal dá para o alpiste, entende? É justamente aí, nas noites, que acabo conhecendo muitos malandros...

Tobias o ignorou. Tinha mais no que pensar. Havia voltado a olhar para a rua quando Murilo insistiu:

– Um dos espias soltou que o comandante da PM topou fazer vista grossa agora que tu é o Venerável. Vamos poder ampliar os serviços para a favela mais próxima, mas vamos bater de frente com a rapaziada de lá.

Rispidamente, Tobias respondeu:

– Vocês podem resolver isso. Se não seguirem as regras, apagão neles. Tome a dianteira e acabe logo com essa história.

– Os mesmos trinta por cento?

– Vá em frente.

Murilo sorriu. O negócio do tráfico de drogas estava ficando cada vez mais lucrativo para ele. Comentou:

– Jonas podia ter morrido antes, né? De qualquer forma, vai dar para lucrar bastante, agora que a influência da chefia aí aumentou.

Tobias não respondeu. Levantou-se, rosnou algo e saiu.

Foi ruminando os acontecimentos recentes. Ainda não havia encontrado um rumo. A referência que Murilo fizera a Jonas apenas o incomodara mais por lembrá-lo do infeliz. Murilo, porém, tinha razão: havia lucrado com isso, e ele nem sabia o quanto. Afinal, fora nas anotações de Jonas para seu sucessor que encontrara o segredo do escaninho e roubara as pedras preciosas e o dinheiro que nele havia.

De repente, olhou para frente sem nada mais enxergar. Estancou, e os outros transeuntes lhe esbarraram e soltaram imprecações. Ele sequer ouviu.

As anotações de Jonas. Como não me lembrei delas antes?

Largara-as quando lera sobre o escaninho e não voltara a ler mais nada, guardando em seguida os papéis. Que outros segredos ou valiosas pistas não estariam lá expressos na voz sussurrante do falecido Jonas?

Imediatamente correu para a loja maçônica. Subiu as escadas para a sala proibida numa urgência desenfreada, abriu o cofre, pegou as anotações, revirou as páginas, ignorando os conselhos ao novo Venerável, o que considerou baboseiras, até encontrar algo que achasse ser relevante. Nas duas últimas folhas, havia apenas notas de pensamentos dispersos e uma ou outra reflexão. Tobias concluiu que não faziam parte das anotações para um sucessor, mas eram anotações pessoais que a doença não dera tempo a Jonas de separar e guardar consigo. Entre outras, havia ali uma anotação que Jonas grifara. Tobias a releu várias vezes e, enquanto olhava a frase grifada, começou a refletir. Ela dizia apenas:

A fonte que Ponce de Léon tanto buscou foi encontrada por Dom Afonso nas montanhas mineiras.

Remexeu novamente nos documentos dentro do envelope.

Deparou-se com a folha timbrada de uma imobiliária. Era um recibo de pagamento de despesas cartorárias. Da compra de uma fazenda.

Em Minas Gerais.

Labaredas e Arrepios

Quando Pedro saiu da casa para o átrio carregando o pesado livro de Dom Afonso, sentiu um calafrio. O ar estava gélido. As estrelas reluziam, e a lua já despontava no horizonte. Caminhou em direção à fogueira, diante da qual todos estavam reunidos.

Escutou, ainda à distância, a voz de Liana:

– Se a gente tivesse atrasado somente mais um pouco...

– Estaríamos agora num lugar frio, escuro e úmido – completou Jair.

– E cheio de escorpiões e morcegos – acrescentou Inácio.

– Ai, gente – lamentou Marcela –, só de lembrar daqueles esqueletos espalhados pelo chão me arrepio da cabeça aos pés.

Cláudia levou uma panela cheia de milho de pipoca para perto da fogueira. Aproximou-a o bastante para que o calor da fogueira estourasse os grãos. Ela comentou:

– O que mais me espanta é como as pessoas daquela época puderam ser tão cruéis... Jogar outros seres humanos vivos do topo da caverna...

– É preciso entender – discorreu Manoel – que para a gente daquela época, isso era justiça. A própria ideia de escravidão é repulsiva aos nossos olhos de hoje, mas era plenamente aceitável naquela sociedade. Para eles, os escravos eram algo como uma sub-raça e deviam obediência cega à vontade de seus donos.

– Se prestarmos atenção às sociedades atuais – interrompeu Marcela –, vamos ver que, embora hoje não exista mais a escravidão como no passado, muitas sociedades ainda aceitam a pena de morte. Na minha opinião, matar uma pessoa numa cadeira elétrica, envenenada, apedrejada, fuzilada ou de qualquer outra forma, não é muito diferente de atirá-la dentro do poço de uma caverna.

– Concordo com vocês – disse Cláudia. – Precisamos evoluir de forma moral, ética e espiritual. Pela experiência que tenho em sala de aula, posso dizer que, se nossas crianças fossem educadas para respeitar o próximo e vissem todos agindo assim, nossa sociedade se tornaria melhor em poucas décadas. Talvez não precisássemos mais de cadeias e juízes, porque a base das mazelas sociais está na falta de respeito das pessoas umas com as outras.

– Também penso assim – disse Jair. – A educação é a base para uma sociedade melhor, e ensinar o respeito ao próximo é tarefa de todos, da família à escola. Nossas ações são um exemplo que damos.

As pipocas começaram a estourar, e Cláudia levantou-se para sacudir a panela.

– Oi, pessoal! – cumprimentou Pedro, sentando-se próximo à Marcela. Sentiu o cheiro de pipoca e brincou com Cláudia: – Balance a panela! Não vou querer que as minhas pipocas se queimem.

– Ah, está bom. Suas pipocas... – ela sorriu.

Marcela esperou por um momento oportuno e, então, perguntou a Pedro:

– Ainda não entendi uma coisa... Se o Anhangá é um espírito maligno, como é que ele o avisou do que iria acontecer?

Pedro imaginou como iria responder à questão. Resolveu ler em voz alta o trecho sobre o Anhangá que achou no livro de Dom Afonso. Já sabia o trecho quase de cor, tantas vezes o lera no fim da tarde. Assim que achou um espaço na conversa, iniciou a leitura.

Os tambores batem lá fora na noite enquanto escrevo estas linhas. Os indígenas cantam e dançam desde a tarde, quando um dos guerreiros afirmou ter visto na floresta uma entidade maligna a que chamam Anhangá. Uma nuvem de sofrimento pareceu descer sobre a tribo. O pajé, extremamente agitado, invocou seus Deuses protetores, com uma mistura de rezas, cantos e gritos, acompanhados de gestos incontidos e lamentos carregados de dor. Depois de algum tempo, um a um, os índios foram se juntando a ele: primeiro os velhos, depois as mulheres e crianças e, por fim, os guerreiros. Os nativos pareciam um único organismo agonizante no ventre da floresta.

Foi minha companheira, Potira, mãe de meu filho índio, Membirabitu, quem me esclareceu a natureza da situação. Anhangá é o mal em essência absoluta, ilimitado, o próprio demônio – ou, pensando bem, apenas mais um deles, já que criaturas infernais assombram esta Terra de Santa Cruz, talvez numa tentativa de destruir o paraíso terrestre. É um espectro que assombra e aterroriza, vindo do além-mundo. Aparece sempre para prenunciar desgraças. Persegue furiosamente aqueles que atacam animais com crias e os enlouquece. Em geral, não é visível, mas quando se deixa ver por olhos humanos, toma as formas de espectro ou de animal.

Naquela tarde na floresta – elucidou Potira, minha terna companheira, antes de ajuntar-se também ao desespero coletivo –, ao encontrar Anhangá, o guerreiro não caçava, não cometera qualquer dano a animais prenhes, aves aninhadas ou seus filhotes. Tampouco enlouquecera, embora estivesse terrificado. Só resta, portanto, um motivo para a aparição: uma grande desgraça paira sobre o destino da tribo. Por isso estão lá fora, ainda agora, quando as estrelas já brilham. Clamam a seus Deuses por clemência e socorro.

Aprendi, senão a crer, pelo menos a respeitar as crenças deste meu povo índio. Muito tenho visto, ouvido e sentido de inexplicável. Posso ainda não crer totalmente em seus Deuses, mas não tenho como duvidar de seus demônios. A angústia do momento me contamina. Também levanto uma prece e a lanço ao espaço, pois não sei a qual Deus dirigi-la: se àquele a que fui ensinado a temer desde a infância, incapaz de curar minha esposa doente, este Deus, cuja fé se encontra esgotada em mim, ou se aos Deuses deste povo, mais presentes e menos exigentes. Não, não sei a qual Deus dirigi-la. Peço a proteção para este povo e esta Terra de Pindorama e vejo dias de paz e bênçãos. Que Aquele-que-os-criou possa sempre abençoá-los. É tudo. Lanço ao espaço essa prece sem dono e lhe dou asas para que ela mesma escolha as mãos celestiais onde pousará para clamar por um bom destino.

– Os índios temiam de verdade o Anhangá – disse Jair.

– Sim, tinham verdadeiro pavor dele.

– Compreendeu melhor, Marcela? Anhangá é a figura do mal e, quando aparece, se não causa o mal de imediato, o pressagia. Acho que foi isso que aconteceu comigo quando o vi lá na mata.

– Mas, se você teve apenas um presságio como o tiveram os indígenas, por que correu para nos avisar?

Pedro ficou em silêncio por alguns minutos.

– Para ser sincero, tive mais que um presságio. Tive uma nítida visão do que aconteceria. Tão impactante que não pude duvidar. E ainda bem que não duvidei.

– A presença do Anhangá – disse Caio – deve ter provocado essa visão. Afinal, você já estava tendo alguns sonhos esquisitos, né?

De imediato, Pedro lançou um olhar de recriminação a Caio. Depois, concluiu que já não se importava. Se tivessem de achá-lo louco, já teriam achado. Não importava mais. Acabou dizendo:

– Desde que comecei a ler o livro de Dom Afonso, tenho tido uns sonhos estranhos. Sonho com a floresta, tribos indígenas, um mundo cheio de monstros...

– Parece ser assustador.

– É... é mesmo, mas, para falar a verdade, é mais intrigante que assustador. Nada ainda parece ter um sentido definido.

Pedro preferiu omitir alguns fatos. Não queria fazer as coisas parecerem mais estranhas do que já eram.

– Talvez esses sonhos queiram dizer alguma coisa.

– Pode ser, mas ainda é como um quebra-cabeça.

Cláudia passou as pipocas da panela para uma bacia plástica. Jogou um pouco de sal, retirou algumas delas e entregou a bacia a Pedro. Ele retirou uma mão cheia e passou à Marcela, que lhe imitou o gesto. Depois, estendeu a bacia de volta para Cláudia. Ela recusou e fez sinal para que a repassasse adiante no círculo.

Cláudia percebeu que Inácio contemplava o fogo, calado, imerso em pensamentos desde quando conversavam sobre a Caverna dos Condenados. Resolveu mexer com ele:

– Você também ficou assustado com aqueles esqueletos, Inácio?

– Vixe, menina, nem me fale! Mas os esqueletos me assustaram menos do que as lembranças que eles me trouxeram.

– Que lembranças podem ser tão ruins assim?

– As de um menininho apavorado! Aquela caverna me lembrou de uma história que ouvi na minha terra quando criança e que me aterrorizou até o fundo da alma. Fiquei tão traumatizado que até a adolescência dormia de luz acesa. Chorava se alguém apagasse a luz do quarto enquanto eu ainda estivesse acordado.

– Que história é essa, Inácio? – perguntou Liana.

- Acho que você vai rir...

– Prometo que não. Vá lá, fale logo.

– A Cuca.

– A Cuca? Aquela do *Sítio do Picapau-amarelo*[15]?

– Sim... e não. Todos se lembram da Cuca como aquele jacaré usando peruca e andando de pé, em duas pernas, que passava na TV... podem imaginá-la assim se quiserem, mas a descrição que ouvi e a imagem que fiz dela foi ainda mais terrificante.

– Como você a imaginou? – Liana perguntou.

– Uma criatura tão horrenda que só de falar nela eu quase desmaiava. Ainda hoje me lembro de cada palavra daquela história que ouvi.

– É mesmo? Então conta para gente. Acho que todos vão gostar de ouvir.

– Não sei... não quero assustar mais ninguém. Ainda mais depois dos últimos acontecimentos.

Diante da hesitação de Inácio, Liana levantou-se e falou em voz alta para todos ouvirem:

– Gente, o Inácio tem um conto interessante sobre a Cuca para nos dizer. Ouviu quando era criança e, naquela época, o deixou bastante espantado. Mas ele está com receio de contar aqui e assustar alguém. O que vocês acham?

Choveram exclamações e incentivos. Depois, puxado por Liana, o grupo entoou em coro e com palmas:

– Conta! Conta! Conta!

Liana, ao ver Inácio se levantando, voltou a se sentar.

Ele caminhou até o meio do círculo, respirou fundo para relembrar toda a história, olhou para todos e foi logo avisando:

– Tudo bem, vou contar. Mas o problema depois é de vocês. Quem não dormir à noite não vá me culpar. – Fez uma pausa. – Ainda querem que eu conte?

– Conta logo – disse Liana rindo –, deixa de frescura.

– Tudo bem. Lá vai. Ouvi de um viajante, um mercador de bugigangas, saído daqui do Sudeste, mais precisamente do estado do Rio de Janeiro. Ele era feio como o diabo, e a história que me assustou por muito tempo começava mais ou menos assim:

15 - Antiga série televisiva adaptada dos livros de Monteiro Lobato.

A Gruta das Caveiras

Papão feminino (...) devorando as crianças (...) velha e feia, espécie de feiticeira (...) semelhante ao vago papão luso-brasileiro, ao bicho e ao tutu de vários Estados, ao negro velho de Minas. (...)

*(***CASCUDO,** *Luiz da Câmara. Dicionário do Folclore Brasileiro. Rio de Janeiro: Ediouro Publicações S.A, 1999.)]*

(...) Nana, neném
Que a cuca vem pegar
Papai tá na roça
Mamãe foi cozinhar (...)
(Cantiga Popular)

Cuidado com a Cuca que a Cuca te pega
e pega daqui e pega de lá. (...)
A Cuca Te Pega Dori Caymmi e Geraldo Casé

Contente com a caçada, a bruxa gargalhava. O menino brincava, distraído, quando o apanhara nos arredores da casa-grande e o metera no saco que carregava às costas, bem amarrado. De início, ele gritara e esperneara como todas as outras crianças, mas, agora, estava quieto, cansado. Gargalhou novamente. Ninguém a vira ou a seguia. À medida que caminhava, a floresta ia ficando mais densa e escura. Os sons e odores impregnavam seus sentidos, transportando seus pensamentos ao passado. Ainda podia ouvir com exatidão as palavras do velho pajé:

– Vá, criatura asquerosa! Fruto apodrecido da humanidade! Maldita serás para sempre, bruxa infernal! Perseguiremos teu rastro até tua morte e enviaremos teu espírito aos abismos infernais onde adquiriu teus poderes malignos.

A imagem do pajé ardia em sua memória. A avidez com que matara os curumins a expôs ao ódio da tribo. Sentia fome de carne humana, desde há muito, quando se alimentara pela primeira vez da carne dos inimigos. Quando sua tribo foi destruída, os Puris[16] a encontraram vagando e a adotaram.

Um dia, na floresta, encontrou uma abertura, qual uma gruta, no tronco de uma árvore gigante. Ali entrou e atravessou um portal que levava a um mundo de magia e horrores. Desviando-se de perigos e monstros, encontrou um bruxo que lhe ensinou, em troca das almas de suas futuras vítimas, a arte dos feitiços. A violência e o gosto por sangue lhe cresceram junto com o conhecimento na arte da feitiçaria.

Quando retornou pelo portal entre mundos, o desejo pela carne dos curumins tornou-se incontrolável. Matava-os na floresta e recorria aos poderes malignos para enviar as almas ao seu antigo mestre. Ele se nutria da inocente e virgem energia. Seria assim até o fim dos tempos.

Carlinhos se culpava. Poderia ter escapado se tivesse observado a bruxa se aproximar. Quando fora atacado, brincava distraído no quintal com seus bichinhos esculpidos em madeira. Resistiu. Tentou escapar, mas as garras ásperas e poderosas o agarraram e o jogaram no saco. Depois, a dor. Fora golpeado inúmeras vezes e cada uma delas acertou partes diferentes de seu corpo. Gritou e chorou. Ninguém o socorreu.

Mal podia respirar. Os pequenos furos no saco fétido eram insuficientes para deixar passar o ar fresco. O corpo doía. Cada vez que tentava se acomodar levava uma pancada. Começou a se sentir zonzo. Tinha medo. As gargalhadas da bruxa o assustavam.

16 - Indígenas do grupo macro-jê, chamados Coroados. Viviam no sudeste.

Era noite quando Carlinhos sentiu que caía. Desta vez seu grito de dor soou apenas como um gemido. Foi retirado do saco e jogado a um canto pelas mesmas garras asquerosas. O lugar cheirava a dejetos e carniça, mas, enfim, pôde esticar o corpo. Pôs-se de pé. Tateou no escuro e percebeu que havia uma cerca ao redor. Fraco, após o esforço, sentiu tontura e desmaiou.

Amanhecia quando acordou. Percebeu as grades da jaula de madeira em que estava, e, por entre elas, viu a floresta densa, de onde vinham sons de pássaros e animais silvestres. Encontrava-se num pequeno descampado, frente a uma gruta. Na entrada, havia caveiras dependuradas e, para dentro dela, a escuridão. Calafrios percorreram sua espinha. Voltou a olhar o descampado. Havia madeiras empilhadas, palha e capim secos. Um grande caldeirão negro e restos de fogueira. Do lado oposto, pilhas de ossos. Pequenas caveiras denunciavam pertencer a crianças. Perturbado, Carlinhos começou a chutar as madeiras da jaula e voltou a gritar de dor e desespero.

No lado fluminense do Vale do Paraíba, nas florestas virgens do interior, em meados do século XVII, fora fundado pelo Dr. Gouveia o Engenho de cana-de-açúcar Santa Maria. Uma estradinha de terra dava acesso ao vale.

Naquela manhã, o engenho, acostumado à relativa tranquilidade, estava agitado e barulhento. Uma atmosfera nervosa pairava no ar. A rotina havia sido interrompida. Escravos, trabalhadores livres e familiares de Carlinhos, o filho desaparecido do senhor do engenho, o procuravam. Acalentando a esposa em prantos, o Dr. Gouveia tentava ser racional. Já havia procurado o menino pela casa, sem sucesso. A área externa era enorme. Dera ordens diretas e objetivas a cada homem e mulher ali presente: vasculhar cada centímetro da propriedade – e além, se preciso fosse. Esgotada a manhã sem qualquer novidade, decidiu que também iria participar das buscas. O choro da esposa se tornou mais intenso à medida que o Dr. Gouveia se afastava. Ele não voltou atrás. Duas horas haviam se passado desde o começo das buscas. Talvez quatro do desaparecimento, posto que o garoto não fora mais visto após o café da manhã. Enviou um dos empregados à Vila das Nascentes, povoado de bandeirantes, para contratar dois mateiros; úteis, se necessárias as buscas floresta adentro.

Sabia que a cada momento as chances de Carlinhos estar vivo diminuíam. Poderia ter caído num buraco, numa ribanceira, ou se perdido na floresta. Animais ferozes ou peçonhentos poderiam atacá-lo. O Dr. Gouveia alarmou-se com os próprios pensamentos. Montou o cavalo e trotou devagar. Ao ver uma das crianças de seus empregados passar correndo pelo quintal, seu coração de pai se apertou. Seus pensamentos divagaram até a infância. Os pais, vindos de outro estado, haviam comprado aquelas terras, onde ele fundara, anos depois, o Engenho Santa Maria. Eles sempre o advertiam sobre os perigos ali existentes.

Cuidado com onças, lobos, jacarés, cobras e escorpiões! Podem matá--lo se você não estiver alerta. Evite-os!

Ensinara Carlinhos sobre caças e caçadores. O menino, com apenas nove anos, sabia se virar. Já o levara a caçadas. Ainda assim, havia a chance de ter sido atacado.

Fique longe de estranhos. Cuidado com ciganos ou forasteiros. Se forem malignos e o pegarem, o levam para sempre daqui.

Essa advertência o assustara durante toda a infância. Passara a olhar ressabiado até mesmo para os amigos não muito presentes de seus pais. Os ciganos se haviam ido e nunca mais voltaram, como os anos de sua infância.

Uma pena colorida presa a um pequeno osso, caída no meio da grama, chamou a atenção do Dr. Gouveia. Apanhou-a. Um pensamento sombrio o dominou. Num golpe, o Dr. Gouveia esporou o cavalo, saindo em disparada pela estrada. Não havia mais ciganos em Santa Maria. Nem forasteiros. Mas havia índios... A meio-dia de viagem a cavalo ficava a aldeia dos Puris.

O sol estava a pino quando Aruã, o velho pajé, viu o homem branco, carregando uma arma de trovão, invadir a aldeia. Gritava e gesticulava sem parar, visivelmente irritado e nervoso. Corria, assustava os curumins e incomodava a tribo.

Quando ainda era uma criança, Aruã chegara com o avô e o restante da tribo àquela região em busca da *Terra Sem Males*[17] , fugindo dos brancos. Por muito tempo, tiveram paz, mas um dia os invasores alcançaram o lugar. Seu avô fez um acordo com o chefe branco: não os incomodaria se também não fossem incomodados. O tempo dos avós se passou. Aruã já era um velho. Não queria iniciar uma guerra e não esquecera o acordo. Talvez, aquele branco, sim.

Os guerreiros da tribo cercaram o homem branco e o arrastaram até diante de sua presença, o único capaz de se comunicar com o não-índio e, assim, o único na tribo capaz de determinar o seu destino. Vendo que o branco se debatia para livrar-se daqueles que o seguravam, Aruã ordenou que retirassem dele a arma que carregava e o soltassem.

O homem branco falou sem parar. Gesticulava, apontava para a direção de onde viera e, depois, para os curumins.

Aruã não entendeu o que dizia. Foi ouvindo, ouvindo, até reconhecer as palavras: Santa Maria... pai... menino. Só compreendeu de fato o que levara o homem ali quando este, entre gritos e gestos, lhe mostrou a pena agarrada ao osso. Aruã aproximou-se e tomou o objeto de suas mãos. Observou-o

17 - Ivy marãey – Mito Guarani de uma terra de bonanças, livre de qualquer mal.

detalhadamente. Já vira outros idênticos àquele. Faziam parte de um colar que pertencia a alguém que mergulhara nas sombras e na escuridão. Jogou-o no chão, enojado e furioso. Enfim, compreendeu o homem à sua frente.

Viu-se forçado a encarar o passado da tribo e a ameaça presente desde tempos imemoriais: a feiticeira demoníaca, banida, sempre combatida pelos guerreiros Puris. Atacava furtivamente, arrancando curumins do seio da tribo. Dessa vez, ela capturara um dos pequenos brancos. Aruã deu ordens a seus guerreiros: iriam com o homem ao esconderijo da bruxa carniceira. Mais uma vez tentariam dar fim àquele mal. Retirou de seu pescoço um colar e o pôs no homem. Este fez menção de retirá-lo, mas o pajé insistiu que ficasse com ele e acompanhasse os guerreiros da tribo. Sua arma lhe foi devolvida.

Ao perceber que o homem ficara confuso, o pajé apontou para fora da aldeia e disse na língua dos brancos:

– Menino...

O sol já estava a pino quando Teobaldo e Sebastião, dois bandeirantes vindos da Vila das Nascentes, esporaram seus cavalos, partindo do engenho para a aldeia Puri. Não gostavam de índios, mas tinham de ir ao encalço do Dr. Gouveia.

A trilha na floresta era estreita. Árvores e arbustos espinhosos dominavam o ambiente. Os índios avançavam com dificuldade. O colar de um deles rebentou após emaranhar-se num galho. Os outros pararam e lhe apontaram a aldeia murmurando para que retornasse. Para não parecer covarde, o índio não se importou e continuou a seguir em frente. Cruzavam uma clareira natural, onde o chão era uma laje de pedra, próxima à margem dum rio. A trilha recomeçava adiante, tão densa quanto a anterior.

Avançavam de forma lenta e alerta. Secando a testa com um braço, o Dr. Gouveia se preparou para uma possível luta. Pelo que entendera do encontro com o velho pajé, alguém que conheciam sequestrara seu filho. Os índios, se não temiam tal pessoa, respeitavam seu poder. Agiam como caçadores à espreita de uma caça feroz, a qual também podia atacá-los. O senhor de engenho não sentiu medo. A perda do filho o enfurecera.

Os índios farejaram o ar, interrompendo a marcha. Gesticulavam entre si, sem emitir palavras. Dr. Gouveia viu, por detrás das folhas de um arbusto, o descampado e a entrada de uma gruta. Um dos índios imitou o som de um pássaro, e todos avançaram, cautelosos, empunhando suas armas. O brilho do sol no descampado fez arder seus olhos, e o cheiro de carniça e fezes impregnou suas narinas.

O Dr. Gouveia estremeceu ao notar a pilha de ossos e os crânios dependurados. Viu a jaula que continha um pequeno corpo e correu para ela, gritando pelo nome do filho. Antes que pudesse alcançá-la, os índios gritaram ainda mais alto. A entrada da gruta passara a exalar intensa fumaça negra. Dela, saltara uma velha repulsiva, corcunda, mais parecida com uma besta-fera, a gesticular e grunhir furiosa. O índio que perdera seu colar, caiu no chão, enlouquecido. Atingido pelo feitiço da bruxa, tirara sua própria vida com a lança que carregava. Os outros, protegidos pelos colares que portavam, nada sofreram.

Todas as armas dispararam ao mesmo tempo.

Após deduzir a intenção dos estranhos homens, o pajé indicou um jovem índio, desejoso de mostrar bravura, para guiá-los aos domínios da bruxa. Após a longa caminhada, o índio lhes indicou a clareira adiante e retornou correndo para a aldeia. Os dois bandeirantes entreolharam-se e continuaram a caminhar. Chegaram arranhados e suados, à entrada da gruta. Assustaram-se ao ver os corpos estraçalhados pelo descampado. Havia sangue por toda parte. Teodoro vomitou. Sebastião observou os cadáveres, tentando achar algo que explicasse tanta carnificina. Ouviu um resfolegar num dos corpos. Correu até ele.

– Santo Deus... Dr. Gouveia! Dr. Gouveia!

O corpo do senhor do Engenho Santa Maria era todo sangue e feridas. À beira da morte, respirando com dificuldade, deixou escapar:

– A bruxa... Um monstro... Carlinhos...

– Onde... onde está o garoto?

O bandeirante não obteve resposta. O corpo em seus braços ficou inerte. A morte o silenciou.

Sebastião achou que o Dr. Gouveia delirara em seus últimos momentos de vida. Deduziu que um grande mal os atacara e poderia voltar. Também não se julgou apto a enfrentar a mesma ameaça.

Teodoro, recuperado, viu um leve movimento na jaula de madeira. Foi se aproximando devagar, com a arma engatilhada, e viu que, misturado às folhas secas, havia um pequeno corpo tremendo. Aproximou-se mais para discernir que animal seria aquele. Para sua surpresa, descobriu ser uma criança, um menino. Gritou:

– O menino... Está aqui! Está vivo!

Carlinhos estava quieto, pálido e indefeso, em estado de choque. Não tinha mais forças para se movimentar, gritar ou chorar.

Sebastião correu para a jaula. Tentou abri-la e não conseguiu. Estava fortemente amarrada. Pegou uma das lanças caídas no chão, e a usou como alavanca entre as grades da jaula, quebrando-as. Teodoro arrancou os gravetos e criou uma abertura por onde puxou o garoto, pegando-o em seus braços.

– Vamos levá-lo e sair logo deste lugar amaldiçoado.

Então, ouviram algo que os fez se arrepiarem da cabeça aos pés: uma gargalhada demoníaca ecoou pelo descampado, vinda do rio que margeava a floresta mais abaixo. A bruxa estava voltando para a gruta.

Teodoro correu com o menino no colo. Sebastião o seguiu. Ao lançarem um olhar para trás, os bandeirantes viram a mais horrenda criatura que poderiam conceber. A velha bruxa urrava de ódio. Viram-na se jogar ao chão e se transformar num enorme jacaré-açu. Sebastião gritou para que Teodoro corresse. Tentaria atrasar o monstro.

Jogando o corpo frágil do menino sobre o ombro esquerdo, Teodoro correu pela floresta. Ouviu tiros. Continuou correndo. Seu rosto estampava o terror e o desespero de quem foge da morte... Ouviu mais tiros. E os gritos de Sebastião. Por fim, o silêncio.

Teodoro concluiu que Sebastião estava morto; e a criatura, em seu encalço. A respiração ficou pesada. O corpo dolorido não respondia como nos primeiros momentos; sua velocidade diminuíra. Ouviu o barulho de algo se arrastando pela mata e temeu por suas vidas.

Chegou à clareira na floresta e deteve-se admirado. Uma fumaça branca emanava de uma fogueira, empesteando todo o lugar com um cheiro embriagante. O velho pajé, de braços abertos e com um maracá, bradava algo, orando aos seus Deuses. Ao redor dele, dezenas de índios armados com lanças e flechas formavam um círculo. Outros se encontravam de pé nos grossos galhos das árvores.

Teodoro avançou devagar, procurando atingir a outra ponta da trilha. Estava exausto. Entre a curiosidade e o recuperar do fôlego, viu o pajé se jogar ao chão e rastejar ao redor da fogueira, entoando em voz alta um incessante e estranho canto. Os índios que formavam o círculo, pulando numa marcha, repetiram o canto e estenderam sua mão para o pajé. O corpo do velho índio fora coberto por uma bruma que se agigantou. De repente, o silêncio se fez. Teodoro procurou enxergar o velho. Não conseguiu. Em seu lugar, havia apenas o enorme tronco de uma árvore estirado ao chão. O barulho na mata cresceu. Algo estava vindo para a clareira. Os índios prepararam-se para atirar.

Quando o enorme jacaré-açu apareceu, uma chuva de flechas e lanças se abateu sobre ele. Nenhuma delas conseguiu penetrar seu couro. Teodoro viu o que julgara ser o tronco caído de uma árvore ganhar vida: uma sucuri gigante ergueu parte de seu corpo do chão para atacar o jacaré. Atracaram-se, com a sucuri enrodilhando-se no corpo do jacaré num abraço mortal.

A luta continuou feroz mesmo quando os dois répteis rolaram em direção ao rio, afundando em suas águas. Nesta altura, Teodoro recuperou a noção da urgência de sair dali e voltou a correr pela trilha.

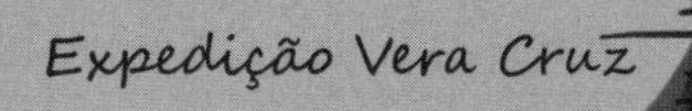

Chegando à aldeia, Teodoro montou em seu cavalo, acomodou o menino, segurou-o com um dos braços, e dali partiu a galope.

O Engenho Santa Maria teve um princípio de alívio e comemoração ao verem Carlinhos chegar vivo, embora inconsciente. Entretanto, qualquer alívio com o fato logo foi extinto quando se soube que o Dr. Gouveia morrera tentando salvá-lo.

Os pensamentos iam velozes na cabeça do bandeirante Teodoro enquanto tomava o destino da Vila das Nascentes. Tinha agora uma difícil missão: explicar aos outros bandeirantes as mortes do amigo Sebastião e do Dr. Gouveia, senhor do Engenho Santa Maria. Teve calafrios ao lembrar-se dos momentos que vivera. Nunca mais se aproximaria das matas fechadas da região.

Às margens do rio, no coração da densa floresta, um imenso jacaré-açu se arrastou lentamente de volta para a gruta escura...

Quando Inácio terminou de contar a história da Cuca que tanto o assustara na infância, disse:

– É isso, pessoal. Assim termina a história. Ou continua, porque a Cuca pode aparecer a qualquer momento. Lembrem-se: foram vocês que pediram para ouvir.

Sentou-se novamente no círculo.

– Rapaz – disse Jair –, é compreensível que essa história o tenha assustado quando criança. Eu mesmo me arrepiei aqui. Ainda bem que estou gravando tudo em vídeo. Vou ter muito material para trabalhar quando voltar à cidade.

– Confesso que nunca havia pensado numa Cuca tão feroz – disse Cláudia.

Liana comentou:

– Entendi agora porque você esteve receoso em contar.

Antônio chegara a tempo de ouvir a história. Ruminou seus pensamentos por um instante antes de dizer:

– Aqui em Minas, são o Negro Velho e o Bicho Papão que sempre assustam as criancinhas. Eles botam elas num saco e levam para longe, para devorá-las sossegado.

Cláudia, que era professora há anos, concordou prontamente.

– Sim, Antônio. Em algumas canções do folclore e de ninar, aparecem esses monstros que aterrorizam as crianças. Além da Cuca, do Negro Velho, do Bicho-Papão e seu assemelhado, o Tutu, me lembro também da Cabra Cabriola e das Bruxas e Feiticeiras que sempre as querem cozinhar em seu caldeirão.

– E você, Pedro – perguntou Marcela –, o que o assustava quando criança?

– A mim, era assombração. Tinha medo de alma penada, fantasma.

– Ah, mas isso todo mundo tem – disse Caio. – Por mais que diga que não tem, sempre possui um medinho lá no fundo. Basta estar no lugar mais medonho possível, no escuro e de preferência só. O medo aparece, pode crer.

– E como surgiu esse medo, Pedro?

– Simples. Acordei no meio da madrugada, no escuro, e enxerguei um velho todo enrugado, de chapéu de palha, barbudo, próximo à minha cama. Eu era apenas um garotinho, e aquela cena nunca mais saiu de minha cabeça, porque eu tive certeza de que não estava sonhando. Não havia ninguém no meu quarto. Só aquela aparição.

– O que você fez?

– Quando percebi que era um fantasma, me cobri todo e fiquei tremendo debaixo das cobertas. Não dava para ir até meus pais porque teria de passar pelo fantasma.

Antônio concluiu o assunto:

– Vocês podem não acreditar, mas que essas coisas existem, ah, isso existem.

Foi um riso geral.

Bira, o filho de Antônio, veio chegando de longe, tocando violão, acompanhado por um amigo. Cantavam uma daquelas canções sertanejas de amor perdido. Foram entrando no meio do círculo de pessoas, de costas para a fogueira e, enquanto cantavam, faziam uma divertida apresentação teatral. A música contagiou primeiro as mulheres que começaram a cantar e depois os homens, que com elas dançaram e se divertiram. Depois de algum tempo, Bira parou de cantar e disse, entre um acorde e outro de seu violão:

– Vou contar para vocês uma história...

...com certeza já ouviram falar...

...mas não como eu a ouvi sendo contada...

...ela era uma mulher bela e sedutora...

... e ele...

...bem, vamos à história:

Sedução e Pecado

Diziam também que as mulheres de má vida relacionadas com padres, se transformavam, tarde da noite, em mula-sem-cabeça, e conduzindo na cauda um facho de fogo, que nenhum vento ou chuva apagava antes de romperem as barras do dia...

(NETO, J. Simões Lopes. Contos gauchescos e lendas do sul. Porto Alegre: L&PM, 2002.)

Tem por sina correr sete cidades todas as noites, em que sai, e anda sempre em carreira desabrida, soltando rinchos pavorosos (...). Encontrando ser humano, mata-o de coices (...).

(GOUVEIA, Daniel. Folclore Brasileiro. Rio de Janeiro: Pongetti, 1926)

Dona desses traiçoeiros
Sonhos sempre verdadeiros
Não há pedra em teu caminho
Não há ondas no teu mar
Não há vento ou tempestade
Que te impeçam de voar
Entre a cobra e o passarinho
Entre a pomba e o gavião
Ou teu ódio ou teu carinho
Nos carregam pela mão
É a moça da Cantiga
A mulher da Criação
Umas vezes nossa amiga
Outras nossa perdição
O poder que nos levanta
A força, que nos faz cair
Qual de nós ainda não sabe
Que isso tudo te faz
Dona
Dona (Sá e Guarabyra)

Da porta dos fundos da casa, ela observou o jardim iluminado pela lua cheia. Aspirou o ar fresco da noite, perfumado pelas flores que pareciam sorrir à sua passagem. Há muito não se sentia tão bem, leve como os pássaros que brincavam durante o dia nos galhos do ipê amarelo. Era primavera. No ambiente e na alma de Tereza. Sorriu para si mesma enquanto durou aquele estado de torpor e êxtase. Que mal haveria em tentar ser um pouco feliz, em meio ao sofrimento de sua cotidiana solidão?

Ele a observou pela janela, afastando-se. Sentiu um misto de satisfação e sossego regado a arrependimento. Receava por ela. Lembrava-se ainda da primeira vez em que a vira e desejara. Evitou a todo custo cair nas garras da lascívia e da devassidão, mas fora pego de surpresa: ela não era apenas uma mulher. Ah, isso não. Ela era a visão de um anjo de inocência aliada à imagem de um demônio da sedução.

Vestia-se de forma simples e recatada. A fêmea que era, entretanto, explodia por baixo daquela milimétrica espessura de pano da qual consistia seu comprido vestido. Se a tudo ele escondia, deixava entrever, num movimento ou outro, o balanço dos seios, das nádegas e dos quadris, e incitava a imaginação alheia a pressentir a suavidade e beleza de suas curvas, o volume e a maciez de sua carne. As roupas eram incapazes de esconder a voluptuosidade daquele corpo.

Na presença dela, Davi precisava lutar: o ar lhe faltava, o coração disparava como se houvesse feito hercúleos esforços físicos, o estômago se remexia, e o ardor despertado incitava seus mais reprimidos desejos, impedindo a entrega aos santos ofícios. Era atormentado sem tréguas pelo desejo visceral, esse demônio que assaltava sua mente e lhe tirava a razão, transformando-o num monstro... incapaz de pensar e de avaliar seus atos e as consequências deles, senão muito após os desejos terem sido saciados. Aí, lhe sobrevinham o arrependimento e a dor. Pelo menos até que novamente o desejo vencesse a razão e a moral.

A culpa o invadia ferozmente e apontava seu erro. Sabia ter falhado. Porque sucumbira ao capital pecado, sacrificando e violando a pureza, real ou imaginária, não saberia dizer ao certo, de uma de suas ovelhas. Sabia ser o culpado, ele, o sábio e refinado, educado e maduro, erudito e santo homem, o qual sucumbira ontem e hoje, e sucumbiria sempre, diante da visão da inocente donzela, qual Eva também o fizera diante da suculenta fruta que dourava ao sol e balançava aos ventos, na Árvore da Vida.

Jamais poderia julgar Eva por ter colhido e mordido a maçã. Falhara ainda mais brutalmente. Caíra no fundo do poço em que sua moralidade fora atirada. Baixou a cabeça pedindo, pela milésima vez, perdão à própria consciência pelos atos que lhe pareciam infames. Não conseguia mais olhar para a cruz à sua frente. Não se sentia digno. Uma sombra enevoava sua visão, tomava forma de algum ser das trevas e o acusava de ter traído seu próprio Deus.

Em nenhum momento, porém, lhe passara a ideia de largar o sacerdócio.

Lembrava-se ainda das palavras que dissera, aquelas que libertaram os sentimentos represados em ambos e destruíram o verniz de civilização e distanciamento que mantinham: *Pobre criança desamparada e sedenta de amor, não sofra mais... Quisera eu poder saciar teus íntimos desejos...*

Ela, sem nada dizer, apenas o olhou com olhos pedintes e gulosos, aproximando-se e entreabrindo os lábios carnudos.

O padre Davi ficava assim: a remoer seu infortúnio até que a sedutora visão da fêmea desejada lhe invadisse novamente a memória. Sabia que fora o culpado por tudo. Tentado, tentara também a ela.

Após se despedir, sair pela porta e deixá-lo, ela caminhou de volta para casa. Primeiro, sentiu-se exultante, depois, de bom humor e, por fim, uma pecadora. Então, à medida que seus passos encurtavam o caminho de volta, relembrava a sofrida vida cotidiana. As brigas com o marido, a aridez dos sentimentos, a violência doméstica, os maus-tratos, o coração ressequido por falta de amor... Um amor não correspondido. Negado, perdido e amortalhado pelo marido infiel, rude e alcoólatra que agora se encontrava doente, velho e decrépito. Sentiu náusea das lembranças e dos sonhos desfeitos e partidos, do eterno desejo de ser amada, de amar, de entregar-se... Uma ponta de esperança... e seu coração queria voltar a sentir. Uma lágrima escorreu por seu rosto. *Onde está o pecado, senão na inocência? Onde está a culpa, senão no desejo?*

Pensou nos momentos recém-vividos e sentiu o rubor lhe invadir o peito, sentia pouco arrependimento e uma prazerosa satisfação como quando criança que, mesmo sabendo ser errado, roubava alguns doces do pote da vovó, sem que ela percebesse. Resistia, mas, ávida e excitada, como poderia recusar a oferta de prazer concentrado que aqueles doces lhe ofereciam? Da mesma forma, com que forças resistir à gentil e calorosa afeição oferecida por ele?

Ao mesmo tempo sua consciência a acusava: traía não só ao marido como a Deus? Tornar-se-ia uma mulher maldita por desejar um pouco de felicidade?

Ainda se lembrava de como a represa dentro de si estourara, após ouvir a voz dele. Apenas o olhou. Naquele exato instante, perdera suas certezas, já não poderia afirmar se foi ele, ela ou ambos quem dera o próximo passo.

Até então, em seu íntimo, ela sabia ser a responsável por tudo desde o primeiro momento. Talvez ele achasse que a seduzira. Estava enganado. Ela o avaliara muito antes, medira seus atos e, aos poucos, jogara-lhe pequenas armadilhas de sedução aqui e ali – uma palavra, um olhar, um gesto de carência, um sorriso meigo, a malícia dissimulada de inocência, um botão perdido da blusa, que deixava entrever uma ínfima fresta dos seios, os vestidos tão demoradamente escolhidos, sempre recatados, mas que insinuavam provocantemente suas curvas, e, claro, as confissões... Palavras e frases orquestradas para despertarem a compaixão e o dever de proteção que todo macho tem dentro de si pelas fêmeas que o circundam...

O ímpeto carnal acontecera num piscar de olhos. Ainda assim, se sentia inocente. Era vítima de um destino que não lhe ofereceu felicidade. Que mal haveria em buscar um pouco dela, ainda que num lugar proibido, se este lhe parecia ser o único possível?

A consciência moldada na infância pela rígida educação, não a deixava em paz. Acusava-a de pecadora de forma nua e crua: era ela, Tereza, a fêmea pecadora, a fêmea adúltera, a única culpada por tudo. Imersa nesses pensamentos, avistou a sinistra figura negra que vinha há semanas assombrando-a, cruzando seus caminhos, surpreendendo-a em suas reflexões e em seus planos, dizendo-lhe que desistisse de seus intentos enquanto ainda era tempo. Ficara intrigada e assustada. Como poderia algum desconhecido, ainda que não deste mundo, saber sobre seus mais íntimos segredos?

Coisa de bruxos – foi o que pensara. Esquivava-se da negra sombra, e ela, misteriosamente, sempre a encontrava. E na escuridão dizia:

– Afaste-se do santo mancebo enquanto pode ou uma antiga maldição cairá sobre tua cabeça.

– Quem é você? Por que me atormenta? – ela se queixava, desesperada e aflita.

Como sempre lhe acontecia ao ver o vulto negro, ele sumiu sem deixar vestígios. E um calafrio lhe passava pela alma. O medo do sobrenatural a dominava. Os anseios, entretanto, lhe invadiam a mente, fazendo-a esquecer-se da negra aparição. Seus dias seguiam comuns, e seus planos se traçavam vagarosa e plenamente, não sem culpa ou medo, embora sempre com irresoluta certeza e prazeroso deleite.

No entardecer daquela quinta-feira, os nós foram desfeitos. Bloqueios se estouraram, e braços se apertaram. As bocas se buscaram ávida e sofregamente, e dois corpos febris se uniram num enlace antes proibido e sacrílego, mas que o fervor e a ânsia carnal tornaram justificado e aceitável, momentaneamente, à moral de ambos. Uniram-se, escondidos dos olhos alheios, e se entregaram aos prazeres da carne. Assim ficaram por horas, até quase a meia–noite, quando se despediu e tomou o caminho para casa.

De longe, avistou a maldita figura que a atormentava. A terrível escuridão passou ao largo, encarou-a, abriu os braços à distância e desapareceu como se de névoa fosse. Tereza estranhou, porém, respirou aliviada e seguiu seu caminho. A luz do luar estava intensa. De repente, sentiu-se cansada e enfraquecida, achou que desmaiaria. Encostou-se numa árvore. Viu suas forças apagarem-se num desmaio. Seu corpo entrou em convulsões febris. Transformou-se numa mula. A cabeça e a cauda inflamaram-se. As patas viraram lâminas afiadas, e o instinto, junto com uma força descomunal nascida dentro de si, a fez disparar pelas ruas, mordendo e pisoteando qualquer um que atravessasse seu caminho.

O tempo escoava rapidamente. Era um sonho estranho e nítido. Ela não pensava. A loucura explodia numa natureza animal, feroz e medonha. Um ódio mortal a dominou. Nada mais importava a não ser disparar velozmente pelas ruas. Procurava algo. Em algum lugar do seu íntimo, por baixo das camadas de fúria e violência, uma minúscula gota de compreensão, cercada e subjugada pelo oceano da loucura, apontava que um outro ser, daquela outra metade que a completasse no ânimo animal, era o objeto maior de sua carência: tornara-se uma fêmea desvairada no cio.

Onde encontraria aquele que iria saciar seus desejos ferozes e implacáveis? Onde estaria tamanha fera, inflamada em fogo, para lhe apaziguar a ânsia incontida, que a tornava uma criatura das trevas? No galope sentiu apenas o rasgar do vento em seus pelos e o trotar das longas pernas. Viu pessoas se afastarem aos gritos, outras morrerem massacradas por seus cascos afiados como navalhas, mordidas pelos dentes dilacerantes. Tudo se tornou sangue e escuridão. Ódio. E fogo. Gemia como mulher e urrava como besta. Metade fêmea e metade monstro, não cabia mais dentro de si mesma. A loucura invadia suas entranhas. A dor e o ardor a consumiam em brasas ardentes...

Ouviu o primeiro cantar do galo, e alguma coisa, uma forte e estranha sensação lhe percorreu o corpo; depois, num segundo cantar do galo, a sensação foi tão violenta que ela se empinou sobre as patas traseiras, parando a correria; no terceiro cantar do galo, abriu os olhos e despertou...

A aurora nascera, estava nua, sem saber o que acontecera, uma amnésia nublava seus pensamentos. Não sabia que fora monstro e fera e que havia massacrado a muitos. Viu o próprio corpo todo escoriado e sujo de sangue... Um sangue que não era o seu. Visões estranhas, desconexas e cheias de morte a assombraram, o inferno se abriu perante seus olhos. Trêmula e assustada, gritou, sentindo-se doente.

Correu para casa, envergonhada pela nudez. Por pouco não fora surpreendida pelos habitantes da vila que se aventuravam cedo pelas ruas, para seu cotidiano rural.

O marido, entrevado na cama e ainda adormecido, não a notou. Tereza tomou um banho demorado para limpar de si não só a sujeira do corpo, mas também a culpa que sentia.

A comunidade do lugarejo ficou assustada. Sete pessoas haviam sido mortas pela mula: um mendigo, dois lavradores, o sacristão da igreja, o Dr. Marcos, médico da vila, e duas mulheres. Nas noites seguintes, mais mortes voltaram a acontecer, os habitantes da pequena vila se acharam amaldiçoados e perseguidos por um demônio.

Aterrorizados, reuniram-se, buscando uma solução. Entre discussões acaloradas e inúteis, encarquilhado em cima de sua bengala, tido como senil, o velho Isaías gritou, delirante, aumentando ainda mais o clima funesto e diabólico que jazia sobre o ambiente:

– *Porque eis que o Senhor virá em fogo, tornando Sua ira em furor e Sua repreensão em chamas para converter a terra em assolação e dela extinguir os pecadores. Examinem suas consciências, povo pecador, porque teus pecados estão nos amaldiçoando. Procurem entre si a causa da maldição, extirpem-na de nosso meio ou pereceremos todos na ira do Senhor.*

As palavras do decrépito Isaías, ditas à custa de grande esforço, esgotaram-no; seu corpo ressequido desequilibrou-se e caiu. A cabeça bateu fortemente no chão, e a escuridão o alcançou. As palavras de Isaías soaram aos ouvidos dos crentes e tementes a Deus, também pecadores, como o próprio anúncio do Juízo Final. A morte dele agravou-as. Lamentaram, caíram de joelhos, oraram. E voltaram-se para o padre: que ele derramasse bênçãos e retirasse o mal daquele lugar. O padre, no entanto, com a consciência lhe queimando e acusando, sem poder ainda olhar para a cruz, lembrou que todos, inclusive ele, não estavam isentos de terem cometido algum pecado e que deveriam expiá-los com rezas e sacrifícios.

O povo da vila organizou procissões, oferendas, missas, cantos e confissões. A mula, todavia, continuou a aparecer e a matar. Então, o povo começou a vigiar um ao outro, a apontar os erros e infligir castigos de expiação. Alguém disse que por meio do fogo é que deveriam ser purificados todos os pecados. Pobres pecadores, os mais simples e humildes primeiro, foram queimados em imensas fogueiras acesas na praça principal. E a mula continuava a aparecer e a matar.

Vendo que tudo que faziam era em vão, voltaram-se para o padre mais uma vez. Ele que havia confessado não estar isento de pecados não seria o culpado por algum sacrilégio? Seus atos passaram a ser investigados. Estaria satisfazendo mais que o desejo de perdão de alguma beata? E, se fosse esse o motivo da ira divina, deveriam descobrir aquela que era a tentação do sacerdote, a adúltera pecadora, a causa da terrível e demoníaca aparição. Então, vigiaram aquelas que iam se confessar. Foram questionadas por um improvisado tribunal de inquisição.

Tereza explicou suas escoriações como um tombo que levara. Ninguém duvidou, pois como duvidariam de tão disciplinada dona de casa, entregue aos serviços do lar e às exigências do velho marido doente? Antes, recaíam as dúvidas sobre outras jovens senhoras, salientes e espevitadas.

A despeito de tanta perseguição, nunca se descobriu nada. Certo é que, numa noite de lua cheia, o padre, atormentado pela consciência, após saciar a paixão na carne de Tereza e se despedir dela, seguiu-a e a viu se transformar na mula dos infernos. Segurando o crucifixo, entrou em sua frente, tentando exorcizá-la. Foi pisoteado, e o fogo que ardia na cabeça da mula se alastrou por sua batina e queimou seu corpo já inerte.

Tereza continuou sua pacata vida. A morte do padre a redimiu. Durante o dia, cuidava do marido doente. Descobriu, no entanto, que poderia aplacar sua solidão ajudando a outros solitários... Foi assim que, nas madrugadas, passou a oferecer aos pobres e solitários homens da vila sua mais íntima atenção...

O mundo, entretanto, é cheio de padres, beatas e lugarejos. A maldição da mula continuou em galopes e matanças noutros lugares. Nas sextas-feiras, os mais corajosos conseguem enxergar, pelas frestas das janelas, a mula maldita galopando rápido, gemendo, relinchando e distribuindo mortes violentas...

Bira fez um gracejo e disse:

– Aqui termina, minha gente, nossa apresentação desta noite. Agora me deem logo esta bacia de pipocas que não aguento mais ficar só sentindo o cheirinho e vendo vocês comerem.

Todos riram. Bira e seu companheiro sentaram-se entre eles. Cláudia colocou mais milho de pipoca na panela para estourar. Quando se aproximou da fogueira, entretanto, um morcego passou bem perto, quase trombou com ela, mas desviou-se a tempo e continuou voando em rasantes ao redor. Cláudia soltou um gritinho:

– Ai, um morcego!

O riso foi geral.

– Deve ter vindo lá da caverna – disse Jair – e está nos seguindo.

– Talvez seja um vampiro – brincou Manoel – e tenha se interessado por você, Cláudia.

– Não digam bobagens, rapazes – ralhou Cláudia.

– Alguém já ouviu falar dos Tatus-brancos? – perguntou Pedro.

– Brancos, não – respondeu Caio –, a não ser que sejam albinos. Porque o tatu tem uma cor bem característica, que não sei definir bem... Parece um bege-amarelado.

– Não é isso, Caio. O nome não se refere à cor dos tatus. Tem um trecho no livro de Dom Afonso que leva a crer que eram criaturas noturnas que caçavam os índios...

Pedro começou a folhear rapidamente o livro, buscando a parte a que se referia.

Inácio falou:

– Pessoal, essa história da Mula sem cabeça me lembrou também das histórias de amor proibido de minha terra, lá no Amazonas. Estes amores não resultavam em punições, não. Mas em filhos... filhos do boto...

– Filhos de quê? – perguntou Marcela.

– Do boto. Aquele golfinho de água doce. Já ouviu falar dele, né?

– Ah, sim, agora entendi. Me recordo vagamente dessa lenda. O boto seduz as mulheres, é isso?

– Por aí. Quando eu era menino lá em Manaus, ouvia dizer que olho de boto dava sorte para arrumar namorada. Nunca acreditei. E sempre senti pena do coitado do golfinho, morto por uma crendice que ninguém sabe quem inventou. Acho que, no fundo, as pessoas tentavam encontrar um meio de justificar o encantamento do boto e diziam que eram seus olhos que encantavam.

– Mas que encantamento era este, o da sedução? – quis saber Liana.

– Esse mesmo. Ninguém sabia explicar, e nem sabe ainda hoje, os filhos sem sobrenome, sem pai humano. Não importa que exames de DNA façam na população inteira, nunca encontram o pai. Já aquela que se deixou encantar apenas afirma com a certeza de suas lembranças:

– *É filho de boto mesmo.*

– Ah, Inácio, reconte logo essa história do início... – disse Marcela –, acabei ficando mais curiosa do que estava.

– Tudo bem. Então vamos lá. Vou tentar contar do modo como a ouvi da primeira vez, um menino curioso escutando a conversa de adultos...

O Amante das Águas

Taja-Panema chorou no terreiro (bis)
E a virgem morena fugiu no costeiro
Foi Boto, Sinhá...
Foi Boto, Senhor!
Que veio tentá
E a moça levou
No tar dansará,
Aquele doutô,
Foi Boto, Sinhá...
Foi Boto, Senhor!
Taja-Panema se poz a chorá. (bis)
Quem tem filha moça é bom vigiá!
O Boto não dorme
No fundo do riu
Seu dom é enorme
Quem quer que o viu
Que diga, que informe
Se lhe resistiu
O Boto não dorme
No fundo do riu...
Foi Boto, sinhá
Do alto palmar d'uma jussara
Vem o triste piar da iumara.
Os tajás pelo terreiro estão chorando
E no rio, resfolegando,
O boto-branco boiou!... (o-o)
Sentada na rede, cunhã esta rezando
A reza que Manha-Nungara ensinou...
- Tupan, quem foi que me enfeitiçou?
- Manha-Nungara!
O grito rolou pela caiçara,
Mai-velha se espantou.
Embaixo, na treva do rio
Dois corpos em cio,
Lutando, enxergou.
E pelo barranco
De novo soou
O grito de angústia
Que a cria soltou:
- Manha-Nungara!
Manha Nungara

(Antônio Tavernard e Waldemar Henrique)

(Waldemar Henrique)

Como pode um peixe vivo
Viver fora da água fria?
Como pode um peixe vivo
Viver fora da água fria?
Como poderei viver
Como poderei viver
Sem a tua, sem a tua
Sem a tua companhia
Sem a tua, sem a tua
Sem a tua companhia
Os pastores desta aldeia
Já me fazem zombaria
Os pastores desta aldeia
Já me fazem zombaria
Por me verem assim chorando
Por me verem assim chorando
Sem a tua, sem a tua
Sem a tua companhia
Sem a tua, sem a tua
Sem a tua companhia
Água fria fica quente
Água quente fica fria
Água fria fica quente
Água quente fica fria
Mas eu fico sempre só
Mas eu fico sempre só
Sem a tua, sem a tua
Sem a tua companhia
Sem a tua, sem a tua
Sem a tua companhia
Água mole em pedra dura
Tanto bate até que fura
Água mole em pedra dura
Tanto bate até que fura
Esta vida não se atura
Esta vida não se atura
Sem a tua, sem a tua
Sem a tua companhia
Sem a tua, sem a tua
Sem a tua companhia

Peixe Vivo (Cantiga Popular)

Era noite de baile na pequena Vila Formosa, nos confins do Amazonas. Era noite de festa ansiosamente aguardada pelos jovens. Moças e rapazes se encontravam no antigo casarão às margens do rio, onde dançavam, namoravam e se divertiam ao som de músicas alegres e joviais.

Naquela noite, como em tantas outras, toda a alegria e diversão foram observadas de dentro d'água por um boto cor-de-rosa. Desde pequenino, conhecia as meninas que vinham banhar-se no rio e as admirava, desejando sempre estar com elas. Vendo-as agora, belas moças feitas, e observando os rituais românticos a que se entregavam junto aos rapazes, desejou ser um deles para conquistá-las.

Acalentou o sonho dentro de si e este tomou força a ponto de preencher de desejo todos os seus sentidos. Numa daquelas noites, ao contemplar invejoso aqueles que se divertiam, voltou-se para a Deusa-mãe-de-todos-os-botos e rogou que o transformasse num homem de irresistível encanto. A Deusa o ouviu. Alertou-o de que uma vez tornado homem, seu elemento seria a terra; nunca mais partilharia da suavidade, da magia e dos mistérios da água e seria um estranho aos outros seres aquáticos, seus semelhantes. Ponderando sobre seu destino, o boto, então, pediu à Deusa que o fizesse homem apenas nas noites de festas, para que pudesse se divertir e conquistar as belas moças. Depois, voltaria ao seu corpo e viveria feliz nas águas até a próxima festa. A Deusa, assim, lhe concedeu o poder de se transformar em homem e de seduzir qualquer uma das filhas dos homens. Informou-o que apenas na água, dentro da bolha de ar que fazia com sua habilidade de golfinho, poderia concluir sua proeza amorosa.

Naquela mesma noite assumiu a forma de um rapaz bem-apessoado, alegre e divertido e se pôs para fora d'água, com os pés a caminhar pela terra. Dir-se-ia quem o olhasse que tinha nascido e crescido homem, não fosse o furo no alto da cabeça que descobrira ao apalpar com as próprias mãos e que ocultara com um chapéu encontrado pelo caminho. Assim, passou a frequentar as festas dos ribeirinhos.

Ana e João eram um casal de enamorados: ela, de beleza sem igual, virgem e alegre; ele, rapaz de bons modos. Tinham verdadeira paixão um pelo outro. Não se largavam e faziam planos de casamento. A paixão e o desejo cresciam e eles lutavam para não ceder à tentação, em respeito à mãe da moça, que queria casar pura a única filha. Foram ao baile se divertir e dançar, entre os jovens e alegres vizinhos.

Lá pela madrugada, apareceu um rapaz desconhecido, galante e sorridente. Dançou com várias das moças, parando sempre para beber água. Ele parecia não se cansar nunca, sempre simpático e divertido. Nenhuma das moças conseguiu ficar imune a ele. Se eram convidadas a dançar, logo iam de bom grado e satisfeitas.

Depois de dançarem bastante naquela noite, João e Ana desejaram tomar um pouco de ar fresco e foram para a varanda. Ali, ficaram abraçados, conversando e namorando. João estava radiante: tinha a mulher de seus sonhos nos braços, e ela o amava. Era certo que viveriam juntos e seriam felizes. Naquele momento, sentiu vontade de ir ao banheiro. Desculpou-se e deixou Ana na varanda.

Não mais do que cinco minutos depois, quando voltou, não mais a encontrou. Vasculhou o salão, driblando os dançarinos. Foi encontrá-la bem próximo ao palco, onde dançava contente nos braços do desconhecido rapaz. Surpreso, João se enfureceu, tomado de ciúmes.

O desconhecido, momentos antes, tão logo João se afastara de Ana, a convidou para dançar. Ela recusou. Era de João. E João era dela. Terceiros eram indesejados. O rapaz insistiu. Quando ela o olhou nos olhos, algo a inebriou. Ela perdeu-se, esquecendo-se de si mesma, de João, de seu amor, de seus princípios; e seguiu com o desconhecido.

Como ela pôde ir dançar com outro?

O ciúme e a indignação foram crescendo dentro de João ao olhá-los dançando. O rapaz falava coisas ao pé do ouvido, e ela ria descontroladamente. Os olhos dela passaram por João e não o enxergaram. O ódio germinou dentro dele. Não aguentando mais o furor que o assaltava, foi de encontro à Ana para tentar arrancá-la dos braços do desconhecido. O estranho, mais forte, o impediu de aproximar-se e, com ela, se evadiu na multidão, ambos correndo e rindo.

Como ela pôde se entregar facilmente a outro, se momentos antes me jurava paixão?

Uma resposta atingiu João com certeza inabalável e transpassou sua mente e coração: Ana fora enfeitiçada!

Aquele pensamento o muniu de coragem e determinação, eletrizando suas emoções. Arremessou-se para fora do salão e procurou-os pelas redondezas. A noite estava escura, e seria presa fácil para bandidos. Não se acovardou. Continuou a busca desesperada.

Percorreu longo trecho de estrada e, quando avistou a beira do rio, ouviu os risos de um jovem casal. Para lá se dirigiu. Na penumbra, julgou ver um casal nu atirar-se na água. Correu ao local. Achou apenas roupas espalhadas na margem. Reconhecendo o vestido mimoso de Ana, o coração lhe saltou dentro do peito.

A lua saiu detrás das nuvens, e seu brilho iluminou as águas claras do rio. João percebeu, no fundo das águas, o casal.

Julgando que o desconhecido colocara Ana em perigo e que ela iria afogar-se, João estremeceu de ódio. Sacou uma faca de caçador, tirou a própria roupa e mergulhou para salvá-la.

Nadou na direção deles e percebeu que se abraçavam, no fundo do rio. Não sabia como, mas estavam dentro de uma bolha de ar onde podiam respirar facilmente. Nesse momento, soube que Ana não estava em perigo. Seu ódio cresceu ainda mais, ao vê-la nua, em contato com o estranho. Não hesitou. Jogou-se para dentro da bolha e apunhalou o rapaz nas costas, atirando-o para fora, ainda no fundo do rio. Ouviu um abafado grito de golfinho. Surpreendeu-se pelo fato de a bolha não ter estourado. Viu Ana em toda sua formosura. Ela atirou-se em seus braços, enlouquecida, febril, como nunca a vira antes, sem sequer fazer distinção entre ele e o rapaz que anteriormente a envolvia. Fez menção de levá-la para cima. Ela o impediu, enlaçando-o fortemente com braços e pernas. E ali, no fundo do rio, dentro daquela bolha de ar, consumaram a paixão há muito reprimida, numa ânsia de desejos desenfreados.

Quando alcançaram o êxtase, Ana desmaiou. Ele saiu da bolha nadando. Levou-a, arrastando-a. Tão logo saíram, a bolha estourou.

Alcançada a superfície, nadou para a margem, puxando Ana com um dos braços, e deitou-a gentilmente na grama. Arfava pelo esforço despendido. A lua brilhava no céu. Não sabia se ela se afogara ao sair da bolha. Desesperado, tentou despertá-la. Fez-lhe respiração boca a boca. Ela tossiu, despertando aos poucos da semiconsciência. Relaxou: estava viva.

Os olhos de João percorreram o rio novamente, e algo lhe chamou a atenção. Havia um boto cor-de-rosa boiando na superfície, com sua faca encravada nas costas. Pasmo, João quase surtou ao perceber, talvez fruto de sua mente já desvairada, emergirem dezenas de outros rapazes da água, em tudo iguais ao primeiro, como se fossem gêmeos. Aproximaram-se do corpo daquele que boiava sem vida, retiraram-lhe a faca das costas, e deram-lhe vida novamente, como se

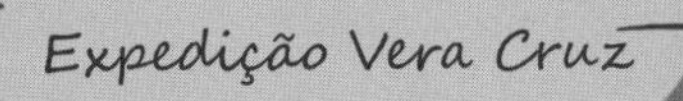

nunca tivesse sido ferido. Então, iluminados pelo luar, transformaram-se todos em boto e nadaram até sumir de vista.

João achou que o mundo fora tomado por estranha força, uma magia desconhecida que engendrara os acontecimentos vividos.

Ana acordou lentamente. Lembrava-se de ter vivido um sonho estranho, de ter consumado sua paixão. Aceitou a realidade de se ver ali, junto com João, ambos nus.

Aquela noite ficaria para sempre marcada em suas memórias – mesmo depois de casados e de tantos anos de vida conjugal, mesmo depois do filho, já crescido e adulto, ter deixado o lar.

João nunca soube de verdade se aquele filho, o único a quem Ana concebera em toda sua vida, nove meses depois daquela estranha noite na margem do rio, era seu ou filho do desconhecido rapaz. Ou seria melhor dizer, do boto?

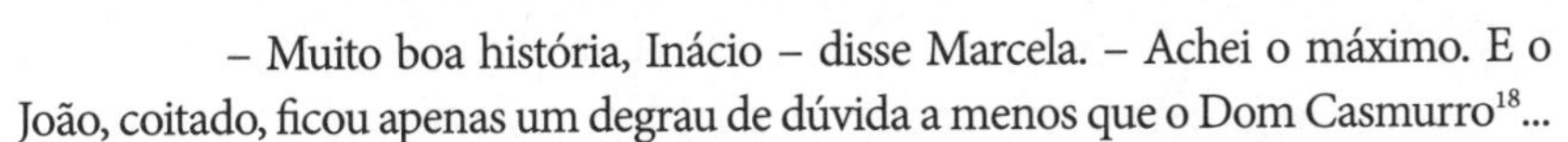

– Muito boa história, Inácio – disse Marcela. – Achei o máximo. E o João, coitado, ficou apenas um degrau de dúvida a menos que o Dom Casmurro[18]...

– Gostei dessa: um degrau a menos – disse Liana –, para mim não teve dúvidas... que abraço foi aquele?

– Ora, Liana, não se precipite... – brincou Cláudia. – Talvez o João tenha chegado a tempo de impedir... quem sabe? A dúvida persiste...

– Mas este boto – riu Jair – é um danado dum sedutor, hein, moçada? Agora eu entendi por que o povo simples cismou de usar o olho do boto como amuleto.

– Acho um absurdo – respondeu Inácio – e de uma irracionalidade tremenda. A história é uma coisa, a realidade é outra.

– É mesmo – concordou Cláudia –, nem olho de boto, nem qualquer amuleto é capaz de fazer de alguém uma pessoa sedutora. Isso é só fantasia e crendice. E crueldade com o golfinho.

– É verdade – disse Manoel –, tomara que a população ribeirinha do Amazonas perceba isso e passe a preservar o boto. Deixar a fantasia para as lendas. Na minha opinião, muitos se aproveitam da lenda do boto para encobrir casos sérios de incestos, pedofilia, traições conjugais, e por aí vai.

Pedro interrompeu a conversa:

– Achei. Até que enfim achei a passagem sobre os Tatus-brancos no livro de Dom Afonso. Li uma parte dela enquanto vocês conversavam sobre o

18 - Apelido do personagem Bentinho, no romance homônimo de Machado de Assis

dilema de João e Dom Casmurro. Para não faltar minha opinião, concordo com Liana. E vocês têm fôlego para ouvir um pouco mais?

– Com certeza, Pedro – respondeu Marcela. – Leia para nós.

Todos concordaram. Pedro começou a ler.

Para os nativos o sol se chama Guaracy e a lua, Jacy. Embora todos celebrem tanto o dia quanto a noite e sejam alegres e festivos, receiam os demônios e monstros que os assolam e que, à noite, proliferam em maior quantidade e diversidade.

Rondam as matas muitos entes fantásticos que descreverei à medida do meu conhecimento.

Meus companheiros índios não se cansam de tentar explicar-me a forma destes demônios, seus aspectos e suas sutilezas; além de, quando possível, como evitá-los. Em breve resumo, relato histórias dos nativos e de seus encontros com essas figuras aterrorizantes, que à frente descreverei.

Anhangás são espíritos malignos e errantes, o diabo que atormenta, fere, pune, profecia, enlouquece e mata. Muitas vezes tomam forma e se materializam como animais.

Caaporas são duendes que habitam os troncos carcomidos das grandes árvores, astutos e malignos, percorrem as florestas, assustam os caçadores e lhes dão azar; noutras vezes, fazem trato com eles e os deixam caçar em troca de algo que desejam.

Curupiras parecem chefiar o rol das entidades demoníacas. É o Deus absoluto das florestas. Ataca, açoita e mata os indígenas; estes o temem com pavor absoluto.

Aparece como um duende encantado, de pés virados para trás, cabelo avermelhado. É protetor das árvores e animais. Alguns índios se assustam tanto, apenas de ouvir falar dele, que morrem repentinamente, como presenciei aqui na aldeia.

Mboi-tatás sobrevoam os campos como dragões enfurecidos que outrora povoaram os céus do velho mundo. É um fogo vivo e serpenteante que ronda as beiras dos bosques e rios, ataca e mata rapidamente.

Traçando uma linha convergente para todos os entes acima, posso dizer que a mim parecem ser demônios menos perversos que os de minha pátria, pois estes que aqui habitam, na maior parte das vezes que atacam, o fazem para impedir que os próprios índios causem dano à floresta que lhes dá vida e aos animais que nela habitam.

Contudo, os demônios que infestam estas terras não param por aí. Há aqueles que são monstros, entes encantados ou criações do próprio mal à solta por esta terra abençoada, disseminando terror, maldade e morte.

Mapinguaris atacam durante o dia. Monstros peludos, maiores que um homem, e tão fortes que são capazes de estraçalhar uma pessoa com suas garras afiadas. Sempre famintos por carne humana, devoram avidamente a cabeça de suas vítimas, a qual arrancam brutalmente, abandonando, a seguir, o corpo do cadáver e partindo logo para sua próxima vítima. Andam aos berros pelas matas. De seu corpo, emana tremendo fedor capaz de nausear qualquer pessoa, mesmo a uma grande distância.

Ypú-piaras habitam o fundo das águas e não há aquele que não os tema. Monstros vorazes, atacam todos que se aproximam d'água e lhes comem apenas os olhos e o nariz, deixando o restante do corpo intacto.

Ronaldo Luiz Souza

A Cobra Grande, serpente amaldiçoada, também conhecida por Boiuna[19], mata e devora a quem encontra. Vira as canoas, arrasta, estrangula e apavora.

Iaras encantam e seduzem os jovens índios com sua beleza estonteante e canto arrebatador. Suas características me lembram as sereias temidas pelos navegantes europeus. O índio que nela pousar seus olhos nunca mais volta a ser o mesmo. Seu destino é o fundo das águas, onde sua paixão o consumirá.

Os Tatus-brancos são uma raça abominável, feroz e animalesca. Dormem em cavernas durante os dias e saem para caçar durante a noite pelas florestas, quando chegam a atacar aldeias inteiras. Preferem a carne humana a qualquer outra e muitas vezes apenas sugam o sangue das vítimas até a morte. Também fazem cativos para que seus jovens tenham sempre sangue fresco à disposição.

Liana levantou-se e foi para o meio do círculo.

– Ah, esta história dos Tatus-brancos eu posso contar. Meu bisavô ouviu de seu bisavô, um bandeirante paulista, esta história que veio passando por gerações, e meu avô a contava para mim quando eu ainda era uma criança, repetindo-a conforme ouvira de seu pai.

Pedro ficou eufórico.

– Que bom que você tem algo mais a contar sobre os Tatus-brancos, Liana! Embora o livro de Dom Afonso mencione que eram criaturas das trevas, mais um grupo no rol de demônios a assombrarem a Terra de Santa Cruz e seus habitantes nativos, não oferece mais nenhum detalhe sobre os Tatus-brancos. Será bom ouvir o que você tem a nos contar sobre eles.

– Rapaz, deste bicho também nunca ouvi falar, não – disse Jair. – Conte logo, que agora fiquei curioso.

Ao som das pipocas estourando na panela, Liana começou a contar a história que ouviu em sua infância.

19 - Do tupi-guarani: Cobra preta, escura.

Tatus Brancos, sanguessugas da floresta

Deixa o tatu-bola no lugar
Deixa a capivara atravessar
Deixa a anta cruzar o ribeirão
Deixa o índio vivo no sertão
Deixa o índio vivo nu
Deixa o índio vivo
Deixa o índio
Deixa, deixa
Escuta o mato crescendo em paz
Escuta o mato crescendo
Escuta o mato
Escuta
Escuta o vento cantando no arvoredo
Passarim passarão no passaredo
Deixa a índia criar seu curumim
Vá embora daqui coisa ruim
Some logo
Vá embora
Em nome de Deus
(...)
Caapora do mato é capitão
Ele é dono da mata e do sertão
Caapora do mato é guardião
É vigia da mata e do sertão
(Yauaretê, Jaguaretê)
Deixa a onça viva na floresta
Deixa o peixe n'água que é uma festa
Deixa o índio vivo
Deixa o índio
Deixa
Deixa (...)

Borzeguim (Tom Jobim)

Houve um tempo em que as florestas se estendiam vigorosamente por toda a Terra de Santa Cruz. Foi por esse tempo, quando vivia o guerreiro Tauã e sua tribo às margens do rio, que, numa manhã fria e úmida, chegou a grande canoa. Navegava contra a correnteza. Os nativos admiraram-na. Esculpiam canoas dos troncos das árvores, e aquela era dezenas de vezes maior. Estranhos homens a ocupavam. Tinham pele muito clara, cabelos da cor da palha do milho e olhos cuja cor lhes pareceu roubada do céu. Falavam numa língua desconhecida.

Após muitos dias espreitando-os de longe, sete índios da tribo de Tauã tentaram fazer contato. Nas mãos, levaram oferendas: frutas e caças em sinal de boa vontade e amizade. Não conseguiram se aproximar. Foram recebidos por lanças e flechas disparadas em sua direção. As primeiras caíram ao longe, e o grupo estacou, tentando compreender o que se passava. Houve silêncio. Um dos estranhos gritou e gesticulou. Um índio estendeu os braços com seus presentes e continuou a caminhada. Os outros seguiram-no. Então, as flechas dispararam novamente. Três atravessaram o peito daqueles que iam à frente. Os demais, horrorizados, voltaram correndo para a proteção da floresta.

Vindo de suas distantes terras de origem, o grupo de vikings, liderados pelo guerreiro Erik e sua esposa Ethel, seguira antigos relatos passados de geração a geração entre clãs de seu país, cujas terras estéreis e frias não comportavam mais a própria população. Por isso, tinham sempre de emigrar, procurando novos lugares onde pudessem viver. Os relatos apontavam para muito além do inferno gelado de Helluland[20] ou da Terra-Nova de Vinland, onde outrora fora fundada pequena vila que não se manteve por muito tempo. Segundo aqueles relatos, encontrariam, após meses de viagem, uma terra virgem e inexplorada de clima quente. Suas florestas imensas prometiam caça abundante e possíveis riquezas em metais preciosos para aqueles que tivessem coragem suficiente de conquistá-las. Entre a escassez de sua pátria e a promessa de abundância e fortuna em tão longe destino, Erik decidiu reunir familiares e amigos para formar um grupo de colonização que partiria ao Novo Mundo. Edwin, o qual lutara grandes batalhas a seu lado, o acompanharia. Da reunião até aquela manhã se passaram muitos meses, empreendidos na árdua viagem. Enfim, encontraram local apropriado para formar o assentamento permanente naquele Novo Mundo.

20 - Helluland e Vinland foram nomes dados a terras descobertas pelos vikings ao redor do ano 1000 na costa do Atlântico Norte, na América do Norte.

Descamparam o lugar e iniciavam a construção de sua vila quando avistaram nativos se aproximando. Atiraram flechas contra eles num alerta para que se afastassem. Depois, vendo que insistiam em se aproximar, atingiram pelo menos três deles, achando com isso que os sobreviventes nunca mais retornariam. Assim começou a hostilidade entre os recém-chegados peles-brancas e os nativos daquela terra que, no futuro, seria chamada de Terra de Santa Cruz.

A fogueira iluminava os rostos indígenas reunidos na aldeia. Muito foi dito naquela noite. Lembranças das guerras vencidas, tristeza e vingança pelos irmãos mortos, promessas de luta sangrenta e vitória. Porém, decidiram: uma última tentativa de aproximação pacífica seria feita quando os guerreiros da tribo estivessem posicionados para o ataque. Se guerreassem, caberia ao inimigo atirar a primeira flecha.

Antes de o pajé pedir a proteção dos Deuses, Tauã já imaginava se a carne dos peles-brancas teria gosto diferente da carne dos outros inimigos que devorara.

Na calma manhã de céu azul, Ethel sentia-se feliz. Longos meses de viagem e privação haviam sido recompensados com a chegada a uma terra que lembrava o paraíso, quem sabe a maravilhosa Asgard, Terra dos Deuses Nórdicos? O pensamento lhe causou um calafrio. Se assim fosse, se tivessem invadido o mundo dos Deuses, seriam castigados. Estes se vingariam da astúcia e ousadia dos mortais. Tratou de esquecer o pensamento sombrio e aspirou fundo o ar fresco e revigorante da manhã.

Os homens se haviam dividido em dois grupos: um, menor, com apenas cinco homens, entrou na floresta para caçar. O outro encontrava-se ali, empenhado na construção da vila.

Edwin liderava os outros quatro homens na floresta. Havia caça em abundância. Não precisariam estocar comida. Um passeio pela mata sempre lhes forneceria em abundância carne e frutos exóticos. Satisfeito, ordenara aos companheiros o transporte dos suprimentos à vila. Um pressentimento o incomodava. Guerreiro de muitas batalhas e caçador desde criança, Edwin conhecia bem aquela sensação. Sentia-se observado, como se caça fosse.

Decidiu ficar um pouco mais na floresta e esconder-se na copa de uma árvore alta. Não se passou muito tempo desde que se acomodara no grosso galho quando um movimento suspeito entre os arbustos chamou sua atenção. Edwin alarmou-se ao ver o chão se mover. Estremeceu ao compreender o que se passava. Centenas, talvez milhares de Skraelings[21] perfeitamente camuflados, quase invisíveis pelo verde da mata, avançavam silenciosamente

21 - Feios, como foram chamados os nativos pelos vikings.

em direção à vila. Depois que se afastaram, desceu da árvore e correu para lá, tomando outra direção, numa volta mais longa. Avisaria os companheiros. Não seriam pegos desprevenidos. Lutariam com honra.

– O que acha que ele quer? – perguntou Ethel, assustada. Era uma mulher forte e destemida como seu marido, mas, naquela manhã, seus sentimentos estavam confusos. Se ali fosse Asgard, os Deuses não tardariam a se vingar. A sentinela avistara o skraeling à distância, apenas alguns momentos antes. Eric já estava ciente. Como da vez anterior, ordenou primeiramente que a sentinela atirasse apenas como um aviso.

– Deve ter sido enviado para sondar nossas forças. Se ele se aproximar mais, terá o mesmo fim daqueles outros.

Ethel chegou mais perto de Eric e tocou em seu ombro.

– Eric, tenho ouvido as vozes de nossos antepassados. Elas me dizem que não devemos mais derramar sangue humano. Estamos no paraíso. Matar aqui é uma profanação. Seremos castigados pelos Deuses.

Eric a olhou com ternura. Porém, era um guerreiro e não podia demonstrar fraqueza, fosse perante o inimigo ou sua própria mulher.

– Não se preocupe, Ethel. Eles são pouco mais que macacos. Os Deuses nos protegem e estão ao nosso lado, como estiveram durante toda nossa jornada. Não viemos de tão longe e superamos tantos obstáculos para temer uns poucos skraelings, né?

Ethel se resignou. A palavra de Eric, após dita, não podia ser contrariada. Mesmo por ela, sua esposa. Seu coração apertou-se um pouco mais em seu peito ao ver que o skraeling, de braços abertos e sem portar qualquer arma, após ser avisado, continuava em direção à vila. O arqueiro preparou o arco. Esperou apenas o comando de Eric.

Edwin chegou esbaforido a uma suave colina ao sul do acampamento. Compreendeu imediatamente o significado daquele skraeling caminhando sozinho em direção à vila. Desceu a colina correndo e gritando o mais alto que pôde para que não atirassem, mas estava ainda distante. Sua voz perdeu-se no vento. Viu quando a primeira flecha foi disparada e atingiu o alvo. Tropeçou e caiu, no mesmo instante em que o skraeling, ao longe, também tombava. Edwin levantou-se rapidamente, correu e postou-se ao lado de Eric. Gritou para que os companheiros se defendessem. Então vislumbrou uma chuva de flechas cair sobre a vila e viu a torrente de skraelings jorrar da mata, aos gritos.

Os vikings lutaram bravamente e mataram inúmeros índios, mas foram, por fim, derrotados. Ethel soube que a ira divina caíra sobre eles. Suas lágrimas, como as das outras mulheres, jorraram sobre a terra que tanto almejaram. Como esposas de guerreiros, também lutaram e feriram os skraelings. Estes apenas se defenderam, sem revidar os ataques. Quando elas caíram exaustas, se tornaram prisioneiras.

À noite, na aldeia, os tambores soaram. A dança da vitória, alimentada pela carne dos derrotados, se estendeu pela madrugada.

No dia seguinte houve discórdia na tribo. O pajé ordenou aos guerreiros que matassem as mulheres peles-brancas; se não o fizessem, seriam amaldiçoados pelos Deuses nativos que lhes permitiram a vitória. Tauã discordou. Seu coração já fora tomado por Ethel, no dia da batalha, no momento em que seus olhos nela pousaram pela primeira vez.

Travou-se longa discussão no conselho da tribo. Por fim, foi dado direito aos guerreiros sobre a vida das mulheres que capturaram. Aqueles que optassem em viver com elas, porém, deveriam partir e fundar nova aldeia, distante daquela onde nasceram. Assim, somente eles suportariam a ira dos Deuses. Tal era a exótica beleza das estrangeiras que os mais valentes lutaram por sua posse.

Os vencedores, liderados por Tauã, arrastando as prisioneiras, abandonaram sua gente e partiram. As mulheres vikings, humilhadas pela derrota de seus homens, relutaram em aceitar o próprio destino. Com o passar dos dias, temendo pela própria sobrevivência, acabaram por se resignar e se submeteram aos guerreiros índios.

Após dias de caminhada pela floresta, os índios construíram uma nova taba onde tentaram viver, mas as companheiras tinham aversão à luz forte do dia, a qual feria seus olhos claros como o céu e queimava suas peles muito alvas, deixando-as vermelhas, empoladas e doloridas. Os nativos se lembraram das cavernas existentes na região. Decidiram ali construir seu novo lar. Adaptaram-se bem.

Os hábitos da tribo foram se modificando. Embora os índios ainda caçassem na floresta à luz do dia, as incursões foram diminuindo e cessaram completamente. Quanto mais viviam na caverna, mais seus olhos também foram ficando sensíveis à luz, necessitando de um mínimo dela à noite, quando iam caçar. Desenvolveram aptidões animais: o olhar da coruja, o faro dos lobos e a violência das onças. Os filhos nascidos da mistura dos sangues herdaram a habilidade indígena e a aversão à luz das vikings. Nunca saíam das cavernas durante o dia.

O tempo escoou por longas estações. Os filhos dos primeiros casais já haviam tido seus netos, e a tribo de peles-brancas tornara-se numerosa. Cada vez tinham que ir mais longe em busca de caça. Numa noite, quis o destino que os peles-brancas encontrassem os índios da região. Não os reconheceram como iguais e fizeram de sua carne, alimento predileto. Começaram a atacar as aldeias e levar para a caverna corpos abatidos e índios ainda vivos. Devoravam a carne dos mortos. Aqueles apanhados com vida tinham um fim mais macabro: mulheres e crianças peles-brancas sugavam seu sangue dia após dia, até o corpo secar por completo.

Foram chamados pelos índios nativos de Tatus-brancos, aqueles que se entocam nas grutas, os andirás[22] que se escondem na noite, arredios à luz, selvagens e ferozes comedores de gente.

Guerreiros de várias nações indígenas se uniram e foram em direção ao covil dos vampiros. Lá chegando, acenderam fogueiras e mataram a muitos. Outros fugiram para as profundezas da caverna e não foram alcançados. A rivalidade entre as duas raças continuou a existir, sem ter fim conhecido.

Quando os bandeirantes, tempos depois, adentraram as Minas Gerais em busca de ouro e pedras preciosas, muitos foram vítimas dos Tatus-brancos.

Certa vez, um grupo de bandeirantes foi dizimado e seu jovem capitão, ainda vivo, levado para a caverna. Amarrado e imobilizado na escuridão, perdeu a noção de tempo. Sentia e ouvia a presença de muitos. Vez ou outra era mordido no pescoço e desmaiava. Acordava tempos depois, quase sem forças.

Passou a sentir a presença constante de uma criatura. Ela lhe cuidava, velando por seu sono. Acordava com a cabeça no colo dela, sentindo mãos macias afagarem seus cabelos e acariciarem seu rosto. Embora na primeira vez tivesse sentido extrema aversão e tivesse procurado evitar o contato, foi se deixando levar, pois já não tinha forças para se afastar. Às vezes, trazia-lhe paz como se voltasse a ser menino no colo de sua mãe. Seus olhos não a discerniam. Apalpando o rosto dela, leu traços suaves e bem desenhados, cabelos compridos e lisos. Escorregou a mão pelo corpo. Sentiu o volume dos seios, os mamilos se intumescendo, o sexo se abrindo. Estava nos braços de uma mulher. Ela cheirava a flores noturnas. À beira de um lago, no interior da caverna, ela passou a banhá-lo.

Numa ocasião, quando a noite caíra e os guerreiros peles-brancas haviam saído para caçar, tentou escapar. Afrouxou as cordas que o prendiam e, quando se viu sozinho, fugiu para fora da caverna. A jovem pele-branca que se afastara a pouca distância, percebeu seus movimentos e o seguiu. Ele fingiu desmaiar próximo à floresta, distante da trilha que os guerreiros usavam, esperando que amanhecesse em breve.

22 - Morcegos.

Sabia não ter chance se corresse a esmo pela escuridão. A pele-branca, não tendo forças para arrastá-lo de volta à caverna, deitou a seu lado e adormeceu. Assim que a aurora surgiu, o capitão pôde perceber como eram seus algozes: vira a pele extremamente alva, os dentes pontiagudos e os cabelos loiros desvitalizados. A luz começou a irritar sua pele e ela acordou num grito. Seus olhos muito claros se avermelharam, incomodados pela luz. Tentou desesperadamente puxá-lo para a caverna e chorou ao ver que ele se negava a ir. O capitão não sabia dizer se o choro era pelo ardor que a luz lhe causava ou pela sensação de perdê-lo. Cansada e com a pele ferida e empolada, ela correu rápido à caverna para evitar a dor que se alastrava em seu corpo.

O jovem bandeirante a olhou se afastar. Era bela a seu modo. Por um instante, o pensamento sacrílego de acompanhá-la por livre e espontânea vontade lhe ocorreu. Ela decerto se encantara e, por isso, fora para ele a mulher mais apaixonada que tivera – embora vez ou outra se alimentasse de seu sangue. Ele não conseguira ficar imune às suas carícias e sua feminilidade. O pensamento, porém, se dissolveu rápido. Não poderia passar o resto de seus dias na escuridão eterna. Olhou ao redor, confirmando que se encontrava sozinho, fez o sinal da cruz e correu para bem longe daquela amaldiçoada terra infestada pelos Tatus-brancos e suas sedutoras jovens peles-brancas sugadoras de sangue.

Quando alcançou novamente as vilas dos bandeirantes, relatou tudo que com ele se passara, a fim de alertar aqueles que cruzavam a Serra da Mantiqueira.

E eis que, desde então, qualquer viajante que passe pelos sertões fica sempre alerta durante as noites, pois as flechas, bordunas e lanças dos Tatus-brancos estão sempre à procura de sangue fresco...

-- Minha nossa – exclamou Cláudia –, os descendentes inter-raciais dos primeiros casais de sangue índio e viking se tornaram canibais e vampiros.

– É o que diz a lenda – disse Liana. E eles ainda estão à solta por aí. É certo que não foram extintos.

– Rapaz, essa história esquentou meu coração – disse Jair. – Eu não teria medo de uma jovem viking de corpo torneado e longos cabelos ruivos. Para falar a verdade, seria uma doce tentação.

– Tome cuidado com o que diz em voz alta, rapaz – alertou Inácio, rindo do companheiro. – As sombras nos escutam e podem realizar seu desejo.

– Pois iriam me conceder um sonho antigo...

– Você não encararia a Pele-branca, Inácio? – perguntou Liana, provocativa.

– Tô fora. Nada de chupadoras de sangue para mim. Prefiro as mulheres tradicionais.

A lua nasceu acima das montanhas. Um uivo medonho, vindo da floresta, ecoou por todos os lados.

Marcela arregalou os olhos e temeu.

– O que é isso, Antônio?

– Deve de ser um lobo, Marcela. Por aqui na região tem muitos deles pelas matas, sabe?

– Não, não sabia. E não são perigosos? Costumam atacar a fazenda?

– Não, senhora. Eles ficam para dentro da mata. Não se aventuram a chegar perto daqui, não.

– Já ouvi uivos assim nas outras noites em que estive aqui – informou Manoel. – Hoje ele me pareceu bem mais próximo. Tem certeza que nunca houve nenhum incidente por aqui envolvendo lobos, Antônio?

– Bem, para falar a verdade, já teve alguns casos sim, de alguns lobos que atacaram os moradores da região, mas isso foi há muito tempo, ninguém daqui gosta de ficar recordando essas coisas não.

– Isso foi há quantos anos?

– Uns dez. Depois nunca mais teve nenhum ataque, não.

– Mas como foi isso, Antônio? Os lobos simplesmente surgiram do nada e atacaram as pessoas?

– É, foi numa daquelas noites frias e escuras de inverno.

Enquanto o pessoal conversava, Pedro colocou-se a folhear o livro e, depois de algum tempo, encontrou referências a lobos e inclusive um relato de Dom Afonso.

– Acho que tenho algo mais a contar para vocês hoje: um conto de lobos, contado diretamente por Dom Afonso, que o ouviu do pajé da tribo.

– Isto é muito interessante – disse Liana. – É arqueologia cultural pura. Vamos lá, pode ir para o meio do círculo e começar a ler pra gente.

– Gente, já estou assustada... – disse Marcela.

– O próprio Dom Afonso recontando uma história de lobos? – disse Jair, religando a câmera. – Sou todo ouvidos...

Pedro levantou-se, satisfeito com a atenção dos amigos ao redor e começou a ler.

O Índio Guará

(...) No sul do Brasil o lobisomem é, em sua mais alta percentagem, o "predestinado", o filho nascido depois de seis filhas ou o rebento de amores pecadores. No norte do país é quase sempre hipoemia, paludismo, ancilóstomos, hepatopatias.

Conserva-se no sul a forma mais pura, a tradição europeia e clássica do "castigo divino" e no norte há uma adaptação etiológica, material e simples.

Onde vai o homem, viajam com ele seus pavores. O lobisomem é uma sombra, com vários nomes, fiel ao seu modelo sapiens.

(CASCUDO, Luiz da Câmara. Geografia dos Mitos Brasileiros, 2. ed. São Paulo: Global, 2002.)

Mistérios da Meia-Noite
Que voam longe
Que você nunca
Não sabe nunca
Se vão se ficam
Quem vai quem foi...
Impérios de um lobisomem
Que fosse um homem
De uma menina tão desgarrada
Desamparada se apaixonou...
Naquele mesmo tempo
No mesmo povoado se entregou (...)
Mistérios da Meia-noite (Zé Ramalho)

Em busca de frutas silvestres, Inana vagava pela floresta. Poucas luas antes, sua aldeia fora atacada. Os guerreiros da tribo expulsaram os invasores. Porém, uma flecha atingira o coração de Irapuã, seu marido.

Imersa em tristeza, Inana caminhava distraída quando ouviu um gemido de dor. Aproximou-se cautelosa. Ao enxergar, entre os pelos avermelhados do animal ferido, a flecha que o atingira, teve um calafrio. Era idêntica à que ceifara a vida de Irapuã.

Os gemidos do animal a resgataram do passado. Ela o observou. Era um lobo-guará[23] em luta perdida pela sobrevivência. Suas mãos, versadas nas artes da cura, poderiam salvá-lo. Levou-o para a aldeia.

Dias e luas se passaram. O lobo se restabelecia e se domesticava, estimando a mão que lhe cuidava. Quando ficou curado, Inana o libertou, mas ele não foi embora. Preferiu ficar a seu lado na aldeia durante os dias. À noite, ia para a floresta caçar.

Inana o seguia através da trilha indígena até à beira do lago de águas negras, onde admirava Jacy, a mãe-lua, se espelhar na superfície d'água entre as flores de irupé. Noutras vezes, continuava a trilha entre as árvores, subia uma montanha e saía num campo natural que terminava cerca de duzentos passos à frente, num abismo. Dali via o horizonte e, nas noites sem nuvens, milhares de estrelas. Contemplava Jacy por longos momentos e voltava depois à aldeia.

Numa dessas noites, profunda tristeza a atingiu. Seguiu a trilha, chegou ao lago e, ali, admirou

23 - Do tupi-guarani: Devorador Voraz; denominação do maior canídeo sul-americano.

Jacy em seu esplendor. Era lua cheia. Admirou as delicadas flores de irupé e sentiu seu perfume adocicado. Lembrou-se que, quando criança, brincava com outros curumins da aldeia, equilibrando-se em cima daquelas grandes folhas que suportavam seu peso. Os anciões da tribo lhes contaram a lenda de Irupé:

Todas as estrelas existentes já haviam sido índias as quais a Deusa Jacy transformara. Seduzida pelo ardente desejo de também se tornar uma estrela, a virgem Naiá vagou por noites sem fim, perseguindo a lua na esperança de que esta atendesse seu desejo. Numa noite, quando a mãe-lua resplandecia no céu, Naiá sentou-se à beira de um lago para descansar. Ao observá-la no espelho d'água, teve certeza de que ela viera ao seu encontro. Atirou-se nas águas e se afogou. A Deusa Jacy se comoveu e a transformou na Irupé, cujas flores se abrem ao receber o brilho do luar e cuja beleza é sempre vista junto à sua imagem refletida no lago.

Inana podia se lembrar. Era uma história de amor impossível. Diferente da que vivera, pois amara e fora amada.

O lobo lhe fora companhia, mas seguiria seu caminho. Contemplou as águas negras do lago, o luar, as flores e ainda as estrelas. Tudo lhe evocava uma beleza fria, insustentável diante de seus olhos e sua solidão.

Deixou o lugar e seguiu ao campo onde sempre terminavam seus passos. Desta vez, caminhou até o último dos duzentos passos possíveis; à beira do abismo, parou. O vento lhe fustigava o corpo e fazia voar seus negros cabelos. Nem mesmo o frio a incomodou. Viu as montanhas no horizonte amplo e claro, e o céu mais além, sobre terras desconhecidas. Acima do horizonte, Jacy, despontava cheia e avermelhada. Uma prece muda escapou do coração de Inana à mãe-lua. Sentiu o vazio dentro e fora de si. Ele abarcava a tudo e a impelia a dar o último passo, após o qual, nada mais importaria.

Um uivo distante feriu o silêncio da noite e a alcançou. Quando seu pé ameaçou se levantar, um segundo uivo a imobilizou. Sua atenção se voltou para a lua. Brilhava intensamente, amarelo-fogo tornando-se vermelho-brasa. Dela, uma bruma fluiu e se separou, aproximando-se. Tomou a forma de majestosa senhora, de pele muito branca, olhos claros e cabelos prateados. Perante o olhar incrédulo da índia, ela pairou no ar alguns metros à sua frente, reluzindo em tênue luz. Inana deu um passo para trás, ajoelhou-se em reverência à Deusa Jacy e ouviu sua voz:

– Que fazes aqui, Inana, filha da floresta, longe de teus semelhantes que agora descansam? Por que teu olhar me busca todas as noites, seja no espelho d'água ou no firmamento, e, quando me alcança, atravessa-me sem parecer enxergar-me? O que buscas, inocente criança?

A bela índia não conseguiu conter as lágrimas. O pranto, tão sufocado, transbordou de sua alma. Balbuciou, reverente:

– Inana nada mais busca, Senhora, senão dissolver-se no vazio.

Jacy se compadeceu. Observou-a. Lamentou que tanto sofrimento ela tivesse vivido em tão pouca existência.

– Jacy conhece tua história, menina. Vê além do que se apresenta. Ouve além do que é dito. Teu coração, Inana, clama pelo amor do guerreiro morto. Eu o devolverei a ti. Vê aquela estrela, Inana? Nela habita a alma de teu companheiro que agora invoco.

A Deusa apontou para a estrela e ordenou:

– Venha, guerreiro, aplaca a sede de amor de tua companheira.

A Deusa lançou um jato de luz prateada sobre o lobo, que se transformou em homem. Inana mal pôde acreditar em seus olhos. Naquele corpo, o espírito de Irapuã entrou. E a Deusa disse:

– Eis o companheiro que perdeste no corpo daquele que salvaste, Inana. Durante as noites, ele te será por companhia. Quando estiveres fértil, porém, nunca poderão se tocar ou uma maldição recairá sobre ti e tua gente. Podes viver assim, Inana, filha da floresta? Ou preferes apenas chorar o amor perdido e te entregar ao abismo?

Ao pousar os olhos em seu marido, Inana se alegrou. Aproximou-se e o tocou, atirando-se em seus braços. Era mesmo Irapuã. Tão vivo e forte como sempre fora. Voltou-se para a Deusa, ajoelhou-se, deu graças e assentiu: poderia viver assim.

Jacy voltou ao céu, e de lá espreitou o amor entre os dois seres.

Com o passar do tempo, no entanto, esqueceram-se do período de abstinência. E, numa noite, a índia se deu conta de que estava grávida. Preocupou-se. Irapuã a acalmou, lhe perguntando, à luz suave do luar, que mal haveria no fruto de tão sincero amor?

Os dias se passaram e a gravidez de Inana ficou evidente. O pajé da tribo intrigou-se. Desde a morte de Irapuã uma nuvem de sofrimento a envolvera e a fizera isolar-se. Ultimamente, a aura de sofrimento a abandonara e uma nova luz pousou sobre sua face, devolveu-lhe a alegria e viço. Agora, misteriosamente aparecera grávida.

O pajé seguiu os passos de Inana ao cair do crepúsculo. Às margens do lago, estremeceu ao perceber que ela tomara a direção do Abismo das Ilusões. Os passos dele a seguiram, mas sua mente remeteu-o ao passado.

Numa noite como aquela, muitos anos atrás, fora iniciado nas artes do xamanismo. Ali aprendera a invocar os Deuses, a conversar com o espírito dos animais, obter a sabedoria para curar doenças e a enxergar a ligação entre o universo e todos os seres vivos. Tudo estava entrelaçado por fios invisíveis e interligados. Aprendera a visualizá-los e a influenciá-los para o bem de seu povo.

Quando alcançou o limite da floresta, o pajé ouviu grunhidos e gemidos. Estacou atrás de alguns arbustos e pôs-se a observar o campo, buscando localizar a origem daquele som. Ficou perplexo com o que viu. Inana e um ser meio homem, meio lobo, se entregavam à paixão. Nele reconheceu o espírito de Irapuã, do qual partia um fio de luz que o ligava à mãe lua. Sob o equilíbrio aparente, a sombra da maldição espreitava o casal.

O pajé a tudo compreendeu. Aprendera muito cedo que era Guaracy, o sol, aquele que gerava a vida. Jacy, a lua, não tinha esse poder. Seu brilho noturno apenas refletia a luz do astro-rei. O poder da lua era o poder da noite, das trevas e da morte. O mal se prenunciava. Cabia a ele, o pajé da tribo, deter a maldição. Os momentos febris haviam passado e o casal estava lado a lado, contemplando Jacy. O pajé saiu de seu esconderijo.

O lobo-homem ouviu os passos e rosnou, pronto para atacar. Inana assustou-se. Ouviu seu nome sendo dito. Reconheceu a voz firme e serena do pajé. O lobo-homem ameaçou atacar. Ela gritou e o impediu. O pajé aproximou-se, parando a poucos metros.

– Inana! O que você fez, menina? Por que desobedeceu à advertência de Jacy? Seu ventre carrega uma terrível maldição. Venha comigo! Temos de nos livrar deste mal.

Inana chorou. Envergonhada e tremendo, disse:

– O pajé... deseja... matar... o filho de Inana e Irapuã?

– Para trazer de volta a alma de Irapuã, Jacy usou o poder da noite e a entrelaçou ao espírito do lobo. Ao fazê-lo, também criou uma maldição. E a advertiu sobre isso, não foi?

Inana se sentiu culpada. Lembrou-se da Deusa lhe perguntar se aceitava viver daquela forma. Dissera que sim. E falhara.

– INANA? – gritou o pajé, sem ter resposta. Tentou aproximar-se dela, mas o lobo-homem o impediu.

– INANA! Venha comigo!

Em desespero, ela correu para a floresta. O lobo a seguiu. O pajé ficou sozinho diante do Abismo das Ilusões.

Os dias escorreram sem que Inana fosse localizada. O pajé despachou guerreiros em seu encalço. Nenhum logrou encontrá-la. Uma cerimônia sagrada foi iniciada. O pajé tomou o chá de ervas alucinógenas e jogou ao fogo pelos do lobo e fios de cabelo de Inana encontrados no local onde se haviam deitado. Rapidamente entrou em transe e teve a visão de Inana. Agachada na floresta, dava à luz ao indesejado rebento. Viu o pequeno corpo recoberto de pelos avermelhados. Os olhos refletiam a cor da lua. Ao ecoar o choro do bebê, a Deusa Jacy apareceu. Consternada, disse:

– O que fizeste, Inana? Por que quebraste tua promessa?

Lágrimas brotaram dos olhos da índia.

– Lançaste o mal sobre a Terra. Sacrifica o fruto de teu ventre pelo bem de teu povo! Ou a semente da morte se espalhará.

O choro de Inana aumentou.

Jacy voltou aos céus. E, com ela, o espírito de Irapuã. Apenas o lobo continuou na companhia de Inana.

Na alvorada seguinte, três guerreiros adentraram a floresta.

Inana observava a cria. Era forte e vivaz, ao contrário de um bebê humano comum. Arrastava-se de um lado para outro. Não demoraria a andar. Inana estremeceu ao pensar em sacrificá-lo.

Ouviu o som de passos e assustou-se. O lobo trazia na boca um filhote de paca abatido e o deixou ao seu lado. Faminta, rasgou o couro do animal com o auxílio de uma pedra afiada que havia em seu colar e comeu avidamente a carne crua, sujando-se de sangue.

A manhã estava avançada quando Inana voltou a cair no sono, após tentativas frustradas de amamentar o bebê. Acordou com os rosnados de alerta do lobo. Deixou escapar um grito ao ver uma flecha de sua aldeia acertar o tronco da árvore mais próxima. O lobo pulou entre os arbustos e trouxe para a clareira um índio arrastado pelo pescoço, o sangue espirrando longe. Outras flechas tentaram atingi-lo, mas ele conseguiu se esquivar. Desapareceu entre as folhagens e atacou o segundo índio que tentou golpeá-lo com a borduna. O lobo o mordeu em diferentes partes do corpo. Por fim, o índio caiu de joelhos, e o lobo estraçalhou seu pescoço.

O terceiro índio observou o lobo se desprender de sua vítima e correr para atacá-lo. Quando o viu saltar, estava preparado. Sua lança atravessou o peito do animal e pôs fim à sua vida.

As palavras do pajé ecoaram na mente do guerreiro: "Matem o lobo e o bebê".

No silêncio que se seguiu, o guerreiro escutou o farfalhar das folhas das árvores ao vento e as batidas rápidas de seu coração. Olhou ao redor. Além do corpo do lobo, jazia o do companheiro. Ouviu o choro da criança. Foi em direção à clareira. Viu o corpo do segundo companheiro. Mais além, debaixo de um arbusto, entre folhas de capim, estava o bebê.

Foi andando na direção dele, perguntando-se onde estaria Inana. Teria sido morta pelo primeiro atacante? Continuou em direção ao bebê e o olhou, admirado e surpreso. Ergueu o braço com a lança para pôr fim à vida daquela criatura.

O minuto de distração, porém, lhe foi fatal. Atrás de si, Inana retesou o arco e disparou. Um grito partiu da garganta do índio quando a flecha lhe varou as costas, atravessando seu coração.

Inana ficou gélida e imóvel. Depois lembrou-se do bebê. O choro dele distraíra a atenção do guerreiro e lhe dera tempo de alcançar o arco e as flechas de um dos índios mortos. O bebê, então, se calara. Ela alarmou-se e correu na direção dele.

Quando se aproximou, teve outro choque. Seu bebê estava vivo e estraçalhava com os pequeninos dentes o corpo do índio, arrancando-lhe diminutos nacos de carne com os quais se alimentava.

Passados dois dias sem notícias dos guerreiros deram a certeza ao pajé de que haviam fracassado. A missão tinha de ser concluída e, por isso, enviou outros sete índios.

Os guerreiros passaram pelos corpos descarnados dos companheiros mortos e o do lobo. Não demoraram a seguir o rastro de Inana. Acharam-na à beira de um riacho, saindo de dentro da água onde se lavara. Em silêncio, foram se aproximando. Uma intuição a alertou. Ainda nua, empunhou o arco. Mirando os arbustos, atirou e feriu o primeiro índio. Temerosa, agarrou sua cria e correu o mais que pôde. Uma flecha atravessou seu ombro. Uma segunda a atingiu na coxa. Ela tombou e deixou cair arco, flecha e o pequeno. Agora, sabia que seria morta. Não tinha mais como defendê-lo. Seu instinto materno gritou alto dentro de si e, encarando a lua, como vira uma vez o lobo fazer, emitiu um uivo alucinante. Nesse momento, uma terceira flecha transpassou seu pescoço, e a silenciou.

Os guerreiros aproximaram-se. Agora apenas o bebê chorava copiosamente, caído em algum canto no chão da floresta, próximo ao corpo da mãe. Uma única flecha o silenciaria. Estariam para sempre livres da maldição. Dezenas de uivos foram ouvidos. A lua foi a única testemunha da primeira guerra entre lobos e homens, travada no coração da floresta tropical, onde os homens foram derrotados e devorados.

Um dos lobos carregou na boca, em direção à alcateia, o filhote que seus inimigos queriam morto. Depositou-o aos pés da matriarca do bando que o adotou como se tivesse surgido de suas entranhas.

Sucederam-se inúmeras batalhas entre índios e lobos até o dia em que o lobo-menino crescera o suficiente e já não precisava mais que o defendessem. Ao contrário, sua força, fúria e inteligência não encontravam páreo entre os lobos.

Tornou-se um estorvo para a alcateia e acabou sendo abandonado à própria sorte. Incursões dos caçadores indígenas teimavam em caçá-lo. Isso lhe despertou o prazer de matar e devorar carne humana. A temida maldição, assim, se cumpriu. Nas noites de lua cheia, um monstruoso ser, metade homem, metade lobo atacava as aldeias, matando e devorando homens, mulheres e crianças, numa fúria assassina e insana.

Aqueles que escapavam à matança, bem cedo descobriram que se alguém ferido sobrevivesse, deveria logo ser morto ou seria vítima da mesma maldição. A caçada se fez. Muitos morreram, mas aquele primeiro ser, metade homem, metade lobo, nunca foi morto. E, até hoje, os mais corajosos tremem quando ouvem, nas noites enluaradas, o uivo ensandecido da fera maldita.

Mal Pedro terminou de ler o conto, outro uivo, ainda mais alto e mais perto, ecoou pela fazenda.

Todos se entreolharam, assustados e nervosos. Antônio, lívido, exclamou:

– Pessoal, está ficando tarde. É melhor a gente ir dormir e amanhã nós continuamos nossa prosa.

– Ouvir esse conto de lobisomem – disse Inácio – e, em seguida, escutar estes uivos é algo assustador.

– Este lobo parece estar cada vez mais perto – disse Manoel. – Concordo com Antônio, vamos entrar e ir dormir.

– Vou ter muita inspiração para escrever artigos para o jornal onde trabalho – disse Jair.

– E eu para meus estudos sobre folclore. Terei bastante material novo para meu *site* também – respondeu Marcela.

– Pois é. Para mim, será fácil sugerir novas ideias aos roteiristas de teatro da companhia que participo – completou Liana.

– Vamos todos entrando, gente – disse Cláudia. – Boa noite para todos!

Entraram tão rápido para seus quartos que se esqueceram de apagar a fogueira, que queimou até a madrugada. Muitos sons estranhos eram ouvidos ao longe, vindos da floresta.

No céu, uma tênue luminosidade emanava da lua minguante e das estrelas.

Dentro de seu quarto, recuperada do susto, Cláudia se despiu e deitou-se, sem sono, ao lado de Manoel. A impressão de tranquilidade e segurança que o quarto rústico lhes oferecia dissipara o receio sentido momentos antes. Entre poucas palavras e carícias, a paixão explodiu dentro deles numa ânsia de desejo e volúpia que ansiava por ser satisfeita.

Amaram-se loucamente como nos primeiros tempos em que se conheceram.

Foi Cláudia quem cortou o silêncio, minutos depois:

– Aqui na fazenda parece que estamos em outro mundo, não é?

– Como assim?

– Ora, é um mundo mais simples. E mais calmo. Tudo bem que temos tido algumas aventuras como a de hoje na caverna, mas foi um fato isolado. Em geral, a vida aqui na fazenda é bem mais tranquila. – Fez uma breve pausa e continuou: – Os problemas que tivemos no Rio de Janeiro parecem ter sido há uma vida inteira, né?

Manoel se lembrou novamente de todo o acontecido. Aquilo tudo mexia com seu mundo interior, geralmente tranquilo, agitando-o e deixando-o em alerta. Resolveu comentar:

– Sim, parecem. Aqui estamos escondidos, e eles ficaram na cidade, mas estão muito vivos e presentes e, logo, logo irão nos incomodar novamente.

– Por que acha isso? Você acha que a polícia ou os maçons o encontrarão aqui?

– Nada é impossível, Cláudia. Basta que eu volte à cidade para que tenha de encarar tudo novamente. Por enquanto estamos dando um tempo, por orientação do Dr. Plínio Miranda, mas não poderei viver assim para sempre. E nem desejo. Vou enfrentar o que for preciso e limpar meu nome, esclarecendo a cilada que armaram para mim. Hei de desmascarar o infeliz do Tobias Romano. Amanhã vou ligar para o Dr. Plínio e perguntar como estão as coisas por lá.

– Vamos torcer para que tudo corra bem, Manoel – disse Cláudia, mudando o tom e encerrando aquela conversa. – Agora vamos parar de pensar nisto. Este é um momento de paz. Deixemos para pensar nos problemas apenas quando necessário. Vamos, é melhor dormirmos. Afinal, aqui na fazenda o dia começa bem cedo.

Pedro folheava o livro de Dom Afonso. Estava tão interessado em absorver todo o conteúdo que prometera a si mesmo: quando chegasse à última página, reiniciaria a leitura meticulosamente. Não queria perder nada, nenhuma nuance daquele mundo do passado, nenhuma percepção, por mais leve que fosse, a qual Dom Afonso tivesse registrado através do texto. Bocejando, colocou o livro em cima do criado-mudo. O frio da noite lhe causou arrepios. Deitou-se na cama e cobriu-se com um cobertor.

Um longo uivo agonizante cortou o silêncio da noite. Pedro sentiu medo. A escuridão do quarto contribuiu para aumentar seu pavor. Não queria sentir medo e, para convencer a si mesmo de que tudo estava bem, decidiu levantar-se e olhar para fora através da janela do quarto. O brilho do luar lhe permitiu ver parte do quintal e algumas árvores. Tudo parecia normal. Esperou por alguns momentos, mas nada aconteceu. Voltou para a cama. Sua mente não descansou. As aventuras do dia estavam muito nítidas, impregnadas em sua mente. Imagens da caverna, do Anhangá e da floresta bailavam em seus pensamentos, misturadas às imagens que criara ao ouvir as histórias contadas ao redor da fogueira: mulas sem cabeça, lobisomens, cucas, índios-vampiros, boitatás, sacis, ipupiaras, minhocões, boiunas e mães-do-ouro.

Estaria novamente sendo assediado por Jurupari, o demônio dos pesadelos?

– Por que Membirabitu precisa aprender coisas de brancos? Outros curumins brincam nas relvas enquanto ele fica em companhia de caraíba.

O pequeno curumim já passara por sete verões. Desde pequenino vinha aprendendo com Dom Afonso sobre o modo de vida dos homens brancos que em tudo diferia da vida indígena.

– Membira poderá brincar com outros curumins mais tarde – respondeu Dom Afonso. – Membirabitu é especial: meio-índio e meio-branco. Deve aprender não só com os pajés e guerreiros, mas também com pai-branco. A ciência dos brancos será útil a você e aos nossos descendentes a quem você ensinará. Esse conhecimento poderá salvar a vida de vocês. Os brancos como eu vieram a esta terra e a dominaram. Não haverá paz para as aldeias senão nas profundezas das florestas onde eles ainda não chegaram. Estas serão sempre seu refúgio.

– Estamos muito dentro da floresta. Não há brancos aqui.

– Apenas por enquanto. Você os viu atirar em nós quando navegávamos.

Poderíamos ter sido mortos à distância, sem chance de nos defender. Eles virão. Mais cedo ou mais tarde. E, quando vierem, a floresta cairá por suas mãos. Derrubadas pelos machados ou queimadas pelo fogo. Não lhe falei de como arrancam todo o verde e vivem na terra nua, dentro de suas casas de pedra, muito mais fortes que qualquer maloca? E de como usam a terra apenas para suas poucas espécies de animais e plantações? Um dia virão e, a esta altura, a aldeia já deverá ter sido transferida para outro lugar há muitos verões. Vocês têm de vigiar e saber sempre o caminho dos brancos e para onde apontam seus passos. Os bandeirantes procuram por ouro. E pelas aldeias. Porque também desejam escravos e mulheres.

– Podemos lutar, como lutamos com os Aymorés.

– Aymorés são como vocês e têm as mesmas armas. Os brancos possuem armas poderosas. Eles já dizimaram aldeias e tribos inteiras. É melhor evitar enfrentá-los e, quando isso não for mais possível, a sabedoria deve guiar suas flechas. Por isso, é preciso saber como eles pensam, como fazem e como pode derrotá-los seja com a força bruta ou com o poder das palavras. A derrota deles será sempre parcial. Sempre voltarão. Eles são como formigas numa correição e ondas numa praia: infindáveis e persistentes até destruírem tudo em seu caminho. Membirabitu é especial: fruto de dois mundos. Um dia o destino da tribo estará em suas mãos.

Membirabitu resignou-se. Poderia brincar mais tarde. Na verdade, também tinha curiosidade sobre o mundo dos brancos. Por mais que tentasse, não conseguia compreender por que a Mãe-do-mundo não fizera todos os humanos, índios ou brancos, iguais em poderes e costumes. Não seria afinal um mundo mais simples?

Maquinações

A placa na estrada informava a distância de 58 km até a cidade de Santos Dumont. Da janela do ônibus, enquanto olhava sem muito interesse a paisagem montanhosa, Tobias leu a informação e ficou mais alerta. Na velocidade em que viajavam, chegariam em cerca de quarenta minutos.

No dia anterior, havia descoberto o nome e o telefone do Venerável da loja maçônica naquela cidade. Ligara solicitando apoio ao que definira como "uma visita a conhecidos que moravam na área rural do município". Fora atendido por Francisco Cunha, que não só lhe informou onde se situava a região como se dispôs a acompanhá-lo ao local.

Quando desceu do ônibus na pequena rodoviária bem no centro da cidade, olhou para aqueles que esperavam parentes e amigos e, ao fazer um gesto sutil que traduzia um sinal secreto maçônico, prontamente foi correspondido, percebendo o irmão maçom que o aguardava. Cumprimentaram-se. Cunha lhe deu as boas-vindas, ajudou-o com a bagagem e o levou à loja local, caminhando apenas cerca de cem metros de distância da rodoviária. Passaram por uma velha mendiga sentada na calçada, esmolando. Apenas alguns passos depois, Tobias decidiu retornar, retirou uma nota de cinquenta reais da carteira e disse a ela:

– Vá para casa e descanse, senhora. Seu dia já foi ganho.

Observado por Cunha, Tobias apenas disse:

– Ela me lembrou uma velha senhora de minha infância.

Cunha mostrou as dependências do prédio de dois andares em que se situava a loja. No térreo ficava o salão de eventos sociais, local dos jantares comemorativos. No segundo andar, havia duas salas. A Sala dos Passos Perdidos precedia a Sala do Templo – esta destinada às cerimônias e ricamente decorada com símbolos e figuras. Um corredor dava acesso ao Cômodo das Reflexões, utilizado para iniciações, e à secretaria, onde foram conversar.

Mostrando sua face mais amistosa e simpática, Tobias logo percebeu que poderia manipular seu companheiro maçom, o qual julgou ser homem simples, prestativo a qualquer um que lhe aparecesse – e mais ainda a ele, Venerável de uma loja tão importante. Deu corda a uma conversa sobre amenidades a fim de angariar simpatia e confiança.

Viera tecendo planos. Não os definira por completo. O primeiro passo seria chegar à fazenda.

– Sabe dizer onde fica a Fazenda Bela Vista?

– Ora, mas é claro – respondeu Cunha. – Não apenas sei onde ela se situa como tenho uma casinha uns dois quilômetros antes, na estrada que dá acesso à região. Volta e meia eu adquiro queijos e doces fabricados por lá.

Tobias, então, teceu a história com que iria ludibriá-lo: contou-lhe que seis meses antes sua casa no Rio de Janeiro fora assaltada. Dentre as coisas que os assaltantes levaram, estava um velho cofre o qual não conseguiram abrir no local. Continha não só joias e dinheiro, como também um livro raro e precioso, escrito por seu bisavô português.

– Foi uma grande perda para você, não?

– Não tanto patrimonial – disse Tobias, entre um e outro acesso de tosse. – Como irmãos maçons, podemos ser sinceros um com o outro, né? Sou um homem rico, Sr. Cunha. Não me importam muito os valores roubados, mas sim o livro. Conta a história de minha família e de nossa árvore genealógica desde o tempo do império português, e dele não há cópias.

– Que lástima!

– É verdade. Contudo, tenho uma esperança: Murilo, um detetive particular que contratei, chegará à tardinha, vindo do Rio. Ele conseguiu seguir a trilha dos assaltantes até a Fazenda Bela Vista, que foi comprada após o roubo. Não quero envolver a polícia. Estou disposto a recompensar com vinte mil reais aqueles que me ajudarem a recuperá-lo.

Tobias viu os olhos do colega brilharem. Deu uma pausa e continuou: Planejava entrar secretamente na casa e de lá retirar o livro sem ser visto. Para confirmar o que dizia, mostrou sua carteirinha de membro da Maçonaria, a ata da reunião que o consagrou Venerável e a cópia do registro do boletim de ocorrência que fizera no Rio de Janeiro, a respeito do roubo na loja maçônica, tomando cuidado para que o colega não lesse o conteúdo, apenas passasse os olhos pelo papel e visse o timbre da polícia civil.

Convencido da autenticidade de tudo o que Tobias lhe contara, Cunha lamentou o ocorrido e, ao ouvir a cifra do que fora roubado, estranhou o homem querer recuperar apenas um livro velho. Não conseguiu deixar de perguntar:

– E os valores roubados? Não vai tentar recuperá-los?

Tobias avaliou as reações de seu colega e respondeu:

– Sim, claro. Passarei as informações para a polícia depois de recuperar o livro. Para mim, ele é o item mais valioso. Não posso deixar que se perca.

Cunha ficou tentado pela recompensa, mas temeu participar de qualquer ação que resultasse em consequências desastrosas. Tobias acalmou--o. Bastaria levá-lo ao local. Ele e seu colega iriam entrar e sair sem serem percebidos.

Francisco Cunha pesou toda a situação. As pessoas da cidade grande sempre tinham suas esquisitices e davam valor a coisas pelas quais não gastaria um níquel. Da velha casinha que comprara na roça, vendera toda a madeira para um lojista de Belo Horizonte que ficou satisfeito em pagar tanto quanto viria a gastar meses depois na construção de uma outra cabana, mais moderna e adequada. Isso sem contar o turista que lhe comprara um carro de boi, velho como seus antepassados, oferecendo-lhe uma pequena fortuna. Teria dado de graça se o infeliz tivesse pedido. Era assim o povo da capital. Melhor então era tirar proveito quando possível. Embora não quisesse se envolver, era sua obrigação ajudar a um membro da loja, um irmão da entidade. Se algo desse errado, poderia justificar qualquer presença sua naquelas bandas, por ter ido descansar em seu sítio. Sua palavra de homem honrado e cidadão de bem na comunidade pesaria mais que a de forasteiros. Havia o dinheiro prometido. Vinte mil reais! Quase vinte salários mínimos. Era muito mais do que recebia mensalmente. Por um único momento, perigoso por certo, embora recompensador. Um pouco de dinheiro não lhe faria mal. Assim conjeturando, lembrou-se de um membro da ordem que era da Polícia Civil e poderia lhes ajudar nesta empreitada de forma sigilosa.

Crendo-se inteligente, argumentou que Tobias deveria ter o rosto conhecido pelos bandidos e, se fosse visto por eles, logo tudo iria por água abaixo; um desconhecido, no entanto, ainda teria margem para tentar argumentar algo. Acrescentou que poderiam utilizar sua casinha uns dois quilômetros abaixo da fazenda, se preciso fosse.

Tobias sorriu e concordou. Sua isca funcionara perfeitamente. Congratulou-se pela própria performance. Tivesse seguido a carreira de ator, pensou, teria sido muito bem-sucedido no teatro ou nas novelas.

Combinaram, então, de pegar a estrada no final da tarde. Até lá, Murilo já teria chegado e Cunha terminado todos os seus afazeres, trazendo consigo o outro maçom.

– Por sorte – disse Cunha –, possuo um jipe com tração nas quatro rodas. Gosto de pescar em rios e lagos das redondezas, sabe? As estradas de terra não são muito boas e, com ele, ainda que chova, poderemos chegar à fazenda.

Tobias já comemorava consigo mesmo quando, após um momento, Cunha disse:

– Oh, Deus, que cabeça de vento! Desculpe-me, Tobias. Lembrei-me que tenho hoje à tarde um compromisso inadiável. Só poderemos ir amanhã, mas olhemos pelo lado positivo: prepararemos com calma todo o necessário.

Oh, droga, pensou Tobias, sem deixar transparecer seu descontentamento, e disse apenas:

– Pode indicar-me um hotel ou pousada para passar a noite?

– De jeito nenhum. Você é meu hóspede. Vamos almoçar daqui a pouco e depois o deixarei em minha casa, se quiser privacidade. Caso contrário, pode me acompanhar nas minhas atividades durante o dia. – Deu uma pausa, avaliando os próprios pensamentos, e continuou, entusiasmado: – Já ouviu falar do Museu de Cabangu?

– Não.

– Pois eu não vou apenas lhe dizer sobre ele. Eu o levarei lá. É onde se dará meu compromisso.

Enquanto passeava pelas ruas ajardinadas da propriedade onde nasceu Santos Dumont, ouvindo Cunha discorrer entusiasmadamente sobre o passado glorioso do inventor, Tobias se esqueceu, por momentos, de suas demandas e ambições. A beleza do lugar o contagiou, com seus gramados, árvores e os dois pequenos lagos, próximos à casa natal e aos três chalés que serviam como museus, cheios de relíquias da vida do inventor. Cunha participaria de uma reunião, ali, com outros membros da Fundação Casa de Cabangu, gestora do local. Ao ser deixado sozinho, os pensamentos de Tobias voltaram a se fixar no *Livro Perdido* e em Manoel.

Sua decisão de viajar do Rio ao interior de Minas fora uma ação arriscada. Embora a pista lhe parecesse promissora, não tinha como saber se resultaria em algo proveitoso. Momentaneamente perdera o controle que pensava ter da situação. Poderia ainda ser mal interpretado pelos detetives que estavam atuando no caso, se o procurassem e soubessem que ele estava viajando.

Entretanto, se o seu palpite, baseado nas anotações de Jonas, estivesse certo, levaria suas ações a algum resultado. O antigo Venerável comprara uma fazenda em Minas. Talvez, supôs, Manoel estivesse falando a verdade sobre não ter roubado o livro. E se tivesse sido o próprio Jonas a retirá-lo da loja maçônica? Que lugar melhor para o esconder do que numa fazenda nos confins de Minas? Ainda mais se Jonas estava determinado a dar o livro ao sobrinho, Pedro, antecipadamente, como dissera Manoel no dia do velório. Também havia a possibilidade de Manoel ter-se escondido na fazenda, como lhe ocorrera ao inventar a história que contara para Cunha.

Tobias levou a mão à cintura e sentiu o volume da arma que carregava no coldre oculto sob a roupa. Deu um sorriso sinistro. Caso se encontrasse com Manoel, desta vez não seria pego desprevenido.

A Floresta

O dia amanheceu nublado na fazenda. O ar estava frio. Eram sete horas da manhã quando Pedro acordou com os sons matinais: peões falando ao longe, vacas mugindo, pássaros cantando, cães latindo. Quando um galo cantou pela segunda vez, Pedro percebeu que foram os cacarejos estridentes do danado que o acordaram.

Colocou-se logo de pé e acordou Caio.

– Acorde, dorminhoco. O dia já raiou.

Caio espreguiçou-se, saindo lentamente do estado de sono.

– Levante-se logo. Teremos uma nova aventura hoje.

A voz de Caio soou embargada e quase inaudível:

– Que aventura?

– Vamos entrar na floresta.

– De novo?

– Sim e não. Entraremos na floresta sim, mas vamos aonde não estivemos ainda: na parte bem para cima da área da fazenda.

– E o que vamos fazer lá?

– Conhecer. Estou sentindo algo como uma necessidade de entrar lá.

– Mas o que há para conhecer lá, senão mato e árvores?

– Se não quiser ir, continue dormindo. Vou descer para tomar café e depois vou sozinho.

– Espere aí. Espere aí. – Caio sentou-se na cama. – Em paz, ok? E sem provocações de minha parte, está bom? Mas... O que você deseja encontrar por lá?

Pedro respirou fundo. Olhou através da janela por um momento. Imagens de sonhos estranhos lhe passavam pelos pensamentos. Somente após alguns instantes respondeu.

– Mato e árvores... Não é o que você disse? E talvez uma aura de mistérios... de beleza ou encantamento... para quem possuir sensibilidade para enxergar, é claro. O que mais encontraremos? – Fez uma pausa. – Não sei, mas preciso ir e descobrir.

Os jovens prosseguiam pela estrada ao lado da densa floresta, buscando o melhor ponto de entrada por meio de uma trilha ou o maior espaçamento entre a vegetação que lhes permitisse andar mais facilmente.

Jair trazia um facão tomado emprestado do almoxarifado da fazenda. Inácio escolhera uma machadinha. Pensaram ser úteis. Liana e Marcela traziam água e frutas em suas mochilas. Caio teve a ideia de trazer o GPS de seu pai. Lembrara-se que a localização da fazenda já se encontrava gravada nele. Como o aparelho tinha carga apenas para cerca de uma hora e meia, ligou-o somente para conferir o mapa da região. Exceto pela estrada que passava nas redondezas, não havia qualquer outra referência próxima da fazenda. Pelo menos daria para saber a direção e a distância de volta, caso se perdessem. Desligou o aparelho e o guardou na mochila. Se necessário, o religaria no retorno.

À frente do grupo ia Pedro, controlando os próprios passos para não parecer impaciente demais aos olhos dos amigos. Se estivesse sozinho, era certo que teria corrido por algum tempo e entrado logo na mata por qualquer lugar entre as árvores. Em grupo, contudo, ia disfarçando sua ansiedade. Pensara em vir unicamente tendo Caio como companhia, mas seus hóspedes não hesitaram em acompanhá-los. Para eles, qualquer aventura também era bem-vinda. Logo avistou um espaço entre as árvores sem tantos arbustos. O capim parecia amassado pela travessia de algum animal. Apontou o lugar para o grupo. Resolveu entrar por ali. Os outros o seguiram. Caio se atrasou por um momento. Religou o GPS e nele marcou a localização de onde estavam entrando na floresta.

Na fazenda, Manoel e Cláudia acompanhavam Antônio nos trabalhos matinais da propriedade, conversando sobre coisas corriqueiras. Passaram pelos estábulos, visitaram a horta de legumes, passaram pelo pomar e pelo galinheiro. Colheram verduras e temperos verdes, frutas frescas e ovos. A cesta de palha que Cláudia carregava ficou pesada e ela a entregou para Manoel.

– Vamos voltar – disse ela. – Já tem muita coisa para entregar para Dona Geralda cozinhar. Há tempos não como uma comida caseira feita com hortaliças frescas.

– Então hoje teremos essa comidinha saborosa... Mas não era nisto que estava pensando há pouco, era?

– Não... era nos garotos... espero que não aprontem nenhuma bobagem andando por aí sozinhos.

– Vão ficar bem... Caio levou o GPS para não se perderem. E já são bem grandinhos, né? Não há como pensar que ficariam parados por aqui o tempo todo. Quando se cansarem de andar, voltarão. Fique tranquila.

Manoel olhou o relógio. Marcava 9h30. Era o horário em que havia decidido ligar para o advogado. Caminhou ao lado de Cláudia até a casa-grande, deixou a cesta de alimentos com Dona Geralda na cozinha e foi para a sala onde estava o terminal da antena amplificadora de sinal. Plugou o celular da fazenda e discou.

Cláudia o seguiu e percebeu a impaciência e a irritação crescentes em sua voz à medida que o Dr. Plínio o colocava a par da situação. Aproximou-se para tentar ouvir algo, curiosa em saber o teor da conversa. Não conseguiu discernir as frases; no entanto, pela voz e expressões de Manoel, imaginou serem más notícias. Quando ele desligou o celular, Cláudia esperou que tomasse a iniciativa da conversa.

Olhou-a, esbaforido, e lamentou:

– A situação é mais grave do que pensei. Tobias parece ter aprontado um problema muito maior.

– O que foi, Manoel? Conte-me tudo. O que o Dr. Plínio disse?

A voz de Manoel soou indignada quando começou a lhe contar sobre a morte inexplicável de Fábio no mesmo dia em que Tobias lhe armara a cilada na loja maçônica. Ela ficou perplexa. A polícia o procurava para depor. Dr. Plínio já se anunciara como seu defensor e dissera que iria acompanhá-lo dali a alguns dias para depoimento, mas que entraria com um pedido antecipado de *habeas-corpus* ao juiz responsável, a fim de evitar um eventual pedido de prisão preventiva pelo delegado. Também informou que havia dito ao detetive encarregado do caso que ele, Manoel, achava estar sendo perseguido por Tobias, a quem acusava de armar uma cilada para incriminá-lo.

Cláudia deixou-se cair no sofá. Não sabia o que dizer e nem o que pensar. Seu marido seria acusado de assassinato? O que mais faltava lhes acontecer de ruim? O que o futuro lhes reservava?

A temperatura mais baixa e a umidade foram a primeira coisa que o grupo de jovens notou quando entrou na floresta.

– Está bem mais frio por aqui – disse Marcela.

– A umidade deve ser por causa do orvalho da manhã – respondeu Jair. – E a temperatura mais baixa também.

– Cuidado onde pisam e com os galhos dos arbustos – alertou Pedro. – Eles podem arranhar e ferir.

Foram se embrenhando por entre as árvores. Perceberam um som diferente, pararam e ficaram alertas. Olharam para cima das árvores e perceberam dois pássaros com a aparência de galinhas com rabos grandes, largos e retos. Os pássaros ficaram inquietos ao perceberem a presença deles. Um alçou voo, logo seguido pelo outro.

– Que legal, gente – disse Liana. – Senti susto num primeiro momento, mas é tão bom poder ver de perto a vida selvagem. Que pássaros serão esses?

– Já ouvi falar sobre eles numa reportagem que assisti na TV. São jacus. Em geral vivem somente em florestas fechadas como essa ou à beira delas.

Viram esquilos escalando os troncos das árvores, macacos pulando de galho em galho, e um bicho-preguiça no alto de uma das copas. Tucanos, maritacas e passarinhos multicoloridos também foram facilmente avistados.

Em dado momento se assustaram. Ouviram barulho no mato logo à sua frente e pararam de caminhar. Temeram que fosse um lobo ou uma onça. Momentos depois, o animal se revelou – saiu do meio do mato e chegou a apenas um metro de distância deles. Era um quati. Respiraram aliviados. O animal se desviou e rapidamente se afastou.

Continuaram a trilha por quase uma hora. Pedro empunhava o facão abrindo caminho pelo mato mais fechado. Subitamente encontraram uma larga clareira, com arbustos muito baixos e esparsos entre si, o chão coberto de folhas e capim ralo. Caminharam para dentro dela. O solo era muito fofo e úmido, e afundava alguns centímetros quando se pisava, o que tornava difícil e lento caminhar. Era estranho. As grandes árvores se haviam interrompido e circundavam a clareira na qual caberia facilmente um campo de futebol. No centro, havia um muro de pedras com uns sessenta centímetros de altura formando um círculo com uns dez metros de circunferência. Aproximaram-se completamente surpresos. As pedras, perfeitamente encaixadas umas nas outras, lembravam ao grupo as construções das antigas civilizações da costa da América do Sul: astecas, incas e maias.

– O que será isso? – perguntou Inácio.

– Não sei, mas é tão surreal... um círculo de pedras numa clareira dentro da floresta? Quem teria construído isto?

– Os primeiros colonos da região? – sugeriu Jair. – Bandeirantes... talvez?

Pedro pulou para dentro do círculo.

– Foram os índios! – disse Pedro. – Foram os índios!

– Índios? – perguntou Caio. – Não creio. Faziam suas tabas e malocas de madeira. Por que índios construiriam isso? E por que acha que foram eles?

Pedro não disse nada. Apenas apontou para a última camada de pedras, do lado de dentro do círculo.

Inácio pulou para dentro do círculo, seguido dos outros, e ficou de queixo caído.

Havia desenhos indígenas que lembravam inscrições rupestres esculpidas em cada pedra. Nelas se podiam discernir formas animais e humanas, flechas, luas, sóis, raios, estrelas e outras figuras indecifráveis.

Marcela quebrou o silêncio:

– Puxa vida! Acho que encontramos um sítio arqueológico.

– Caramba... – comentou Inácio. – Nunca vi nada assim. É muito interessante! Olhem estas figuras...

– As figuras foram esculpidas nas pedras e depois coloridas... – disse Liana. – Ainda há resquícios de tinta em alguns contornos, vejam. A exposição ao sol e à chuva fez com que descolorissem. Ainda assim, são impressionantes.

Caio percorreu toda a circunferência interna olhando de forma rápida os desenhos. Ligou o GPS e marcou a localização no mapa, desligando-o em seguida. Depois parou perto de Pedro.

– Rapaz, não vá me dizer que já sabia que iríamos encontrar isso aqui.

– Não, não sabia – respondeu Pedro. – Tive uns sonhos estranhos esta noite e, como havia lhe dito, senti uma vontade enorme de entrar na floresta.

Jair vagava nas extremidades da clareira como se estivesse procurando por algo. Agachou-se e tentou escavar o solo com as próprias mãos. Havia muitas folhas secas caídas das árvores ao redor e dentro da clareira. O cheiro de folhas e terra úmida invadiu seu nariz. Suas mãos ficaram impregnadas de sujeira. Vez ou outra, as sacudia ao se deparar com minhocas, formigas e insetos que apareciam. Então, tocou em algo duro. Por fim, compreendeu. Alargou o buraco que fez e se sentiu satisfeito. Estava certo quanto ao que imaginara.

– Ei, pessoal – gritou, e os amigos logo repararam em suas mãos e roupas imundas, no buraco que tinha feito e na terra amontoada ao lado. – Descobri uma coisa.

– O que foi? – Caio perguntou.

– Eu fiquei intrigado com a clareira. Se ela é tão antiga, as árvores já deveriam ter renascido aqui e tomado este lugar. Mas não. A clareira manteve-se intacta.

– E por quê? O que você descobriu? – perguntou Marcela.

– Estamos pisando... em folhas... Uma camada de folhas de uns quarenta centímetros. A terra preta por baixo destas folhas amarelas e secas nada mais é que a decomposição das folhas mais antigas. Por baixo delas e acima do solo há uma base de pedra, por isso a clareira continuou intacta e apenas arbustos e capim ralo cresceram aqui. Não há solo para as grandes árvores.

– Quer dizer – disse Caio – que se fosse feita uma escavação e retirada a camada de folhas acumuladas...

– ... encontraríamos um piso todo de pedra – completou Jair. – Formado por uma grande laje de pedra ou várias pedras planas que unidas constituem o piso da clareira.

– Incrível – comentou Liana. – Este lugar foi feito para durar.

– E tem mais – Jair estava impressionado –, com isso podemos deduzir que este muro de pedras é um pouco mais alto do que parece. A camada de folhas secas é que foi se elevando com o tempo, deixando-o mais baixo.

– É impressionante – disse Marcela. – O que acha que pode ter sido isto, Pedro?

– Pedro?

Ele não respondeu. Olhava fixamente o centro do muro circular.

A consciência de Pedro foi invadida por um turbilhão de cenas, imagens e sons, que se misturavam sem que delas conseguisse extrair todo o sentido e compreensão. Havia um sentimento doído, triste e nostálgico. Seu corpo se contraiu, pronto para iniciar qualquer ação. Algo imensamente importante estava acontecendo, tão importante que decidiria o destino e a vida de todos.

Estavam em jogo a vida e a morte. Tudo num único instante de urgência – em seu íntimo, sabia disso.

Os sons dos tambores, as vozes ritmadas, o grito dilacerante e, depois, o silêncio de segundos, até que o ciclo recomeçasse novamente. Tudo se somava para aumentar ainda mais o ritmo das batidas de seu coração e enfatizar a iminência do perigo.

O círculo de índios. O pajé no centro. O momento fatal que se aproximava. Todos sabiam dele.

Já não mais importava a vida ou a morte. Apenas buscavam a luz, e esta estava em luta com as trevas.

Sabiam que nascer e morrer eram parte dos mistérios do mundo e da consciência da floresta. Na harmonia da natureza também havia espaço para a agressividade e a morte, já que alguns animais, em sua morte, se tornavam alimento para outros, lhes proporcionando vida.

As mortes dos indígenas, entretanto, estavam apenas alimentando a sede de sangue dos monstros e demônios da floresta, e a agressiva sede de poder do homem branco. Os índios estavam prontos para a morte. Sua ou de seus inimigos.

A mãe do mundo os criara e os receberia de volta quando fosse o momento. Mas não agora. Os guerreiros sempre defendiam a tribo, matando ou morrendo. Aqueles que ali se reuniam não eram guerreiros. Eram a soma de toda pajelança. Aquelas almas mais sensíveis à natureza, à psicologia humana e aos Deuses. Numa ilusória passividade, enquanto seus corpos pareciam inertes, suas almas e mentes lutavam. Lutavam se não com seus arcos, flechas e bordunas, pelo menos com a fé em seus Deuses e tradições.

As visões se sucediam.

Animais ferozes urravam sua agressividade.

O fogo sagrado crescia.

Além do círculo ritual, trilhas levavam à aldeia próxima. Cenas tribais se desenrolavam. Lá estava o sangue indígena em cada um daqueles filhos da floresta, nos rostos alegres e inocentes dos curumins, nas faces morenas das mulheres e nas sábias rugas dos velhos. A expressão de suas vidas estava em cada canto, nas ocas em que viviam agrupados ou na ponta de suas flechas.

Cenas de nascimento e morte. Vida e alegria. Tristeza e doença. Guerras entre tribos. Viu as flechas perfurando a carne e drenando a vida de muitos guerreiros. Lamentou os conflitos que percebia e julgou que não deveriam ter existido. Índios não deveriam ter lutado contra índios. Mas lutaram.

Nesse breve instante de consciência, refletiu se o que via eram suas recordações. Como resposta às suas dúvidas surgiu a figura de Membirabitu correndo na mata, desesperado, porque algo o perseguia. De repente era ele, Pedro, quem lá estava, e, no entanto, sabia que precisava voltar o mais rápido possível. Algo importante ficara para trás, no caminho da morte.

Agora, o inimigo era outro, bem mais impiedoso e voraz. Viu quando outra flecha seria disparada, desta vez contra os Angaipás, invasores de suas terras. Um trovão soou e a flor vermelha da morte brotou misteriosamente no peito do guerreiro. Seu corpo caiu inerte. O mesmo aconteceu com muitos outros. Os brancos avançaram cada vez mais, e as mortes se sucederam.

As fontes passaram a jorrar e borbulhar sangue.

A selvageria das infinitas formas de morte. Sua crueldade e violência. E, enfim, o abandono, a entrega e o esvair-se no esquecimento da morte.

Tudo se entrelaçava em dor, instantes de luz e escuridão, terror, vida e não-vida.

As trevas se avolumaram, e os demônios os atacavam.

O fluxo de cenas, emoções e sentimentos tornou-se imenso. Pedro não mais aguentou. Gritos desesperados partiram de sua garganta.

– PEDRO? – a voz de Marcela demonstrava aflição. – Está se sentindo bem?

Agachado e encostado no muro de pedras, com as mãos tampando o rosto, murmúrios saíam de sua garganta.

– PEDRO?

Foi despertando aos poucos. Aos olhos de Pedro as árvores pareceram ter ficado mais altas, o chão de pedra sumira e o tapete macio de folhas voltara a substituí-lo. Levantou-se, olhou para Marcela e seus amigos e tentou fazê-los acreditar que nada acontecera. Não conseguiu. Ninguém acreditou.

– Tudo bem, Marcela. Desculpem-me, pessoal, se os assustei.

– Você teve alguma visão, não foi, Pedro?

Ele não teve como negar.

– Acho que sim, Caio. Não se preocupem. Está tudo bem. – Tentou minimizar o fato e voltou-se para Jair: – Acho que você tem razão, Jair. O piso deste lugar é todo de pedra. O acúmulo de folhas ao longo dos séculos é que o encobriu.

Jair coçou a cabeça.

– Acho que este lugar era destinado a cerimônias indígenas. Talvez adorassem seus Deuses e lhes fizessem oferendas por aqui.

– Ou – respondeu Pedro – podem ter construído este lugar para um único fim, um evento que fosse importante demais para eles.

– Tudo é possível – disse Jair. – Afinal, estamos no terreno das especulações. Mas o que poderia ser tão importante para que construíssem um lugar assim?

Liana, Marcela e Caio demonstraram impaciência.

– Há algo mais para ver por aqui, Pedro? Deseja voltar ou continuar floresta adentro?

– Vamos seguir mais um pouco. Esta área me parece muito familiar. Depois retornamos.

Saíram da clareira na direção oposta à que entraram e novamente sentiram a dificuldade de caminhar na mata fechada. Desta vez, era Jair quem ia à frente. Em cada golpe seu, o facão cortava o ar e decepava cipós e pequenos galhos que estivessem no caminho. O tempo foi passando rápido. Pela posição do sol, Jair calculou que devia ser ao redor das treze horas.

A cada passo Pedro vislumbrava uma visão diferente do passado. Eram cenas nítidas como memórias vivas de algo que vivera. Não saberia explicar. Ouvia a conversa de seus companheiros, e essa lhe soava distante, embora eles estivessem bem próximos, à sua frente ou atrás de si.

– ...foi um achado e tanto – dizia Jair. - Se pudermos divulgar, este lugar vai se encher de antropólogos procurando compreender...

As tochas acesas acompanhavam o alinhamento do círculo. A luz amarela do fogo refletia nos rostos fechados dos pajés. No céu, a lua cheia bri-

lhava, e um halo gigante a contornava. Não havia expressão de medo naqueles rostos. Tampouco na face de Membirabitu. O medo ficara para trás, quando apenas se pensava em vida. Agora não mais. Havia somente o pensamento de aniquilação e morte, da mesma forma que o sol se fora e sobrara a escuridão na noite. Se houvesse amanhã, talvez fosse o momento de pensar na vida novamente. Mas não agora.

– ...acho que estamos abrindo uma trilha que ficará para a história... – dizia Marcela.

– ... é possível sim, Caio – respondia Inácio –, que os índios que aqui viveram tenham tido contato com povos que habitavam próximo aos Andes...

Havia uma trilha ali por onde corriam os curumins e levava da aldeia à clareira. Por ali, passaram muitos indígenas encarregados da construção do círculo de pedras. Provinham de muitas nações indígenas. Seus costumes eram diferentes, bem como seus cocares e simplórias vestimentas, quando as tinham. Naquele momento de sua história comum, esqueceram suas ancestrais desavenças. Algo os unira: o mal que se instalara em seu mundo e em seus corações, o pavor que invadira suas mentes, provocado pelos demônios e monstros que adentraram suas terras, bem como por aqueles que vieram em grandes canoas d'além mar. Alguém os liderava: um velho índio, vindo de terras ainda mais altas e longínquas, onde as montanhas eram todas de pedras e, no inverno, permaneciam sempre cobertas de neve, onde viviam os condores a planar pelos vales gélidos e desertos, onde um imperador construíra uma vasta nação, fundara cidades e erguera templos e palácios de pedra.

Fora a chegada desse sábio pajé forasteiro que os unira. Ele viera perseguindo as trilhas dos monstros durante anos, seguindo as estrelas, até chegar à aldeia. Fora o único sobrevivente de seu povo na expedição constantemente atacada pelos demônios. Decidira continuar; os monstros tinham de ser detidos. Arrebanhara seguidores pelas aldeias que atravessara. Ele os ensinou a construir o muro de pedra, o lugar onde fariam a cerimônia. Dizia saber como agir para extirpar o mal da terra dos nativos. Convencera-os todos de que precisavam unir suas forças para vencer este grande mal que se abatia sem distinção sobre todos os filhos da floresta e os filhos das altas montanhas, como ele.

– ...é mesmo, Liana? – dizia Inácio. – Esses índios também plantavam... e mandioca...?

– ...e colhiam sementes, raízes e ervas na floresta...

A aldeia parecia agonizar com o som, as danças e os lamentos indígenas pela maldição do Anhangá. Os rostos exibiam a dor daquele infeliz pesadelo.

O som do trovão saía das armas dos brancos, junto com fumaça e o cheiro nauseabundo da pólvora. Ao longe um índio caíra morto. A mágica dos brancos parecia forte demais.

– ...suada... à tarde... cachoeira... nadar?
– ...podemos sim. Acho que... também vai gostar...

A aldeia respirava paz e tranquilidade. Membirabitu olhou a jovem Nayara e seu coração disparou. Gostava de sua presença. Um dia tentaria torná-la sua companheira. Admirava seus longos cabelos, sua pele macia e seu sorriso.

Pensava em como era bom estar em sua presença e admirar seu sorriso, quando o som do trovão ecoou pela aldeia, espalhando terror e confusão; os guerreiros procuraram seus arcos e muitos tombaram antes de utilizá-los. As mulheres correram para proteger seus curumins; flechas e lanças voaram, bordunas e músculos se agitaram, armas de fogo trovejaram e o sangue se espalhou pela terra novamente. Redes jogadas pelos bandeirantes capturaram nativos em pânico. Dom Afonso buscou e ergueu também sua arma de trovão, uma arma que nunca utilizara na aldeia. Disparou, uma, duas, três vezes, e aqueles de sua raça caíram como há pouco haviam caído os guerreiros índios. Mas logo foi ele quem tombou. Desesperado, Membirabitu correu em sua direção.

– ...Ele está tão estranho hoje...
– ... coincidência...

Os demônios vagavam pela floresta. Os corpos das vítimas ainda conservavam o horror em seus olhos quando foram encontrados. Indefesos curumins, frágeis mulheres, fortes guerreiros. Não havia distinção. Seus corpos eram encontrados dilacerados, queimados, mordidos, partidos, incompletos. Os demônios se multiplicavam e infestavam águas, pradarias, montanhas e florestas. E sua voracidade aumentava...

– ...voltarmos daqui?
– Que tal voltarmos...?
– Pedro, vamos...?
– ...DAQUI, PEDRO?
–...PEDRO?

Pedro sentiu o toque em seu ombro, teve um sobressalto e voltou-se. Viu Marcela, o rosto molhado de suor colando alguns dos seus longos fios de cabelo à sua pele – e nem por isso menos bela. Sentiu vontade de beijá-la. Conteve-se. Não se sentia à altura dela. Achou melhor que nunca soubesse de sua atração. Seus olhos, no entanto, o traíam, enviando a mensagem que desejava esconder.

– Sim, podemos voltar se vocês quiserem. – Pedro tentou fazer sua voz parecer o mais normal possível. Sua mente estava num turbilhão. Achou que não convinha deixar seus amigos preocupados. Por isso, logo completou:

– Aqui ainda está muito distante da aldeia...

– Aldeia? – Marcela ficou confusa. – Que aldeia, Pedro?

Pedro hesitou. Percebera que estava misturando suas visões com a realidade.

– Apenas imaginei – ele disse – que se encontramos um lugar sagrado de índios que viveram aqui no passado, com certeza podemos supor que também havia uma aldeia por perto, né?

– Acho que tem razão. É possível.

– Pois é. Estava indo nesta direção pensando encontrá-la.

– Se essa aldeia existiu – disse Jair –, acho que o local já deve ter sido tomado pelas árvores e talvez não haja mais qualquer vestígio da presença deles; a não ser a clareira que encontramos.

– Talvez – insistiu Pedro – possam ser encontrados alguns vestígios, ainda que discretos. Algo como pedaços de cerâmica, ossos ou algum artesanato.

– Mas por que você acha que, se tal aldeia existiu, foi construída longe daqui?

Por que eu a vi e sei exatamente onde ficava, Pedro teve vontade de dizer. Porém, respondeu apenas:

– A clareira e o círculo de pedras não combinam com o estilo dos índios que aqui viveram. Deve ter sido construída com um propósito definido. Se não fazia parte de seu cotidiano, é mais provável que a tenham construído em local afastado da aldeia.

Liana era a que mais demonstrava cansaço. Tinha seus braços arranhados, estava suada e impaciente:

– Queremos voltar daqui, Pedro. Estamos cansados e com muita sede. Devíamos ter trazido mais água.

Pedro deu uma última olhada no caminho de mato fechado à sua frente. Preferiria continuar. Resignou-se.

– Tudo bem, podemos voltar.

– Meia-volta, pessoal – disse Jair –, vamos voltar pelo mesmo caminho que viemos.

Cláudia começara a se preocupar com a ausência dos garotos desde o final da manhã. A rotina na fazenda iniciava bem cedo, e o almoço ali era servido pontualmente às onze horas. Fora assim também naquele dia. Como os garotos não chegaram, tiveram de almoçar sozinhos com Antônio, Dona Geralda e um ou outro trabalhador dali. A despeito de saber que a região era tranquila, não se sentia confortável. Achou que eles estavam perdidos. Manoel tentou acalmá-la:

– Bobagem sua. Os garotos estão se divertindo e devem chegar logo, logo, assim que sentirem fome. Não é preciso preocupar-se à toa.

A tranquilidade da fazenda contrastava com as várias atividades que se desenvolviam durante o dia na produção de alimentos para o comércio. Os trabalhadores já tinham recomeçado suas tarefas da tarde e, vez ou outra, cruzavam o pátio indo de um a outro local.

Cláudia foi dominada por uma angústia inexplicável, algo que só conseguia atribuir a uma intuição ou um sexto sentido. Em geral, nunca se sentia assim; nem agia de forma cerceadora. Seu filho fora criado o mais livre possível. Dera-lhe liberdade, embora também o tivesse ensinado a sempre dosá-la de acordo com suas responsabilidades. Caio nunca os desapontara. Estranhamente, agora lhe batera um receio como poucas vezes sentira da violência na cidade. À medida que os minutos iam passando, sua apreensão aumentava. Quando viu dar treze horas, não aguentou mais. Insistiu com Manoel e não sossegou até convencê-lo a ir atrás dos garotos.

– Quanto tempo falta para sairmos da floresta? Estou me sentindo cansada de caminhar – disse Marcela.

– Muito estranho – disse Caio, olhando o GPS e tentando se localizar através dele.

– O que foi? – quis saber Liana.

– Do momento que decidimos voltar até agora, caminhamos bastante. Quase meia hora. Já deveríamos ter chegado ao círculo de pedras. O GPS parece ter travado. Fica mostrando sempre o mesmo ponto e a mesma direção no mapa. Já o reiniciei, mas de nada adiantou.

– Você não está querendo dizer que estamos perdidos, está? – brincou Jair. – Para mim, estamos na direção certa. E, agora que você falou, andamos pouquíssimos minutos na vinda depois que saímos do círculo... uns quinze minutos no máximo, até decidirmos voltar.

– Então erramos a trilha em algum ponto e passamos direto. Mal dá para acreditar. Caminhamos sempre retos. Não havia como nos perdermos...

– E nem como o GPS travar... Isso nunca aconteceu antes e olha que já viajamos para toda parte do país, de norte a sul... Este aparelho sempre indicou precisamente no mapa onde estávamos e o caminho a seguir.

– Sem apavoramento, pessoal – disse Inácio. – Se estamos andando há quase meia hora e se Jair estiver correto quanto ao tempo que caminhamos, devemos retornar uns quinze minutos de caminhada e estaremos novamente próximos do círculo. Quando o alcançarmos, seguimos a trilha anterior até sair da floresta, pegamos a estrada e chegaremos rápido na fazenda, ok?

– Ai, eu não acredito – reclamou Liana. – Como pudemos nos perder tão facilmente?

Ninguém disse mais nada. A culpa pela desatenção era mútua.

Marcela ficou pertinho de Pedro e, diante da dificuldade de caminhar, ele lhe estendeu a mão. A partir daí passaram a caminhar sempre assim, de mãos dadas.

À medida que seguiam, porém, o caminho não se mostrava mais conhecido. Pelo contrário, a vegetação parecia mais densa, e inexistia qualquer vestígio de já terem passado por ele.

Manoel caminhou em silêncio, com Antônio a seu lado. Quando lhe disse que iria atrás dos garotos, ele logo se prontificou a acompanhá-lo. Ao perguntarem aos peões da fazenda a direção que os garotos tomaram pela manhã, eles apontaram estrada acima. Manoel notou que Antônio ficara receoso. A preocupação aumentou quando Quinzinho, um mulato que vivia nos arredores da fazenda, lembrou:

– Ah, quando vim trabalhar pela manhã, vi os garotos entrarem na mata por uma trilha na estrada bem depois dos currais.

A reação de Antônio foi brusca. Num momento, ficou lívido; noutro, zangou-se com o peão, lhe perguntando por que diabos não tentou impedi-los de lá entrar. Andou de um lado para outro em curtos passos.

Manoel leu em seus olhos a dúvida e o desespero. Depois, após um breve momento que lhe pareceu uma eternidade, ouviu a voz de Antônio soar firme e ríspida:

– Iremos atrás deles, Quinzinho. E você também irá conosco. Coloque em sua mochila um litro de cachaça, um grande pedaço de fumo de corda e alguma palha de milho. Alcance a gente na estrada, que já estamos indo.

O rosto do peão empalideceu. Abriu a boca para protestar, mas diante do tom e da expressão de Antônio não conseguiu dizer palavra.

Antônio armou-se de facão e lanterna, colocou um cordãozinho com um crucifixo no pescoço, e, olhando de novo nos olhos de Manoel enquanto se punha em marcha, apenas disse, num tom sério, que a Manoel pareceu estranho e bem engraçado:

– Vamos! Deus adiante! São Jorge nos proteja!

Manoel o acompanhou. Percebeu a alteração no homem: estava sério e tenso como se um peso enorme estivesse sobre seus ombros, como se temesse algo muito perigoso. Vendo seu semblante tão fechado e sua atitude resignada e silenciosa, Manoel lembrou-se da vez anterior que estivera ali: Antônio havia manifestado certa superstição sobre a floresta, achando-a assombrada ou coisa parecida. Decerto, ainda que temeroso de nela entrar, via-se obrigado a contrariar seus instintos por sentir-se responsável pela segurança de seus hóspedes que, não por acaso, também eram seus patrões e convidados destes. Manoel ia ruminando esses pensamentos, seguindo Antônio, quando o peão os alcançou, esbaforido após correr, com uma mochila nas mãos.

Para quebrar o clima de mal-estar, Manoel logo disse:

– Antônio, não precisa me acompanhar. A responsabilidade pelos rapazes e moças é minha. Continue com seus afazeres na fazenda que eu resolvo isto. Vou encontrá-los.

Antônio olhou-o com a mesma expressão de seriedade e descartou qualquer possibilidade de voltar atrás:

– O senhor não sabe o que está falando. Nem sabe onde vamos, nem o que vamos enfrentar. Aquela mata é lugar perigoso, de muita coisa ruim. Os meninos não deviam ter entrado lá, mas, com a graça de nosso senhor, vamos conseguir achar eles. Deus adiante!

Manoel não insistiu. Seria mais fácil zanzar pelas redondezas com a companhia de alguém familiarizado com o lugar. Além disso, a cisma do homem e sua relutância o deixaram preocupado. Que mal poderia haver naquela floresta?

Quinzinho apontou o local onde havia visto Pedro e seus amigos entrarem na mata. Antônio tomou a dianteira, foi em direção à mata, e, antes de nela entrar, olhou para o céu, botou a mão em seu crucifixo, balbuciou algo e desapareceu na vegetação. Manoel e Quinzinho o seguiram. A princípio, foi bastante fácil seguir a trilha, pois havia vestígios de passagem suficientes para indicar a direção que os jovens haviam tomado: o mato estava amassado no chão e nele havia marcas de pegadas assim como uma ou outra folha ainda verde das plantas, arrancadas inadvertidamente ou por acidente; galhinhos finos e brotos mais tenros dos arbustos estavam quebrados. À medida que prosseguiam, contudo, os rastros se escasseavam e logo desapareceram. A trilha que seguiam terminou em lugar nenhum.

Grandes árvores os cercavam por todos os lados, o mato alto lhes tampava a visão do caminho, não lhes permitindo enxergar mais que uns três ou quatro metros à frente. Defrontados com a barreira verde e sem lugar para seguir, foi preciso que Antônio usasse o facão que trouxera para abrir caminho.

Decidiram continuar em frente, na mesma direção, intrigados com o fim da trilha e o destino dos jovens. Embrenharam-se por meia hora nas profundezas da mata e começaram a ouvir berros apavorantes. Não soava humano, era muito estranho até para um animal qualquer. Soava raivoso, feroz e ameaçador. Seja lá o que fosse, parecia ser grande e perigoso. Presumindo que vinha em sua direção, começaram a correr pela mata, sem destino. Não tiveram tempo de sequer se desviar das imensas teias de aranha que lhes grudavam nas roupas, dos galhos que lhes arranhavam e de qualquer outro inconveniente. Um forte mau cheiro lhes impregnou as narinas, algo pútrido e insuportavelmente fétido parecia estar por perto. Os urros pareciam mais próximos.

Logo chegaram perto de duas pedras gigantes levemente arredondadas que contrastavam com a paisagem, embora a vegetação já estivesse em harmonia com elas, pois as árvores cresciam ao seu redor e grossos ramos de cipós passavam por cima delas.

O terreno se elevava à esquerda. Pelo barranco seria possível chegar ao seu topo. Com os urros cada vez mais perto, não hesitaram diante da chance de se esconder em cima das pedras. Desesperados, escalaram a elevação, se segurando nas árvores ao redor e nos cipós. Antônio subiu à frente e foi direto para cima da rocha; Manoel o seguiu. Quinzinho, que vinha mais atrás, ao ouvir o berro da criatura já bem próximo de si, na metade do caminho desistiu de escalar o restante, pois vendo uma fenda entre as pedras, deduziu que ali seria mais rápido e seguro para se esconder. Na correria, um galho enganchou na mochila que trazia consigo, arrancando-a de suas mãos e lançando-a no meio das pedras, onde ficou escondida. Quinzinho jogou-se na fenda e sentiu-se cair num abismo sem fundo. Desfaleceu.

Quando recobrou os sentidos, ainda zonzo, se pôs de pé, admirado de estar vivo e não sentir qualquer dor. Surpreso, percebeu que não estava mais na floresta, mas numa planície deserta, salpicada de rochas e iluminada apenas pela lua cheia. Estremeceu ao ouvir um uivo e pensou ter visto um grande lobo negro. Correu sem qualquer direção, tropeçando, caindo e voltando a se levantar. Achou que o animal o perseguia. Voltou-se para trás a tempo de ver a fera saltar sobre si e o derrubar. Sentiu o hálito fétido e a bocarra se abrir para abocanhá-lo. Gritou. E tudo para ele se tornou escuridão.

Antônio e Manoel ficaram em silêncio, deitados no alto da pedra, tentando visualizar o que iria passar logo abaixo. A coisa veio se aproximando, urrando, fedendo e procurando suas presas. Manoel tentou prender a respiração, pois a catinga chegava à beira do insuportável. Do meio dos arbustos, logo abaixo, viu sair um monstro peludo andando feito gente, de grande estatura, de longos pelos castanho-escuros, gesticulando furiosamente os compridos braços que terminavam em poderosas garras. Manoel esforçou-se por ver o que era aquilo e assustou-se com a bocarra descomunal da criatura e algo como um papo avermelhado que se estendia do queixo e lhe descia pelo peito, fendendo seu pelo até a altura do estômago. Imaginou que, vista apressadamente, a boca da criatura pareceria um enorme rasgo vertical em seu corpo. Tão rápido como veio, o monstro se foi também aos berros, sem notar a presença dos homens.

– Antônio? Antônio – disse Manoel –, o que era aquilo?

Antônio estava de olhos fechados agarrado ao seu crucifixo. Seus lábios tremiam. Foi preciso que Manoel continuasse a chamar seu nome e, por fim, lhe desse um pequeno empurrão para que ele reagisse.

– O que era aquilo, Antônio?

– Aquilo... é um comedor de gente... se pegar alguém, ele mete logo a cabeça do pobre coitado na sua bocarra e a sai mascando pela floresta. No restante do corpo não toca. Os índios o chamavam Mbaé-pi-guari, o monstro do pé torto, Mapinguari para nossa gente. Olha lá as pegadas dele como são esquisitas.

Manoel olhou para baixo e viu no solo da floresta, num trecho sem folhas, um par de estranhas e retorcidas pegadas impressas no solo úmido.

– Que troço pavoroso... nunca ouvi falar desse Mapinguari...

– Onde está o Quinzinho?

– Estava logo atrás da gente...

Levantaram-se rapidamente e começaram a descer da pedra pela mesma encosta que subiram. Na metade da descida Antônio viu a mochila que Quinzinho carregava caída no meio das pedras. Apontou-a para Manoel, agachou-se e a pegou.

– A mochila está aqui... Cadê o homem?

– Ô QUINZINHO... - gritou Manoel. - PODE APARECER... O MAPINGUARI JÁ FOI EMBORA!

– Para de gritar – ralhou Antônio –, ou você quer que aquele bicho dos infernos volte para cá?

– Tem razão... Mas, se Quinzinho não subiu nas pedras como nós, para onde pode ter ido? Teria voltado e se embrenhado na mata?

– Não, acho improvável...

Manoel avistou a fenda entre as pedras. Era grande o suficiente para permitir a passagem de uma pessoa.

– Ele só pode ter se enfiado ali – apontou –, pois estava bem atrás de nós.

Antônio retirou uma lanterna da mochila, desceu até a fenda, iluminou lá dentro.

– É um danado dum buraco bem grande... E bem fundo... Não tem ninguém dentro, não.

– Droga – resmungou Manoel –, onde o peão se enfiou?

– Uma coisa é certa: voltar ele não voltou, senão tinha ido de cara no monstrengo.

– Então a opção mais provável é que ele tenha continuado a correr floresta adentro. Nesse caso, o Mapinguari deve estar em seu rastro. Vamos ter de ir em seu encalço e tentar salvar o infeliz.

– Deus adiante! Vamos com cuidado e em silêncio.

Antônio e Manoel seguiram os rastros do Mapinguari. Para sua surpresa, após duas centenas de metros a trilha desapareceu tão subitamente quanto da primeira vez, deixando-os sem saber o que fazer, pois lhes parecia impossível que um monstro daquele tamanho desaparecesse sem deixar sinais. Continuaram mata adentro, com Manoel a abrir caminho com o facão nos trechos mais densos.

Quase uma hora depois, chegaram a lugar nenhum: tudo era floresta e sinal não havia de Quinzinho, nem dos jovens que foram procurar. Pararam por um momento, sem fôlego. Descansaram por poucos minutos. Quando olhou para trás, Antônio desesperou-se:

– Não! Não, não... não...!

– O que foi, homem?

– A trilha em que viemos...

Manoel olhou ao seu redor e atrás de si. Estavam totalmente cercados pelas árvores, sua diversidade era infinita. Algumas tinham de três a cinco metros de altura e outras eram gigantes, elevando-se para os céus, com troncos largos que necessitariam de três ou mais pessoas para abraçá-los. Na altura de seus olhos, havia árvores jovens em crescimento e arbustos variados cujos galhos se cruzavam tornando densa a floresta e dificultando o caminhar. Nada, nadinha da trilha que abriram.

– Viemos cortando os galhos com o facão. E agora não há nada, nenhum vestígio na floresta de nossa passagem. Inacreditável... é por isso que não conseguimos acompanhar nenhuma trilha. Como é possível?

– É obra daquele diabinho cabeçudo... Faz qualquer um se perder dentro da mata...

– Como é?

– O Caapora...

– Isto é lenda do folclore... não existe Caapora!

– É o que você pensa... O Mapinguari também é uma lenda... E teria matado a gente se tivesse nos alcançado. Eu já temia ter de encontrar esse diabinho do Caapora.

Manoel calou-se. Era certo que aquela não era uma floresta comum. Tão logo Antônio pronunciou o nome daquele ente fantástico, ouviram barulho de algo se aproximando. Estupefatos, viram surgir, descolando-se do tronco de uma grande árvore – como se dela se originasse ou através dela se materializasse – um anão feioso, de pele queimada de sol, barbudo, cuja grande cabeça era desproporcional ao corpo peludo, vestindo apenas algo parecido com uma tanga. Havia algo sorrateiro e maligno em sua aparência e na sua própria voz quando disse:

– Antônho, Antônho, tá caçandu na minha floresta? Já num te disséru que é mió ficá bem longi daqui?

– Não estou caçando, não – disse Antônio, tremendo feito bambu ao vento –; e já estou de passagem, voltando para minha casa.

– Ah... ocê num tá incontrandu o caminhu de casa... mas incontrô o caminho de vinda... invadiu meus domínius e inda trouxe alguém consigu... já num dei cabu de tantos d'ocês e a ôtros enlouqueci? Purquê inda continuam a invadí minha floresta?

– Viemos só procurar uns rapazes e umas moças que entraram aqui mais cedo... vamos levar eles de volta... já estamos de saída...

– Tá si referindu a um grupinho que intrô pur aqui hôji cedu e ficô bisbilhotandu...? Deixei elis pirdidinhus pur aí... E tu inda quer sair limpinhu dissu? Pois vô inloquecê e mata ôceis tudu, seus inxiridus... só vêm aqui pra caçar us animá... ô povinho distruidô, sô... e adispois sô eu é qui sô diabinhu... pois agora ceis vão mi acompanhá nu inférnu...

– Espere aí, ô Caapora, bicho ruim... antes de qualquer coisa deixa eu matar minha sede...

Antônio retirou de dentro da mochila a garrafa de cachaça, sentou-se no chão e começou a tomar um gole atrás do outro.

– Essa água queima, Caapora... é feita de cana fervida e enfumaçada... quero ver você conseguir tomar dela mais do que eu tomo. Você não é poderoso? Pois quero só ver!

O anão hesitou por um momento, fez cara de desgosto e se aproximou. Tomou a garrafa da mão de Antônio e foi bebendo, gole após gole. Antônio enrolou fumo na palha de milho, acendeu com um fósforo e começou a fumar, fazendo de conta que era a coisa mais deliciosa do mundo.

– Dá cá essa porcaria – disse o anão.

– Não, senhor... Ainda não acabou de beber da água de cana...

– Já tomei mais qui ocê...

– Pois me dá a garrafa que vou tomar ainda mais.

Antônio foi assim instigando o Caapora a se embriagar. À medida que a garrafa esvaziava, também ele ia ficando levemente tonto, porque, embora trapaceasse e bebesse menos, ainda assim bebia.

Manoel assistia a tudo sem saber o que fazer. Antônio, então, conseguiu enganar o anão pela primeira vez, quando ele lhe pediu novamente o cigarro.

– Se tu é poderoso como diz, quero ver trazer os rapazes e as moças aqui sem nem levantar de onde está... quero ver... e se fizer isso, te dou este cigarro...

Manoel sequer terminou de ouvir as palavras de Antônio, viu sair dos arbustos Pedro, Caio e todos seus amigos. Antes que eles dissessem qualquer coisa, Manoel ordenou silêncio e apontou para Antônio e o Caapora, sentados ali perto, bebendo feito dois vagabundos.

Antônio entregou o cigarro ao Caapora e disse como quem não quer nada:

– Tem outro moço perdido na mata... ele estava correndo com medo do Mapinguari. Você pode trazer ele também?

– Ih, êssi aí num si incontra mais nesti mundu... esti eu num possu trazê!

Antônio e Manoel se entreolharam. Concluíram que Quinzinho fora morto pelo Mapinguari. O semblante deles se abateu. Antônio, porém, continuou a instigar o Caapora. Balançou a garrafa e disse:

– Estou ganhando... já tomei mais três goles...

– Pois dê cá também... vô tomá quatro goles...

Assim continuaram, a garrafa já estava quase vazia quando o Caapora começou a tropeçar nas próprias palavras.

- Dá aí... mais um... fuminhu, he he he.

Então, Antônio jogou sua última isca, torcendo para que ele engolisse ou estariam perdidos.

– Pois quero ver se tu é poderoso mesmo para nos fazer chegar na estrada e esquecer que estivemos aqui... vou deixar este monte de fumo e a garrafa de cachaça. Se tu conseguir, é tudo teu...

– Antônho tá querendo... mi inganá... qué fugi daqui sem sê castigadu...

– Se tu não consegues nos levar para a estrada e esquecer que estivemos aqui, não precisa inventar história, ô cabeçudo. Tu não pode fazer isso, Caapora!

– Caapora pode. Dá ôtro fuminhu...

– Está aqui no chão... todo este pacote de fumo e a garrafa... é tudo seu... Mas só se provar que pode fazer o que eu disse.

Manoel sentiu uma leve vertigem, um lampejo na paisagem, e avistou dentre as árvores a estrada ali perto. Não sabia como, mas embora parecesse que estavam no mesmo lugar, a estrada agora estava bem visível à beira da floresta. Deixou de lado qualquer explicação racional, creditando o fato ao encantamento do Caapora, e gritou aos jovens:

– Corram para a estrada, rápido.

Antônio teve dificuldade de se levantar. Tomara pouca cachaça; ainda assim, ficara por demais embriagado. Manoel o ajudou a se levantar e caminhar na trilha. Tinham de sair dali antes que o Caapora se desse conta do que já suspeitava: fora enganado.

Atingiram a estrada. Jair e Inácio rapidamente tomaram para si a tarefa de carregar Antônio, descansando Manoel. Cada um deles pegou num braço de Antônio, passou por seus ombros e o segurou. Com a outra mão apoiaram sua cintura. Foram caminhando apressadamente, o mais distante possível da trilha. Marcela corria à frente com Liana, porém, se deteve e voltou alguns passos.

Pedro olhava para trás, estático, tentando observar o Caapora além da trilha.

– Venha! – gritou Marcela, puxando-o pelo braço e obrigando-o a correr como os demais. Saíram logo dali.

Tempestade

Cláudia estava na varanda da fazenda. Apreciava o multicolorido das flores do jardim. Volta e meia, olhava para a porteira da fazenda desejando que os garotos e Manoel chegassem.

O clima começara a mudar naquele início de tarde. Um vento forte levantava poeira. Nuvens escuras iam se juntando e prometiam chuva. Quando Cláudia viu os garotos e Manoel chegarem com Antônio, se sentiu aliviada.

– Até que enfim, hein? Onde vocês estavam? Por que demoraram tanto? E vocês, jovens, por que não vieram almoçar?

Havia um desconforto no ar. Tanto os garotos como Manoel estavam calados, quietos e cabisbaixos, com expressão de tristeza. Ao notar o clima reinante, Cláudia completou:

– O que há com vocês?

– Entramos na floresta – disse Caio – e nos perdemos.

– O rapaz que foi conosco – disse Manoel –, o Quinzinho, se perdeu na floresta e foi atacado por um... animal feroz. Está morto.

– Oh, meu Deus, que coisa mais triste. E o corpo dele?

– Não encontramos... – respondeu Antônio. – E é melhor deixar por isso mesmo. Vamos mandar rezar uma missa para a alma dele.

– Mas os parentes não vão querer ver o corpo?

– Ele era sozinho. Veio lá das bandas do norte de Minas.

Cláudia se refez do susto e, em pensamento, deu graças a Deus por todos os outros estarem bem. Lembrou-se que os garotos ainda não tinham almoçado. Como estavam todos sujos e suados, mandou-os tomar banho antes de aparecerem na cozinha. Os hóspedes resolveram seguir a mesma recomendação. Manoel, quando se viu sozinho no pátio com Antônio, perguntou:

– Não vai atrás do corpo de Quinzinho? Podemos reunir um grupo de pessoas para procurá-lo e, depois, lhe dar um enterro decente, o que acha?

– Você está desacreditando do que seus próprios olhos viram? Se formos lá novamente podemos não ter outra chance de escapar do Caapora...

ou do Mapinguari. Tem mais criaturas estranhas naquela floresta do que você pode imaginar. O Quinzinho era muito amigo do pessoal. Mesmo assim, nenhum dos peões vai querer entrar lá. Todos sabem dos perigos da mata encantada. Se o caapora disse que Quinzinho já morreu, para que arriscar a vida de muitos apenas para encontrar o corpo?

Diante da lógica de Antônio, Manoel silenciou. Não encontrou palavras e motivos para contestá-lo.

Era fim de tarde quando Pedro olhou, da janela da sala de visitas, o clima lá fora. O céu ficara completamente nublado e o vento açoitava as árvores.

Imaginava o quanto tudo era inexplicável. As visões que vinha tendo, o livro de Dom Afonso e os acontecimentos de séculos atrás: a chegada dos europeus num Brasil formado de imensas florestas, habitadas apenas por índios. Tudo parecia nebuloso e inacreditável. No entanto, era muito real.

Toda a sociedade brasileira atual é fruto daquele momento de contato entre povos tão distintos. Por mais estranhos que fossem os acontecimentos, faziam parte de uma realidade tão fantástica quanto o fora na época. Mais assustador e inacreditável era ter encontrado com criaturas lendárias. Sabia que ninguém nunca acreditaria em tais coisas, mas elas estavam lá fora em algum lugar.

Ouviu uma voz doce e meiga atrás de si:

– Então é aqui que você se escondeu!

– Oi, Marcela!

– O que você está fazendo?

– Nada demais... Observando o clima lá fora. Vai chover logo.

O breve instante que ele demorou a responder fez com que ela achasse que queria ficar sozinho.

– Estou incomodando?

– De forma nenhuma. Sua presença é...

Pedro pausou a frase. Hesitou. Olhou-a nos olhos. Desviou o olhar. Não conseguia prever a reação dela.

Marcela sorriu. Seus olhos brilhavam. Insistiu:

– Minha presença é...?

Pedro a olhou novamente. Seu coração disparou. A beleza dela o atingia de forma arrebatadora. Não era só a beleza, era um conjunto de coisas. Graça. Simpatia. Encantamento. Ternura. Tudo nela lhe parecia irresistível.

Ela continuava bem próxima, esperando por uma resposta. Tentou dizer, abrindo um pouco a boca, mas não conseguiu. Ele apenas levantou um pouco a mão direita, num gesto irrefletido, e fez menção de tocar sua face, mas o ato não se concretizou. Seus olhos se buscaram sem que palavras fossem ditas e se compreenderam. Sem que notassem, sua proximidade aumentou.

Trovões ressoaram, assustando-os. Raios riscaram o céu. Pela janela, iluminada pela luz dos relâmpagos, viram uma manada de caititus passar correndo no pátio e desaparecer por entre as árvores. Montado no primeiro deles, parecia haver um vulto indistinto.

– Olha lá... – disse Pedro.

– Ohhhh...! Eu vi, mas não acredito – respondeu Marcela. – O que é aquilo?

Entreolharam-se assustados.

– Se você não me chamar de louco eu diria que era o Curupira...

A tempestade começou a cair furiosamente.

Liana, Caio, Inácio e Jair vieram para a sala. Também estavam assustados com a tempestade.

– Onde estão seus pais, Caio? – perguntou Pedro.

– Estão na cozinha conversando com Antônio e Dona Geralda. Parece que farão uma missa para o empregado que sumiu lá na floresta. O corpo do coitado não foi encontrado.

Com o olhar pesaroso, Pedro apenas respondeu:

– Que triste...

– Ei, olhem lá fora, olhem lá fora – disse Inácio. – Há cachorros enormes por lá.

Ouviram uivos.

– Não são cachorros – disse Jair. – São lobos.

– De onde terão vindo? – perguntou Liana.

– Da floresta – respondeu Pedro sem nem ao menos pensar. – São animais de hábitos noturnos. Devem estar caçando.

Os lobos correram para fora da vista dos jovens. Seus uivos ainda foram ouvidos, cada vez mais baixos. Estavam se afastando rápido.

– Pedro – Liana o chamou –, que tal pegar o livro de Dom Afonso e continuar a ler de onde você parou na outra noite?

– É uma boa ideia – concordaram Jair e Inácio.

Momentos antes, quando veio para a sala, Pedro havia deixado o livro que trouxera em cima de uma mesinha. Pensara em ler um pouco, mas acabou se distraindo com os próprios pensamentos até a chegada de Marcela. Depois da sugestão de Liana, voltou a pegá-lo.

Abriu o livro exatamente onde deixara a fita utilizada como marcador de página. Não que o estivesse lendo em sequência. Ao contrário, folheava-o e o lia em passagens completamente diferentes. Chegara a pular muitas páginas para alcançar aquele ponto das anotações. Entretanto, a partir dele, sua curiosidade aguçou-se ainda mais. Desejava logo saber o que ocorrera após aquele evento em que os indígenas clamaram aos seus Deuses por ajuda.

Foi com avidez, então, que continuou a leitura.

O dia amanheceu como todos os outros na aldeia. A não ser pelas cinzas da fogueira, nada lembrava a infindável cerimônia indígena feita para aplacar a maldição do Anhangá. As faces ostentavam a mesma calma e tranquilidade costumeiras. O expurgo do medo e das apreensões fora feito. O resto seria com os Deuses amerabas. Não parecia haver preocupação. Quando me referi ao assunto, responderam evasivamente; não desejavam conversar sobre o acontecido. As atividades da tribo transcorriam normalmente: as mulheres preparavam a raiz branca conhecida como mani-oca, a espiga cheia de sementes amarelas a que chamavam avati e a bebida feita de uma semente que parecia um olho, o uaraná. Ouvi muitas lendas a respeito desses alimentos. Todas elas tinham algo em comum: do corpo e do sacrifício de alguém da tribo, brotara da sepultura uma estranha planta. Eram alimentos sagrados concedidos pelos Deuses amerabas.

Alguns nativos haviam ido caçar ou pescar, já os curumins brincavam por toda parte. No decorrer das tarefas diárias, a aldeia fora surpreendida pela chegada de um estranho grupo de índios, sendo um deles proveniente de nação desconhecida. Vestia um longo traje colorido e sua cabeça ostentava um cocar nas mesmas cores. Com ele vinham pajés de diferentes tribos, amigas e inimigas. Os guerreiros os cercaram e ameaçaram, contudo estavam curiosos e não lhes fizeram mal, aguardando que o pajé da tribo ali chegasse.

O estranho índio retirou de suas vestes coloridas um pequeno objeto feito de vários pedaços de bambus amarrados entre si e, ao soprá-lo, revelou ser uma flauta. Tocou uma música melodiosa e alegre. Quando terminou, um dos que o acompanhavam falou em língua conhecida ao pajé da aldeia. Disse que eram de muitas diferentes nações, filhos da floresta, dos campos altos e dos litorais, liderados por aquele que viera das distantes e altas montanhas de pedra que quase alcançavam o céu. Vinham para, junto de seus Deuses, enfrentar os demônios de todas estas terras a fim de viver em paz. Era próximo dali, da aldeia em que agora estavam, o lugar marcado pelas estrelas do céu. Ali, seria realizado o ritual de purificação, quando tentariam expulsar o mal e fechar os portais por onde ele entrou neste mundo. Pediam a acolhida da tribo e sua união.

A fala surtiu grande efeito na mente do pajé, talvez por lhe parecer uma resposta dos Deuses, fruto das rezas e lamentos do dia anterior. Os estrangeiros foram acolhidos, e as rixas com os inimigos temporariamente esquecidas. Juntos passaram a fazer os preparativos necessários ao ritual.

Potira, minha doce companheira, deseja visitar sua irmã, Indira, numa aldeia vizinha, situada rio abaixo, dois dias inteiros de viagem. Não desejo que ela se vá, pois sua companhia me apraz e temo por sua segurança.

Embora já lhe tenha dito em palavras, acho que Potira vislumbra apenas parte do amor que sinto. Mansa e pacientemente ela preencheu o vazio deixado em meu peito pela morte de minha esposa Joana.

Ah, minha doce e querida Potira, você é um bálsamo sagrado para a alma de um velho português. Não a houvesse conhecido e amado, eu já nem mesmo existiria neste mundo; teria sido vítima de minha imensa infelicidade.

Você sempre se aproxima com sorrisos e alegria,

iluminando meus dias. Seu carinho e atenção acalentam minha alma. Como posso deixar que se vá e me privar de sua presença? Como posso impedir que se vá e a privar de sua liberdade? Não, o amor não aprisiona, antes liberta. Escrevo essas linhas e derramo nelas esta confissão indevida aos pensamentos de algum curioso, imaginário e futuro leitor – isto se essas anotações não perecerem esquecidas nestas matas quando eu não mais viver. Ao escrever estas linhas é que reflito e enxergo, enfim, a minha verdade: o amor liberta e devo deixá-la ir até que ele a traga de volta ao meu convívio. Deixo que se vá. A saudade da irmã entristece seus dias e termina por emudecer seus doces lábios. Não se pode roubar a delicada beleza das flores. Se arrancamos algumas, elas murcham mais rápido que suas já breves vidas. Da mesma forma, não posso lhe prender um momento sequer contra sua vontade. Não aguentaria lhe ver definhar qual pássaro canoro numa gaiola, e justificar cinicamente tal atitude em nome do amor.

Nós nos despedimos debaixo das rosas e brancas flores dos manacás. Contigo vão familiares e guerreiros. Ficarei na aldeia, continuarei a estudar os costumes e ensinar nosso curumim, Membirabitu. Há muito o que fazer.

Naquele entardecer da despedida, ela chorou, porque se tinha saudades da irmã, já antecipava também saudades de nosso convívio. Pensou em desistir. Encorajei-a dizendo que estaria ali esperando-a, já que também não podia vê-la triste ao meu lado, com a saudade dilacerando sua alma.

Eu a vi partir e meu coração se apertou no peito. Uma grande sombra tornou a cair sobre minha vida.

Pensei o quanto decisões aparentemente simples e sem importância não apenas se mostram radicalmente vitais algum tempo depois de tomadas, como também são capazes de modificar toda nossa vida.

O oceano dentro de meu corpo se agitou. Meus olhos que viram tanta beleza nesta Terra e tanta desgraça ao longo de uma vida, estes meus olhos que já deveriam estar insensíveis e indiferentes a qualquer dor, estes mesmos olhos que ansiavam, tempos atrás, o cerrar das cortinas e a escuridão final do doloroso espetáculo da vida, estes meus olhos contemplaram-na uma vez mais e, ao vê-la se afastar e dar seu aceno final, numa imagem gravada para sempre em minhas retinas, estes meus olhos me traíram covardemente; primeiro se marejaram, depois, contra minha expressa vontade, deram vazão às gotas de chuva de minha tempestade interior. Naquele momento, me arrependi de tê-la deixado ir, ainda que soubesse que também não poderia impedi-la. Consolei-me com a certeza de agir corretamente e saber que ela voltaria na lua seguinte, saciada da saudade que a impelia a estar distante. Então, teríamos outros entardeceres muito mais felizes sob as flores dos manacás.

Encenação

O relógio no pulso de Tobias marcava 17h30 quando ele entrou no jipe militar Willys M-606, ano 1966. Cunha o adquirira num leilão do exército. Orgulhava-se dos equipamentos modernos que instalara, em especial o rádio amador, a bússola e o GPS.

Tobias sentou-se ao lado de Cunha. Murilo e o policial Gouveia sentaram-se atrás. No início daquela tarde, Gouveia delineara um plano para se aproximarem da fazenda sem despertar suspeitas. Trouxe roupas velhas compradas num bazar beneficente e distribuiu entre os companheiros. Após vencerem uns vinte minutos de estrada, entre asfalto e terra, chegaram à casinha de Cunha e o policial os orientou:

– Antes de trocarem de roupa, esfreguem no chão estas que lhes dei, inclusive os bonés e chapéus. Elas devem ficar sujas e puídas.

Depois de se vestirem, Gouveia sujou sua mão na poeira da estrada e a esfregou nos braços e no rosto. Os outros o imitaram.

Em seguida, ele pegou um frasco vazio de desodorante barato, urinou dentro, sem, contudo, enchê-lo, adicionou um pouco de cachaça que trouxera num vidro e, por fim, colocou também a merda fresca de cachorro que recolhera na rua. Tampou o frasco, agitou-o bem e, sob forte protesto e xingamentos, espirrou nos colegas e em si mesmo, ignorando o próprio nojo.

Continuaram na estrada até o ponto de bifurcação que dava acesso à Fazenda Bela Vista. Ali, deixaram o carro estacionado e seguiram a pé. Eram apenas 18h30, e a noite já caíra. Com o facho da lanterna que trazia, Cunha iluminou o caminho. Gouveia amarrara em sua perna uma tira de tecido suja com molho de tomate. Mancava, como se fosse coxo e estivesse machucado. Quem os visse, diria serem apenas pobres mendigos.

Antônio estava sentado numa pedra no terreiro, lamentando a morte de Quinzinho. Não queria que Dona Geralda o visse abalado. Ao contar-lhe o acontecido, o fez de forma calma e serena. Não quis alarmá-la. Agora, ela fazia o jantar para os hóspedes na casa-grande. Os empregados temeram ainda mais a floresta, que chamavam de mata encantada. O entregador de leite ficou encarregado de, ainda naquele dia, encomendar ao padre da paróquia uma missa pela alma do defunto, na igrejinha da região chamada Perobas.

Ouviu alguém batendo palma e, depois, um *Ô de casa, faiz favô!* Deixou que um dos peões fosse atender. Voltou apressado avisando que dois andarilhos pediam para passar a noite por ali, fediam bastante e um deles mancava. Diziam vir de Barbacena, caminhavam há três dias, famintos e cansados. O pai de um e o tio do outro estavam um pouco para trás.

Antônio orientou o peão a avaliar os andarilhos. Se não oferecessem perigo, o celeiro poderia lhes servir de abrigo. Mais tarde, lhes daria as sobras do jantar.

Nem bem terminou de orientar o peão, Antônio já não pensara mais no assunto. Lembrou-se que ainda teria de comunicar a morte de Quinzinho ao cartório de registro civil e, para isso, precisaria de algum documento dele. No próximo dia, daria ordem a algum peão a respeito.

Quando se dirigiu à casa-grande, Antônio notou, na semiescuridão que reinava, os vultos dos mendigos se encaminhando para o celeiro, orientados pelo peão da fazenda. Percebeu que um andava com dificuldade, mancando, auxiliado pelo companheiro. Satisfez-se por ter cumprido seu papel de bom cristão acolhendo os pobres coitados. Sem dar maior importância ao fato, continuou seu caminho. Ao entrar na casa-grande, ouviu as vozes dos hóspedes.

– Desde criança não sinto tanto medo, pessoal – disse Liana.

– Eu também ouvi – respondeu Cláudia – e também senti medo.

– Também houve risadas macabras... – Inácio lembrou. – Depois é que os gritos começaram.

– É – concordou Caio. – Parecia o diabo rindo de suas vítimas.

Pedro olhou para eles e resolveu confessar:

– Eu vi um vulto aparecer e sumir de repente lá no pátio. Foi logo depois das gargalhadas. Pensei ter sido uma alucinação, mas, depois que o vulto sumiu, ouvi os gritos. Também fiquei aterrorizado.

– E se for uma bruxa? – perguntou Marcela. – Se fosse no meu tempo de criança, diriam que era uma bruxa.

– Pois para mim – acrescentou Inácio – parecia coisa do Corpo-seco.

– O que é isso? – quis saber Liana.

Antônio acabara de entrar. Respondeu para Liana:

– É o corpo daquele que foi rejeitado pela cova. De tão ruim que foi em vida, maltratando os próprios pais e semeando maldade para todo canto, a terra não quis comer. Aí o espírito ficou vagando perdido por aí, gritando nas madrugadas, aterrorizando os vivos.

– Credo! – exclamou da cozinha Dona Geralda. – Deus nos livre e guarde dessas sombrações.

– Pode ser – disse Marcela –, embora aquelas gargalhadas tenham me parecido de bruxa, daquelas capazes de lançar feitiços e se transformarem em mariposas amarelas nas noites enluaradas.

Manoel ouvia a conversa, atento. A noite anterior abalara a todos.

– Você acha que algum dos peões quis pregar uma peça no pessoal, Antônio?

– Nenhum deles é de se prestar a este papel, não. Ainda mais agora que estão chateados com a morte de Quinzinho.

– Ai, gente, cansei dessa conversa – disse Marcela. – Vou lá fora no jardim respirar outros ares.

– Vou com você – disse Pedro.

Ao ver os dois jovens se levantarem, Antônio informou a todos que a fogueira já havia sido acesa para a noite. A conversa na casa ainda perdurou por quase meia hora antes que todos fossem para o pátio.

Marcela aspirou o ar fresco do jardim e sentiu o perfume adocicado das flores noturnas. Caminhou entre os canteiros floridos e foi se sentar num dos bancos, próximo ao chafariz. Pedro sentou-se a seu lado.

– Este lugar está me assustando, Pedro.

– É tão bonito este jardim... Como pode te assustar?

– Não falo do jardim... falo da fazenda... a região toda, sabe?

– Está assustada por causa da conversa lá dentro?

– Não só. Por todos os eventos que têm ocorrido. Meus terrores infantis parecem estar aflorando por aqui.

– Ora, não se assuste. Quando chegou, você não disse que estava adorando o lugar?

Marcela fixou nele um olhar inseguro.

– Ainda não tinha acontecido nenhuma das coisas estranhas que presenciei: a caverna, a floresta, as figuras que vimos ontem à noite e todas aquelas gargalhadas e gritos.

– Talvez estejamos apenas assombrados com nossas próprias histórias.

– Você não acredita nisso, não é? Acho que sabe de algo mais...

Pedro sentiu-se desconfortável. Queria agradá-la e fazê-la se sentir bem. Não estava tendo êxito.

– Saber, não sei... Apenas pressinto... Que algo está para acontecer.

– Não parece ser algo bom, né?

– Não sei. Algo também está acontecendo comigo por aqui. Embora eu esteja confuso, é a primeira vez em minha vida que as coisas parecem aos poucos querer fazer algum sentido... Imagino que as imagens e sensações que tenho tido são como parte de um quebra-cabeça... e sei que vou tirar uma lição de tudo isso, ainda que agora eu não esteja compreendendo.

– Espero que consiga.

Pedro silenciou. Quando voltou a olhar para ela, seus olhos estavam úmidos e sua voz trêmula.

– O que foi? – ela disse.

– Estou dividido.

– Com o quê?

Ele suspirou. Olhou ao lado. Voltou a olhar para ela.

– Entre lhe dizer que deveria partir para escapar de qualquer mal que possa acontecer e o desejo de que você fique... – hesitou – ...porque não suporto pensar na sua ausência.

Marcela foi pega desprevenida. Ela aproximou-se mais. Desta vez, não houve interrupções. Seus olhos se encontraram, e o desejo tornou-se um só. Os lábios aproximaram-se devagar, até suavemente se tocarem. Os braços buscaram, num abraço apertado, a presença e a proximidade do outro.

Do celeiro, Tobias olhava para o pátio furtivamente por entre as frestas da madeira da porta. Surpreso e satisfeito, reconheceu Manoel e o sobrinho de Jonas. Observou o peão que lhes atendera, um casal de meia-idade, quatro jovens desconhecidos que pareciam ser visitantes e um outro rapaz que parecia ser também peão da fazenda. Conversavam entre si e logo se assentaram ao redor da fogueira, ficando apenas um de pé, que contava algo para os demais.

Atrás de si, Tobias notou os outros três homens comemorando a chegada à fazenda. Repreendeu-os para que fizessem silêncio. Sorrateiramente, saiu do celeiro, pois desejava ouvir o que era dito entre o pessoal no pátio. Carregava um lenço com o qual abafaria o som da impertinente tosse que não lhe abandonava. Esgueirou-se entre as sombras e se ocultou atrás do tronco de uma grande árvore. Dali, continuou a observar e começou a ouvir o que diziam.

– Foi assim que ouvi contar, Inácio – dizia Jair.

– Conheço uma versão diferente dessa lenda.

– Eu também conheço, mas prefiro essa que lhe contei.

Liana se aproximou e sentou-se ao lado de Jair.

– Sobre qual lenda estão falando?

– Da Cobra Norato. Já ouviu falar?

– Do nome, sim... mas não conheço a história.

– Contei para Inácio uma versão que ouvi e achei interessante. Daí quando ouço a lenda, não consigo imaginá-la de outra forma. Para mim, ficou valendo essa.

– Ora, então conte para nós. Aproveita que está todo mundo reunido. Vai servir para distrair o pessoal.

– Hum... topo se você fizer a apresentação.

– É para já...

Liana levantou-se, chamou a atenção do grupo para si e disse que Jair iria contar sobre uma lenda que conhecia.

Jair ficou de pé e contou como, numa viagem ao interior do Pará, ouvira de um velho senhor à beira da estrada o que agora iria narrar.

Entre a água e a terra

(...) Sabe quem é a moça que está lá em baixo
...nuinha como uma flor?
- É a filha da Rainha Luzia! (...)
(...)Ai, compadre!
Tenho vontade de ouvir uma música mole
que se estire por dentro do sangue;
música com gosto de lua,
e do corpo da filha da Rainha Luzia
que me faça ouvir de novo
a conversa dos rios
que trazem queixas do caminho
e vozes que vêm de longe
surradas de ai, ai, ai.(...)
(...) O que se vê não é navio. É a Cobra Grande.
Quando começa a lua cheia, ela aparece.
Vem buscar moça que ainda não conheceu homem. (...)
(...) - E agora, compadre,
eu vou de volta pro Sem-Fim.
Vou lá para as terras altas,
onde a serra se amontoa,
onde correm os rios de águas claras
em matos de molungu.
Quero levar minha noiva.
Quero estarzinho com ela
numa casa de morar,
com porta azul piquininha
pintada a lápis de cor.
Quero sentir a quentura
do seu corpo de vaivém.
Querzinho de ficar junto
quando a gente quer bem, bem;
Ficar à sombra do mato
ouvir a jurucutu,
águas que passam cantando
pra gente se espreguiçar,
E quando estivermos à espera
que a noite volte outra vez
eu hei de contar histórias
(histórias de não-dizer-nada)
escrever nomes na areia
pro vento brincar de apagar.

(Cobra Norato, Raul Bopp)

O velho pescador navegava tranquilo pelo rio, satisfeito com os peixes capturados. Fariam a ceia da família. Quis o destino, entretanto, que encontrasse a cobra gigante, boiando na superfície d'água, como um longo tronco de árvore.

Estremeceu. Emudeceu. Achou que enlouquecera. Era fato, era a cobra, aquela mesma de seus pesadelos mais infernais desde os tempos de juventude e, agora, ao passar por ele, levantara levemente a cabeça, como se o tivesse reconhecido e o cumprimentasse. Tão logo se recuperou do susto, remou agilmente na direção oposta.

A cobra grande viera nadando pelo rio abaixo, num êxtase de liberdade. Vivera outra vida – e dela não queria mais lembrar o que fora e já não mais era –, mas quis o destino que ela encontrasse um barco e que, dentro dele, houvesse um velho pescador que tremeu ao lhe avistar. Isso fez com que seus pensamentos vagassem ao passado. Por um breve instante, toda sua outra vida, aquela que teve em outro corpo, passara em seus pensamentos.

Sempre fora precoce e de boa memória. Podia se lembrar da mãe, uma jovem índia tapuia. Ela lhe contara que, numa noite de lua clara e muito calor, havia ido se banhar no rio e ali lhe aparecera a Boiuna. Teve medo. A cobra a olhou e, em seus olhos, a índia se dissolveu. Não viu cobra nem gente, mas encanto e sedução. Sem saber como e por quê, nem conseguir resistir, sentiu o fogo abrasador do desejo alastrar-se e a ele se entregou. Semanas depois, viu-se grávida.

Não soube o que fazer. Pensou em expulsar de dentro de si o que lá estivesse. O pajé da tribo, desconfiando de sua conduta, a advertira: se a natureza lhe dera esta missão – dissera ele –, não podia recusá-la. Gerasse lá o que fosse, devia parir o seu fruto e entregá-lo de volta à natureza. Aí estaria completa sua missão e poderia seguir livremente o seu caminho. Se ousasse interromper a gravidez, pagaria com a própria vida. A índia resignou-se ao seu destino.

Tempos depois, ela dera à luz a ele, Norato, e à sua irmã, Maria Caninana, duas serpentes que não podiam viver fora d'água e, na água, sozinhos se criaram. Isso foi como a mãe lhe contara.

Cedo desenvolveu em Norato um certo ciúme da irmã. Maria Caninana era mais esperta, desinibida, independente e ousada. Ele, ao contrário, vivia retraído e sentia falta da mãe. Quando chegavam as noites, nadava para a margem e ali esperava pacientemente. Cedo descobrira que tinha o poder de sair do próprio corpo ofídico e incorporar-se ao de qualquer humano que estivesse nas proximidades. Era assim que fazia para visitar a mãe e também foi assim que passou a invejar a vida humana. Independentemente do corpo em que estivesse, a mãe – e somente a mãe – sempre o reconhecia. Ela podia enxergar em seus olhos a serpente que ela própria gerara. Dessa forma, vivendo na noite entre as gentes ribeirinhas, Norato passou a gostar de frequentar as festas das comunidades, a dançar e a se divertir com as moças e a contar bravatas entre os rapazes. Igualmente descobriu seu poder de hipnotizar e seduzir. No entanto, sempre a cada fim de noite, lhe caía o pesar: não haveria dia para ele em terra, pois, antes que a aurora despontasse, o poder que lhe permitia possuir um corpo humano se esvaía, e ele era repentinamente lançado de volta ao seu próprio corpo de cobra, adormecido na margem do rio.

A irmã insistia que vivesse como ela, feliz em serpentear livremente pela extensão do rio, amedrontar os botos, perseguir e devorar os peixes. Ria-se dele e de sua ambição de viver fora d´água. Às vezes conseguia fazer com que ele se esquecesse de tudo e ficasse a brincar com ela por todo o dia.

Para Norato, quando a noite vinha, era impossível resistir ao desejo de voltar à terra. Chegara a lutar consigo mesmo, mas o impulso sempre irresistível acabava por dominar sua mente. Então, ele partia; deixava o rio, arrastava-se por suas margens e buscava o corpo daquele que seria o meio de voltar às festas e bailes e ao convívio dos rapazes, das moças e de seus prazeres.

Na ânsia de resgatar o irmão do que achava ser um vício, Maria Caninana o repreendia. As desavenças entre os irmãos foram aumentando. Ela o acusava de possuir o corpo de um pobre coitado que despertava ainda na madrugada sem entender seus sonhos de réptil, o local onde estava e o que estivera fazendo junto a estranhos ou velhos conhecidos. Ele, por sua vez, culpava-a por ser má com a gente de sua própria mãe, afogando banhistas e virando as embarcações, o que passara a fazer ainda mais insistentemente para provocá-lo. O que era simples desavença tornou-se briga. E certo foi que, num momento de ódio impensado, num dia de frustrações, ele se jogou contra ela, tentando subjugá-la. A briga se tornou selvagem e violenta. As tranquilas águas do rio se elevaram, formando ondas gigantescas pela convulsão de seus corpos. Por fim, Norato envolveu-a totalmente e a matou.

Logo que percebeu que Maria Caninana estava morta, Norato amargurou-se. Não medira o próprio ódio e fora dele instrumento e maldição. Chorou a irmã. Largou seu corpo nas águas, deixando que o rio a levasse. Pelas noites, consolou-se em braços humanos. E, pelos dias, sozinho no rio, sem a presença da irmã, sentiu-se oprimido e triste. Passou a procurar ainda mais apaixonadamente algo que o fizesse tornar-se definitivamente humano e abandonar o corpo de cobra.

Naquela noite, um pensamento lhe ocorreu. Logo o colocou em prática. Sob a luz do luar, na margem gramada do rio, após se incorporar no jovem rapaz que passava distraído, Norato voltou-se para o corpo de cobra, sabendo que nele estaria a alma do humano cujo corpo possuía. Pegou de uma faca que ia à cintura e passou pela testa da cobra. O sangue jorrou. A cobra, no entanto, não morreu nem ficou mortalmente ferida. Apenas voltou para a água e nela se afundou.

Norato ficou ansioso por toda a madrugada. E, para sua surpresa, o plano funcionara. Foi a primeira vez que Norato viu, pisando em terra, o nascer do sol. Muitas décadas se passaram desde aquele momento. Ele viveu entre os humanos, comemorou tudo o que havia, realizou todos os desejos que teve, viu e sentiu a morte da índia tapuia, já velhinha e solitária. Um dia, a velhice atingiu seu corpo. Então, Norato sentiu falta da liberdade e da vitalidade juvenil e de seus dias de cobra, serpenteando pelo rio, sem qualquer preocupação.

Norato tomou emprestado uma canoa e, com ela, navegou ao longo do rio por meses a fio buscando a cobra que fora. Navegava até à noite, iluminando as margens do rio com lanternas, buscando desesperadamente encontrá-la. Um dia, quando já não tinha mais esperanças, viu subindo à margem, no crepúsculo, uma cobra imensa, maior do que ele havia sido. Desceu na margem e, ao vê-la de perto, soube que era o seu corpo, crescido nos anos ausentes, imbuído daquele espírito humano que ali aprisionara em troca do corpo de homem que com ele vinha definhando.

A cobra o reconheceu. Por vingança, foi enrodilhando a extensão de seu corpo no do homem, apertando-o cada vez mais a fim de lhe quebrar os ossos. Norato não se mexeu. Tinha uma faca nas mãos e, quando todo seu corpo já estava preso, olhou nos olhos da cobra, e feriu não a ela, mas a si mesmo. De sua própria testa o sangue jorrou e pingou no couro daquela que o espremia.

No mesmo instante, viu-se novamente cobra, apertando com seu longo corpo o do velho homem que gemia assustado. Desenrodilhando-se, soltou-o do abraço mortal, embora ainda o mantivesse preso no seu hipnótico olhar.

Apropriara-se do corpo desse homem em seus melhores anos de vida. Nessa condição, extraíra dele também sua alma e a aprisionara no corpo de cobra. Sobravam-lhe os últimos dias, uma espera silenciosa pela morte, num corpo já cansado. Norato teve pena do homem.

Concentrou todo seu poder e, usando-o dessa forma, esvaiu-se dele; não se importou, contudo. Transferiu de seu ofídico corpo a vitalidade e a energia para o dele. O velho remoçou como se velho nunca tivesse sido e, aos poucos, liberto do olhar hipnótico de Norato, acordou. Norato mergulhou na água, sabendo que dela nunca mais sairia. Muitas décadas se passaram. Entregou-se à sua vida no rio. Sentia falta da mãe. Sentia falta da irmã. O arrependimento ainda o atormentava. Tentava viver sua natureza, no ritmo do rio e das estações. Foi o que Caninana tentara lhe fazer enxergar, mas para o qual ele nunca teve olhos ou ouvidos. Estava só. Consagrou seus últimos dias a viver em paz no rio, numa expiação da própria culpa. Nunca mais pensou em outra coisa. Até agora. Até ver novamente aquele velho homem no barco. Houve uma compreensão muda, espanto e aversão entre eles.

Se fora o destino que os reunira naquele instante e lugar, a vontade é que os afastou em direções opostas, desejando nunca mais verem um ao outro.

– É isso, pessoal – disse Jair, voltando a se assentar. – Essa é minha versão da lenda.

– É uma boa história – disse Manoel.

– Pedro – chamou Cláudia –, noutra noite você parou a leitura do livro num ponto que achei emocionante. Dom Afonso confessava o amor que sentia pela sua companheira índia. Que tal continuar a leitura desse ponto?

Marcela concordou.

– Boa ideia, Cláudia. Também fiquei curiosa.

– Ok. Posso continuar. Vocês não estão cansadas?

– Acho – interveio Manoel – que todos nós estamos cansados. Então, proponho que esta seja a última atividade da noite. Vamos dormir mais cedo. Amanhã acordaremos mais descansados.

– Esperem aí – interrompeu Cláudia. – Primeiro, vou fazer umas pipocas. Depois você lê, Pedro.

Em apenas alguns minutos, as pipocas começaram a estourar na panela que Cláudia colocou ao lado da fogueira, e o cheiro se espalhou pelo jardim dando água na boca de todos.

A bacia de pipocas passou de um a outro. Depois de comer bastante, Pedro limpou as mãos na roupa, pegou o livro e começou a ler.

Receio ter incomodado meu imaginário e futuro leitor ao dar vazão às minhas divagações nesse texto que se destina a registrar o folk-lore indígena e as coisas naturais desta Terra; foram pensamentos e sentimentos de um homem maduro num frágil momento de sua vida. Rasgaria as páginas anteriores, se não fosse com isso criar uma angústia desnecessária ao possível futuro leitor e uma dúvida cruel em sua mente. Poderia o leitor pensar: quem e por qual motivo furtou duas páginas inteiras desse registro? E o que nelas estaria escrito, que segredos estariam registrados que levasse esse alguém a cometer tal ato vil? E, assim se perguntando, teceria o leitor conjecturas que o levariam a mitos e lendas a respeito das páginas perdidas, e estas se tornariam mais importantes que todos os outros registros aqui acumulados. Gerariam discussões inflamadas entre leitores e críticos que se disporiam a interpretar, cada qual à sua maneira, o mistério. Não farei isso. Nem com o leitor nem com este livro de notas. Ficarão ali, aquelas páginas e suas palavras, como o deslize de um homem e de sua exposta fragilidade, quando poderia ter sido forte e insensível como os conquistadores e não ter se entregado à autopiedade. Com isso, espero o perdão do leitor. Voltarei, pois, a ser prático e objetivo nas palavras e observações, evitando as escorregadelas indevidas.

Conversei com os pajés que vieram das muitas tribos existentes nestas terras. Conhecia as origens de alguns deles: eram Aymorés, Tupiniquins, Puris, Caiapós, Yanomanis, Pataxós e Guaranis. E também Maracajás e Carijós. Outros, porém, sequer vira antes ou ouvira deles falar. Quanto ao mais estranho deles, líder do grupo, ao qual se referiam como o Inka, pareceu-me ser um nativo das terras banhadas pelo oceano pacífico, nas costas do continente, para além de Santa Cruz, onde o espanhol Francisco Pizarro aportara. O Inka estranhou a presença de um branco entre os nativos. Fiquei surpreso por ele estar tão distante de sua terra e de seu povo. Esse índio, que disse ter aprendido a língua tupi em sua extensa jornada até a aldeia, explicou ser um sacerdote entre seu povo, numa cruzada contra o mal, os demônios e monstros. Segundo o Inka, as estrelas lhe mostraram o caminho que deveria seguir para encontrar os portais que o mal abriu para vir a este mundo. Iniciou a jornada arrebanhando os pajés das tribos que encontrasse pelo caminho a fim de somarem seus poderes numa cerimônia que expurgará o mal não só de Santa Cruz, mas de todo o mundo nativo, lançando-o nos abismos de onde surgiu. Selarão, assim, os portais entre mundos. Segundo o sacerdote, Jacy, a Deusa lua, em breve irá encobrir Guaracy, o Deus sol. É quando se fará a cerimônia.

O Inka recrutou muitos índios. Ensinou a todos como cortar, carregar e encaixar as pedras na construção do local sagrado onde se faria a cerimônia. Os pajés temiam que os Deuses celestes, ao se aproximarem, destruíssem a si mesmos, à Terra e a toda forma de vida nela existente.

Os nativos trabalharam duramente do nascer ao pôr do sol. Foram divididos em três turmas: uma abria a clareira onde seria construído o local da cerimônia; a outra estava encarregada de extrair e cortar as pedras necessárias, retiradas de uma montanha próxima; e a terceira turma, composta dos mais fortes entre eles, transportava as pedras à clareira aberta na floresta. Era um trabalho de formigas. O Inka a todos orientava. Nesse seu ofício, possuía a ciência da construção com pedras. Tudo se encaixava harmoniosamente, nem um fio de cabelo seria possível inserir entre os blocos já ajustados. Como se não bastasse, ainda antes dos encaixes, alinhou o esboço da construção riscado na terra nua com as estrelas de modo que, após erguido o chamado "Círculo de Luz", recebesse em seu centro a maior incidência possível de luz da lua e do sol nesta estação do ano.

No meio dessa manhã, enquanto rememoro e escrevo esses acontecimentos, percebo uma agitação maior entre os nativos. Algo está acontecendo. Vou parar as anotações por um momento. A curiosidade se aguçou em mim e desejo aplacá-la.

Somente agora retorno a este meu ofício de escrevinhador. O alvoroço ocorrido na aldeia e que me interrompeu no dia de ontem enquanto escrevia teve suas razões. Foi a chegada de um índio de tribo vizinha à que estou. O coitado chegou ferido e tão exausto que mal entrou na aldeia, desfaleceu enquanto caminhava entre os gritos daqueles que o reconheceram. Foi acudido e cuidado pelo pajé e duas mulheres que o assistiam. Limparam seus ferimentos, deram-lhe de beber e deixaram que descansasse. Quando acordou, algumas horas depois, o alimentaram e o trouxeram ao pátio. Perguntei sobre o estranho e me disseram ser ele Juruá, da tribo fundada por Kaiabiawê, irmão de Tenondé, o cacique da minha tribo. A aldeia de Juruá fica às margens do rio, três dias de viagem mais abaixo, e é dez vezes menor.

Estávamos todos sentados num círculo, os curumins brincando mais atrás, volta e meia interrompendo suas brincadeiras, curiosos em saber o que diria Juruá.

Juruá falou para toda a aldeia e dirigiu-se especificamente para o cacique e o pajé:

– Saúdo a todos vocês, irmãos da floresta e sou grato pela sua acolhida. Corri como a cutia pelo mato, avançando noite e dia sem parar, por ordem de Kaiabiawê, cacique irmão de Tenondé, para lhes avisar do mal que se abate sobre as aldeias pelas mãos dos homens brancos que invadem a floresta. Kaiabiawê já teve notícias de muitas aldeias destruídas e de sua gente morta ou escravizada pelos brancos. Agora contam-se quase duas centenas deles, avançando pelo rio. Em breve alcançarão a aldeia de Kaiabiawê, que não se entregará, pois prefere a morte à servidão. Se eles continuarem seu percurso, chegarão também à aldeia de Tenondé. Esta é a palavra de Kaiabiawê, irmãos da floresta, e dela tornei-me mensageiro, afastado dos meus.

Juruá sentou-se, e os índios ficaram por longas horas discutindo sobre o que fariam.

Aqueles que trabalharam na construção do círculo sagrado já haviam se banhado no rio, se alimentado e se reunido ao redor da fogueira. A lua já se erguera no céu, e os curumins estavam cansados de brincar de perseguir e soltar os pirilampos, quando o pajé Aracanã perguntou ao Inka:

– Serão os brancos também expurgados pela cerimônia que se fará?

Conservei-me calado, aguardando a resposta do sábio Inka. Não me preocupei comigo ou com aqueles de minha raça que provaram ser mais bárbaros e selvagens que os povos nativos. Era uma boa questão. E mereceu uma boa resposta. O Inka suspirou, olhou para o céu e, depois de um momento, disse:

– Os brancos pareceram Deuses aos olhos dos habitantes de nossa terra. Diziam vir em paz e desejar alianças com nossos povos. Oferecemos-lhes nossas mulheres e riquezas, crendo que assim nos teriam como irmãos. Com o convívio nos mostraram sua face perversa: desejam apenas prostituir nossas mulheres, levar todo ouro, prata e pedras preciosas que conseguirem, e nos tornar escravos em nossa própria terra. Se os brancos forem demônios, serão sugados como todos os outros para as trevas onde foram gerados, mas, se forem apenas homens como nós, continuarão por aqui e teremos muitas outras lutas pela frente.

Na tarde anterior, reparei em velhas aos fundos da aldeia cantando em volta de um vaso de barro cheio de folhas, ramos e cipós, sobre uma fogueira:

"A morte voa na ponta da flecha, e o sacrifício é sagrada tarefa".

Não lhes dei atenção naquela tarde, no entanto, ao vê-las ainda ali, dois dias passados, continuando a cantiga ao redor do vaso de barro, já enegrecido pelo fogo e fumaça, decidi aproximar-me para ver do que se tratava. Ainda distante, vi que uma das velhas desfalecia. Adiantei-me para auxiliá-la. Um dos índios veio em minha direção e impediu a aproximação.

– Fumaça de Curare – ele disse e repetiu: – Fumaça de Curare.

Fiz gesto de quem não entendia e ele explicou:

– Fumaça de Curare mata. Por isso, são as velhas que o preparam. Flecha mergulhada em curare, ao atingir qualquer lugar do corpo, mata rapidamente.

Lembrei-me, então, das histórias do capitão do navio que me trouxera. Dizia ele em certa ocasião que alguns índios caçavam animais e atingiam seus inimigos com flechas embebidas num veneno que paralisava os músculos das vítimas. Estas morriam de asfixia sem poder respirar. Por fim, entendi a cantiga das velhas: seu sacrifício valia a morte certa dos inimigos da aldeia. Pareceram-me sábias, pois, antes mesmo do cacique convocar os guerreiros da tribo para auxiliar o irmão na luta com os brancos, já sabiam que era isso o que eles fariam. Adiantaram-se aos acontecimentos preparando o veneno mortal que batizaria as flechas dos guerreiros da aldeia.

A noite caiu e, com ela, se iniciou o som dos tambores, a dança indígena e seus cantos.

Desta vez, clamavam aos espíritos de seus ancestrais e ao seus Deuses a vitória sobre os inimigos.

Conforme previram as velhas, a guerra estava declarada.

O Furto

O vulto entre as sombras viu as luzes dos quartos serem acesas e os garotos se prepararem para dormir. Depois, levantou-se e caminhou furtivamente em direção ao celeiro.

Eufórico e raivoso, Tobias já arquitetava seus próximos passos, satisfeito com a própria perspicácia. Havia descoberto o destino de Manoel. Mas não só. Descobrira também o destino do livro sagrado. Agora passara a ter certeza de que Manoel mentira desde o início: roubara o livro da loja, dera-o a Pedro e fugira para aquela fazenda, bem longe do Rio de Janeiro. Cabia a ele, Tobias, o Venerável mestre maçom, puni-lo severamente. No momento, porém, havia algo mais urgente: recuperar o *Livro Perdido*.

Para isso, esperou na escuridão por longo tempo. Viu a maior parte do pessoal entrar na casa-grande, o caseiro e sua esposa irem para uma modesta casa à frente de onde estava, e os dois outros peões entrarem num abrigo. Percebeu ainda o quarto no andar superior, onde Pedro havia ido dormir. Esperou a última luz da casa-grande se apagar. Depois se afastou invisível.

Duas horas depois, no início da madrugada, os quatro homens deixaram sorrateiramente o celeiro, evitando a tênue luz da lua minguante e caminhando nas sombras, mesmo imaginando que todos estavam dormindo. Vasculhavam ao redor da casa procurando por uma porta destrancada ou uma janela esquecida aberta, de onde alcançariam o quarto de Pedro. Não havia.

Murilo fez sinal para os companheiros voltarem ao celeiro. Havia percebido uma escada comprida amarrada nas vigas de madeira do teto e precisaria de toda ajuda possível para desamarrá-la. Tobias iluminou o teto com a lanterna enquanto os outros três a retiravam de lá.

Quando, enfim, conseguiram retirá-la, Gouveia foi o escolhido para entrar no quarto de Pedro. Murilo e Cunha levaram a escada e a encostaram na parede. Gouveia subiu, testou a janela. Percebeu que não estava trancada, apenas encostada. Com cuidado, tentou primeiro ver quem estava ali. No escuro, não conseguiu enxergar nada.

Resolveu arriscar: acendeu a lanterna e passou-a rapidamente pelo quarto. Viu dois garotos dormindo, um em cada uma das duas camas ali existentes. Desligou a lanterna e abaixou-se. Nenhum barulho. Os garotos deviam estar ferrados no sono. Abriu cuidadosamente a janela e subiu mais um degrau da escada para entrar no quarto. Pé ante pé caminhou, indo se esconder atrás de um guarda-roupas, enquanto esperava seus olhos se acostumarem com a escuridão. Não queria acender a lanterna novamente.

Os garotos ressonavam, e ele sentiu-se mais seguro para seguir procurando o livro. Como a escuridão era muita, teve a ideia de apontar a lanterna para a própria roupa, deixando escapar o mínimo de luz.

Avistou o livro em cima de uma escrivaninha e surpreendeu-se. Havia imaginado algo pequeno e, no entanto, o livro era tão grande quanto aqueles que uma vez vira um tabelião de cartório manusear. Enfiou a lanterna para dentro da calça e pegou-o com as duas mãos, indo em direção à janela. Conseguiria descer sozinho com o livro, embora temesse se atrapalhar. Para não derrubar nada, o que provocaria barulho e poderia acordar a casa, achou melhor pedir a ajuda de um dos companheiros. Colocou o livro na janela, voltou para a escada e fez sinal com a lanterna para que um dos colegas subisse a escada e o ajudasse.

Murilo foi em seu auxílio e segurou a parte de baixo do volume. Gouveia segurava a parte de cima com uma das mãos, e com a outra trazia a lanterna e se apoiava na escada. Assim conseguiram descer. Tobias aproximou-se ansioso. Pediu que Gouveia iluminasse a encadernação, mal se aguentando de contentamento ao tocá-la e perceber que tinha nas mãos o *Livro Perdido*.

Enquanto o jipe sacolejava pela estrada abaixo, já tendo se distanciado bastante da fazenda, Tobias colocou no colo o diário de Dom Afonso e com a lanterna foi folheando-o a esmo. Calhou de seus olhos encontrarem o trecho em que o português descrevia como se sentia vigoroso e saudável após ter ido morar na aldeia e como os índios morriam mais de guerras que de doenças.

Tobias sentiu seu coração disparar.

Achou ter encontrado o real valor do *Livro Perdido* e o motivo pelo qual fora conservado por tanto tempo na Maçonaria sob segredo e segurança. Naquele momento, pensou que qualquer um julgaria seus pensamentos, crenças e conjeturas como ilusões e delírios fantasiosos a que se entregavam incultos e sonhadores. No entanto, sabia não ser bem assim.

Havia mais, muito mais por trás da história conhecida nos livros didáticos. Havia a história oculta, aquela que realmente motivava as pessoas de cada época a arriscarem suas vidas em aventuras que lhes poderiam ser mortais, como foram, para muitos, as grandes navegações rumo ao desconhecido do outro lado do globo.

Lembrou-se imediatamente da frase que Jonas sublinhara em suas anotações. *A fonte* que Ponce de Léon buscava... Léon, um súdito fiel, enviado pelos reis espanhóis, Fernando e Isabel, para descobrir o local onde se situava uma fonte sagrada e misteriosa do outro lado do planeta, nas desconhecidas terras do Novo Mundo. Em suas expedições, ele descobrira algumas ilhas e fora em direção à costa da Flórida, ali buscando incessantemente encontrar o local sagrado. Ele não achava estar em busca de uma lenda, e sim de algo tão certo quanto o ar que respirava. Na época em que viveu, no século XVI, a moralidade cristã dominava todas as mentes e direcionava todos os esforços dos indivíduos e da sociedade em benefício próprio. Ninguém na Europa escapava de ter sua vida e seus sonhos pessoais também afetados pelo fervor religioso e pela visão de mundo cristã.

A leitura da Bíblia esclarecera aos mais eruditos que havia um paraíso na Terra. Após as notícias ainda sigilosas dos primeiros descobrimentos, os reis europeus tiveram a certeza de que descobriam no Novo Mundo o paraíso prometido na Bíblia. Nele, estaria a mais preciosa de todas as coisas a que um mortal poderia almejar: a vida eterna. Não se tratava, contudo, da existência após a morte, mas de uma vida eterna na Terra, na qual o indivíduo não pereceria, antes permaneceria jovem e saudável ao beber da sagrada fonte que jorrava a água da vida. Era tudo que os reis da Europa, donos de imenso e centralizado poder, desejavam: manterem-se vivos para sempre, governando seus países e, vez ou outra, guerreando para conseguir mais terras e riquezas.

O que muitos desconheciam é que não foi Ponce de Léon o único enviado pelos reis espanhóis. Tampouco as outras monarquias deixaram de ter seus enviados nessa valiosa busca.

O mundo hoje é centrado na ciência; o de outrora gravitava em torno da promessa de um céu e do castigo das chamas do inferno.

Tobias concluiu que ambos tinham suas falhas e ideologias. O que hoje parecia lenda, era uma realidade que incendiava os sonhos, alargava a imaginação e impulsionava nobres, religiosos e cavaleiros a percorrerem o mundo. Não se pode creditar tais ações como inocentes e pueris.

Através de seus atos, os antigos europeus desbravaram o desconhecido, atingiram outros continentes, travaram conhecimentos com muitos outros povos e reordenaram o mundo. Era certo que inúmeros conhecimentos ainda mais antigos haviam sido perdidos através do tempo. Tornaram-se lendas, mas, nem por isso, eram irreais.

Além de tudo isso – Tobias refletia –, os antigos cavaleiros cristãos, os templários, possuíam mistérios nunca explicados pela ciência: os milagres, as curas divinas, a arca da aliança, o Santo Graal. Ainda hoje, a ciência moderna não consegue explicar muitos dos mistérios das antigas civilizações. E ele, Tobias, atual

Venerável mestre maçom, supunha serem esses mistérios perfeitamente plausíveis e verdadeiros. Sabia que homens tidos como loucos por acreditarem em mitos e lendas no mundo moderno haviam descoberto cidades antigas, navios naufragados, templos perdidos e muitos, muitos tesouros lendários.

Se houvesse uma única chance de encontrar a fonte, ele arriscaria tudo, todos os seus bens e todos os minutos finais de sua existência, que, considerados em sua balança mental, não lhe pareciam tanto tempo assim – não só por já ter vivido meio século, mas principalmente pelo diagnóstico devastador que seu médico lhe dera na última consulta, após todos os exames realizados. Tinha câncer no pulmão.

O jipe estacionou no quintal da casinha de Cunha e, quando o motor foi desligado e seus companheiros desceram, Tobias voltou à realidade, ainda excitado pelas próprias divagações.

Trocaram rapidamente de roupas, colocando os trapos que vestiram num saco plástico. Murilo pegou uma pá e cavou um buraco para enterrá-lo. Depois que terminou o serviço, quebrou alguns galhos de arbustos próximos e jogou por cima para não parecer que a terra havia sido revirada. Então, aproximou-se do grupo e reclamou:

– Esta catinga impregnou minha pele. Ainda tô fedendo, Gouveia, e a culpa é tua.

O policial riu e, apontando para Tobias, disse:

– Foi por uma boa causa.

– Mais alguns minutos, Tobias, e estaremos na cidade – disse Cunha.

– Vocês estarão. Eu não voltarei.

Os olhares se voltaram em sua direção. Entre confuso e surpreso, Cunha soltou:

– Como é, *meu irmão*? Não vai voltar conosco?

– Não.

– E o que você irá fazer? Como voltará?

Tobias procurou demonstrar tranquilidade e controle da situação.

– Não se preocupe. Você havia dito que utiliza muito pouco esta casinha, né? Não vai se importar se eu ficar por aqui uns dias, vai?

Cunha ficou olhando-o, admirado e incrédulo, sem compreender. Tobias jogou-lhe um maço de notas envolvidas num elástico.

– Aí você tem os vinte mil reais que lhe prometi. Pode dividi-los com seus amigos.

Gouveia interveio:

– O senhor compreende que, ao darem falta do *Livro Perdido* e perceberem que foram roubados, vão perguntar na vizinhança se alguém viu os ladrões? É quase certo que batam por aqui, se virem que há alguém na casa.

– A casa ficará trancada. Se ainda estiver por aqui a essa altura, não deixarei que percebam minha presença. Ficarei apenas por dois dias, o prazo que vão durar os alimentos que trouxe na minha mochila. Depois, na madrugada, caminharei até a estrada de asfalto e, de lá, pego o primeiro ônibus de volta ao Rio. Vocês já me ajudaram o suficiente. Podem ir tranquilos.

Mais uma esquisitice desse pessoal da capital, pensou Cunha. Por último, vendo que seu colega estava determinado a ficar, deu de ombros. Que lhe importava? Estava satisfeito com o dinheiro ganho. Apenas disse:

– Bom, se está decidido a ficar uns dias por aqui, não há qualquer empecilho de minha parte. Quando resolver ir embora, pode deixar a chave da porta entre os ramos daquela planta que fica ali. – Apontou para um vaso de flores que estava ao lado da porta dos fundos da casa e completou:

– Depois, eu a pego de volta.

Cunha, Gouveia e Murilo, enfim, entraram no jipe e foram embora.

Assim que Tobias se viu sozinho, manteve a luz acesa. Até ao amanhecer gozava de relativa segurança, pois, somente ao acordarem é que os habitantes da Fazenda Bela Vista veriam a escada e a janela aberta do quarto. Pedro procuraria pelo livro, sem o encontrar. Os peões que os atenderam dariam pelo sumiço dos andarilhos que hospedaram e os culpariam pelo roubo.

Tobias não pôde impedir um bocejo. Espantou o sono e mergulhou na leitura. Aproveitaria ao máximo aquela noite.

Eram ainda três horas da madrugada quando Tobias se pôs a caminhar pelas estradas da região. O ar estava seco e frio, e o céu estrelado. Não se importou. Iria se sentir mais aquecido ao caminhar rápido. De posse de sua lanterna, iluminou o caminho à sua frente.

As anotações de Dom Afonso faziam referências a uma fonte, e Tobias presumira ser exatamente aquela *a fonte* tão procurada. Com as indicações lidas no livro, teve certeza de que poderia encontrá-la. Para coroar seu êxito, planejava também atravessar um dos portais entre mundos, dos quais teve conhecimento. Lá adquiriria poder sobre-humano. A esta altura, sua mente já concluíra que não bastava ter um corpo saudável e a perspectiva de viver para sempre. Não, isso já não lhe parecia ser o bastante. Queria também poder para dominar a todos.

O facho de luz da lanterna foi seguindo morro acima a estradinha sinuosa. Dessa vez, passou diretamente pela bifurcação que dava acesso à fazenda, sem nela adentrar. Pouco depois, foi iluminando a beira da floresta, onde encontrou a mesma abertura que Pedro e seus amigos utilizaram. Apenas a lua observou aquele facho de luz seguir pela estrada e entrar na mata.

Olhos amarelos contemplaram acima de si, por entre as copas das árvores, a lua minguante. Longos minutos se passaram. A criatura emitiu um agonizante uivo que ecoou pelos vales e montanhas. O som chegou até Tobias, também se infiltrou nos sonhos e até acordou momentaneamente aqueles que, distantes, dormiam em suas camas.

Nas sombras, dentro da floresta, Tobias percebeu os olhos amarelos lhe encararem. Nesse momento, o medo o atingiu. Os olhos lhe pareceram ferozes e agressivos e um grande mal emanava deles em sua direção. Deu alguns passos atrás, desejou retornar à estrada de onde saíra. Os olhos o seguiram. Intuiu que se tornara caça. Sacou a arma que trazia na cintura e disparou. Em vão. Os olhos caíram sobre ele, causando-lhe dor e sofrimento. Gritou, tentou se defender. Sentiu o bafo quente e fétido, e os pelos grossos da criatura. Poderosos dentes penetraram em sua carne. Quando a escuridão o envolveu, seu último pensamento foi que seu fim havia chegado muito antes do que previra.

A aurora ainda não havia despontado quando Tobias recuperou a consciência e se viu caído no meio do mato, sujo e ensopado do próprio sangue. Tentou se levantar. A cabeça latejava e os ferimentos lhe doíam. Sentiu a tontura envolvê-lo e esforçou-se para não desmaiar novamente.

A lanterna estava acesa, caída mais adiante entre o mato. Deu alguns passos cambaleantes para alcançá-la. O facho estava fraco; presumiu que havia passado pelo menos uma ou duas horas do ataque da fera. Sequer compreendia como ainda permanecia vivo e não fora devorado.

De onde estava, avistou a estrada e para ela voltou cambaleante. Logo lhe ocorreu que poderia desmaiar a qualquer momento. Precisava alcançar a casinha de Cunha e descansar. Talvez a fera o tivesse deixado apenas por alguns instantes e voltasse a segui-lo. Se ficasse por ali, poderia ser atacado novamente e, desta vez, não teria mais tanta sorte.

Esforçando-se para não cair, iluminando a estrada com a luz fraca da lanterna, foi retornando com passos incertos. Gotas de sangue caíam-lhe do corpo e marcavam sua passagem. O esforço se tornou hercúleo. Sua visão se nublava constantemente. Parecia estar vivendo um grande pesadelo.

Julgou estar a salvo, quando, após uma leve curva, por fim avistou mais abaixo a cabana. Ouviu novamente o uivo agonizante que precedeu o encontro com a fera. Seu coração disparou. O medo o feriu como se uma flecha atravessasse sua carne. Pensou estar perdido. A urgência fez com que seu corpo extraísse dos músculos já cansados as últimas gotas de energia. Apressando-se, conseguiu chegar à porta de entrada. Abriu-a, e na cabana se trancou.

Estava prestes a perder a consciência, mas sabia que não poderia desmaiar ainda ali, onde podia ser visto da janela pelo lado de fora. Quando saíra, já havia planejado como iria se ocultar. Enfiou-se dentro do guarda-roupas embutido na parede, onde guardara o livro. Deitou-se na parte mais baixa.

Puxou a porta deslizante para ocultar seu corpo, lembrando-se de deixar uma pequena fresta de uns dois centímetros para a entrada de ar. Se algum curioso olhasse das janelas para o interior da pequena casa de quatro cômodos, veria que ela estava completamente desabitada. Assim que o fez, suas forças se acabaram e a escuridão o envolveu uma vez mais.

Quando Caio entrou na sala de refeições, a mesa do desjejum estava posta. Uma fome de leão, despertada pelo aroma de café fresco que se espalhara pelos aposentos, o havia feito saltar da cama rapidamente. Dona Geralda lhe desejou bom-dia, disse que podia servir-se à vontade, e foi à cozinha. Quando retornou, trazia uma torta de banana recém assada e a colocou entre os pães e biscoitos caseiros. Assim que Caio sentou-se e começou a devorar o que podia, Manoel e Cláudia chegaram. Logo após, Jair e Inácio, e, por fim, Liana e Marcela. Não demorou muito para que Cláudia notasse a ausência de Pedro.

Caio estava se deliciando com a torta de banana quando ela lhe perguntou:

– Cadê o Pedro? Ele não desceu com você?

Levantando a mão espalmada, Caio fez sinal para que ela aguardasse a resposta, tomou um bocado de café para ajudar a engolir a torta, e disse:

– Sei não, mãe... quando desci, ele ainda estava dormindo.

Caio voltou a comer. Cláudia não hesitou:

– E por que você não o acordou? Todos já desceram para o café da manhã. Agora suba lá e vá chamá-lo!

Dando resmungos baixinhos e indecifráveis, Caio levou à boca o restante da torta que tinha nas mãos, levantou-se da mesa e subiu as escadas em direção ao quarto. Já do corredor de acesso, ouviu os roncos do amigo.

Resolveu devolver na mesma moeda a forma como ele lhe acordara no dia anterior. Aproximou-se devagar da cama onde Pedro estava enrolado nas cobertas, balançou-o com as duas mãos e gritou:

– Acorda, dorminhoco! O dia já raiou!

Pedro acordou assustado. Numa voz seca e quase inaudível, perguntou:

– Que horas são?

– Não sei... sete ou oito... Mas todo mundo já está tomando café. Desça logo!

Quando deixou as cobertas e levantou-se, após se espreguiçar por quase um minuto, Pedro se arrepiou de frio. A janela estava entreaberta, permitindo que o vento matutino entrasse no quarto. Vestiu correndo suas roupas, foi ao banheiro e já ia saindo quando deu pela falta do livro. Procurou por todo o quarto, tentando se lembrar onde o colocara na noite anterior. Preocupou-se. O soar das badaladas do relógio da sala o recordou que estava atrasado. Desistiu momentaneamente da procura e desceu para a sala de refeições.

Saudou a todos, sentou-se na mesa e tentou disfarçar os olhares para Marcela, enquanto comia e participava da conversa. Somente mais tarde, quando já se levantavam da mesa, é que perguntou a Caio se ele havia levado o livro e o deixado em algum outro lugar. A negativa de Caio fez com que se alarmasse.

– Tem certeza? Então o livro sumiu. Não está no quarto. Preciso encontrá-lo!

– Não o peguei – confirmou Caio.

– Como assim, *o livro sumiu*? – perguntou Manoel. – Você se esqueceu de onde o colocou, Pedro?

– Não me esqueci. Eu o deixei em cima da escrivaninha antes de dormir. E já não está mais lá.

Antônio havia acabado de chegar do pátio, onde escutara de um dos peões que os andarilhos haviam ido embora durante a madrugada, sem sequer se despedirem. Achou a atitude estranha e suspeita. Seria de se esperar que ficassem para comer alguma coisa pela manhã e pedissem mantimentos para sua jornada. Deu ordens para verificar se algo havia sido furtado e foi em direção à casa-grande. A conversa que agora ouvia, de algo ter sumido, não o agradou, e ele desejou que nada de mais grave houvesse acontecido.

– Vamos lá, gente – disse Cláudia. – Vamos ao quarto de Pedro ajudá-lo a encontrar o livro. Tem de estar lá em cima. Não pode ter desaparecido.

Reviraram o quarto, nada encontraram. Cansado de procurar, Jair olhou pela janela, admirando a manhã, e viu a escada encostada na parede.

– Vocês dormiram com a janela aberta?

Caio e Pedro se entreolharam. Vez ou outra na madrugada, o ar frio no quarto os incomodara.

– Quando acordei ela estava aberta – disse Pedro.

– Se estava – disse Caio –, é porque dormiu aberta... Eu nem reparei.

– Há uma escada encostada na parede do quarto. Talvez alguém tenha entrado aqui enquanto dormiam e roubado o livro.

– Está brincando! – disse Caio, chegando à janela e vendo a escada.

– Ai, não! – lamentou Pedro. – Não diga que roubaram o livro...

Antônio, ao ouvir o alvoroço, lhes falou sobre os andarilhos da noite anterior.

– Tobias! – exclamou Manoel. – Isso só pode ser obra do Tobias.

– Calma, Manoel – disse Cláudia. – Estamos muito longe do Rio. Ele não pode ter descoberto a gente por aqui.

– Por que alguém se daria ao trabalho de roubar... um livro? – respondeu Manoel. – Estamos numa fazenda. Podiam roubar gado, máquinas, qualquer outra coisa, mas... um livro? E ainda se fazerem passar por andarilhos? Não, tem dedo do Tobias nessa história, posso sentir. Ou ele estava junto com os andarilhos ou todos eram capangas dele, posso apostar.

Cláudia ficou desnorteada, sem saber o que dizer. Manoel explicou por alto a Antônio quem era Tobias.

Pedro decidiu que algo precisava ser feito. O livro tinha de ser reencontrado.

– Vamos atrás deles! Podemos ir de carro pela estrada. Se estiverem a pé, não podem estar muito longe.

– Não creio que estejam a pé – disse Manoel. – Se chegaram ao requinte de planejar tão bem o roubo, é certo que não ficariam dando sopa por aí, depois de conseguirem o que vieram buscar.

– De qualquer forma, é melhor tentar encontrá-los que ficar aqui parado – insistiu Pedro. – Talvez possamos conseguir alguma pista sobre seu paradeiro.

– Tudo bem, Pedro. Acho que tem razão. Quem sabe possamos pelo menos encontrar uma dica de como isso aconteceu.

Antes de sair, Manoel voltou-se para Antônio:

– Vamos dar uma volta nas redondezas, Antônio. Se quiser, pode vir conosco.

– Pode deixar que eu vou a cavalo. Vou perguntar por aí se algum vizinho viu esses malditos.

No carro, Manoel percebeu que a sensação de segurança sentida na fazenda nos dias passados se havia evaporado. Imaginou que Tobias já houvesse informado à polícia onde ele se encontrava e que logo viriam prendê-lo. Lamentou a situação. Não fora atrás dos problemas; estes vieram encontrá-lo.

Enquanto dava partida no carro, pelo espelho retrovisor, avistou no banco de trás Caio, Jair e Inácio. Pedro estava a seu lado, sentado no banco da frente. Baixou o freio de mão, foi soltando a embreagem lentamente e acelerou, pondo o carro em movimento pela estrada.

Metamorfose

Estava entardecendo quando Tobias despertou dentro do guarda-roupas, exausto e molhado de suor. Nervoso, levou a mão aos ferimentos e sentiu que eles já se fechavam, parecendo apenas superficiais. Estranhou o fato. Sabia ter perdido muito sangue e sentira as presas da criatura lhe rasgarem a carne, penetrando até os ossos.

Abriu vagarosamente a porta do guarda-roupas, averiguando se não havia ninguém a observá-lo. Levantou-se com dificuldade e olhou pela janela para a estrada. Havia vozes ao longe. Depois de algum tempo, compreendeu que eram de trabalhadores da Fazenda Bela Vista que voltavam para suas casas seguindo seu trajeto estrada abaixo.

Tobias calculou ser ao redor de 16h, pois os trabalhadores de zonas rurais costumavam iniciar e parar de trabalhar mais cedo que o normal. Buscou seu relógio e confirmou o horário. Apenas dez minutos a mais do que calculara. Bom palpite. Percebeu, então, que havia dormido por quase todo o dia.

As memórias da noite anterior estavam confusas em sua mente. Lembrava-se de tudo ter corrido bem até decidir entrar na floresta. Pouco depois de começar a caminhar por entre as árvores, fora atacado por um animal selvagem. Achou tratar-se talvez de uma onça, porque o animal era grande e peludo. Não pôde percebê-lo perfeitamente no escuro da noite. Lutara e sentira muita dor. Seu sangue escorria enquanto caminhava estonteado, quase cambaleante, sem saber se conseguiria chegar à casinha.

Faminto, lembrou-se da comida que trouxera na mochila. Abriu-a e vorazmente devorou pedaços de carne assada e pão. Por fim, pegou a embalagem de leite longa vida e bebeu todo o conteúdo.

Levantou-se e aproximou-se da janela. A estrada estava deserta. Abriu a porta dos fundos, deu uma volta do lado de fora e percebeu pegadas próximas à janela. Raciocinou que podiam ser suas, de Cunha ou Murilo. Entretanto, o mais provável era que alguém viera ali e olhara para dentro, como previra, para saber se havia alguém na casa.

Temendo ser visto por qualquer um que passasse, entrou e fechou a porta novamente. Impaciente e irritado com a ardência dos ferimentos, sentiu-se um animal numa jaula, sem ter para onde ir. Por várias vezes sentou-se num banquinho de madeira para, logo a seguir, levantar-se, ir à janela, olhar sorrateiro para fora e retornar novamente ao banquinho.

Desejou que a noite logo caísse, para que pudesse voltar a caminhar pela estrada sem perigo de ser visto ou reconhecido. Não sabia o que acontecera na fazenda após a descoberta do roubo do livro. Se a polícia tivesse sido chamada, haveria maiores riscos de se expor. Tinha de continuar escondido.

Por fim, para contornar sua impaciência, resolveu ler o livro de Dom Afonso. Buscou-o dentro do armário, folheou as páginas e começou a ler aleatoriamente.

Mal o dia irrompeu, caminhamos mata adentro. Eram centenas os guerreiros liderados por Tenondé. Os pajés ficaram na aldeia para a construção do círculo. Chegando à margem do rio, escolhi uma dentre as canoas entalhadas em troncos e aquelas feitas da casca de árvores gigantes. Entrei com Membirabitu e dois indígenas. Não poderia deixá-lo só na aldeia, sem a companhia de nenhum dos pais. Tomadas as precauções a fim de evitar os perigos, seria para ele uma aventura a mais.

Durante toda a madrugada havia refletido sobre minha conduta: seguir ou não com meus irmãos índios? Depois de algum tempo, deparei-me com a única opção possível: seguir com eles e tentar evitar mortes desnecessárias. Eu tentaria persuadir aqueles de minha raça a voltarem para as vilas do litoral. Os índios os superavam numericamente. Mesmo com as armas de fogo, haveria muito sangue derramado dos dois lados. Se houvesse uma única chance de evitar o pior, tentaria agarrá-la. Rapei meus cabelos e barba com minha faca e me pintei com as cores dos nativos em sua campanha de guerra.

Remando no rio coalhado de canoas à minha frente, me senti parte de uma expedição. Sempre me encanto com cada cenário desta terra. A beleza e magnitude das árvores debruçadas sobre o rio só não são mais surpreendentes e exuberantes que as inúmeras aves multicores e macacos que vemos em suas copas e que os animais que aparecem nas margens. É tarefa quase impossível descrever a riqueza da fauna e da flora, e isso fará a alegria dos velhos senhores da ciência que pensavam conhecer o mundo inteiro. As florestas do Velho Mundo são meras caricaturas perto da diversidade da vida aqui existente.

O sol está quase a pino enquanto escrevo essas primeiras linhas, interrompidas pelos acontecimentos da jornada. Descemos do barco e carregamos as canoas pela margem. Havia corredeiras perigosas à frente e foi preciso contorná-las. Depois voltamos ao rio e continuamos a navegar.

O crepúsculo chegou. Paramos à margem. Vamos comer e descansar.

Olho para o alto na noite dentro da floresta, além da copa das árvores. Por entre as folhas, vejo estrelas brilhando. Deitado na relva macia, me sinto incomodado. Não pela natureza, mas pelas minhas reflexões.

Por que, afinal, em toda a história humana, os mais fortes sempre tiveram que espoliar os mais fracos? Por que nunca houve convivência pacífica e respeito às diferenças culturais? Que importam credos e cores, bandeiras e estandartes? São apenas desculpas morais para esconder a mentira e apaziguar a mente dos que enganam. Saímos das cavernas, lutamos com feras selvagens e dominamos a natureza; então, passamos a lutar entre nós mesmos. Guerras insanas e cruéis, travadas sob um pretexto qualquer, aniquilaram povos inteiros e forjaram os primeiros impérios. A cobiça, a intolerância e a sede de poder sempre nos dominaram. Somos uma espécie belicosa e estúpida, amaldiçoada pela ganância e sede de poder. Essa mesma ambição que levou Eva a querer se tornar igual a Deus e a fez morder a maçã e dá-la a Adão, resultando na expulsão do paraíso. Ambição. Esse é o demônio que atormenta, cega e move o mais forte. Todo o resto é, a meu ver, pura falácia.

Acordamos cedo e nos atiramos rio abaixo, onde avistamos muitos jacarés estirados ao sol aquecendo seus longos corpos. As lanças indígenas acertaram dezenas deles, enquanto outros mergulhavam rapidamente nas águas. Desembarcamos. Fogueiras foram acesas. Estávamos famintos e a refeição veio em boa hora.

No final da tarde, deixamos as canoas na margem e continuamos o percurso a pé. Percorremos trilhas dentro da floresta, por entre as montanhas. Do alto de uma delas, foi Membirabitu quem primeiro avistou, de um mirante natural, uma larga e cinza coluna de fumaça, a qual me pareceu o exalar de um vulcão, subindo do meio da floresta no vale mais abaixo. Tenondé ficou apreensivo e ordenou que parte dos guerreiros corresse à frente do grupo para verificar o que se passava e voltasse com informações. Caminhamos mais rápido. Passou-se quase uma hora até que um dos batedores retornasse. Havia tristeza em seu olhar. Segundo ele, já estávamos bem perto de nosso destino.

Havia ocorrido silêncio durante toda nossa travessia nas trilhas entre as árvores. Os índios evitavam conversar entre si, talvez por saberem que poderiam ser surpreendidos pelos brancos. Quando o batedor falou suas poucas palavras, ouviu-se um grito de dor que se propagou de boca em boca. A fumaça que avistamos não fora feita por sua gente. Tinha uma origem mais cruel. Fora provocada pelos de minha raça, brancos portugueses a quem os índios chamavam "angaipás", maus e cruéis.

A aldeia de Kaiabiawê e toda sua gente queimava nas chamas. Avançamos pelas trilhas. A fumaça se espalhava na mata, ardia os olhos e as narinas. O cheiro de carne e pele tostada era insuportável.

Fiquei mais para trás com Membirabitu, receando o que veríamos. Caminhamos no chão enegrecido pelas cinzas, evitando as brasas ainda acesas. Os primeiros corpos avistados estavam apenas parcialmente enegrecidos pelo fogo. O sangue seco na pele revelava terem sido alvos das armas dos bandeirantes. Corpos flechados revelaram a Tenondé que índios tupis guiaram e guerrearam ao lado dos brancos, traindo o equilíbrio de forças que até então existira entre as tribos.

O avançar para dentro do que fora a aldeia revelava corpos completamente queimados, de todos os tamanhos, sendo impossível discernir feições, idade ou sexo. Membirabitu chamou minha atenção para vários corpos agrupados a um só canto: eram das mães que juntas abraçaram seus filhos, tentando protegê-los dentro das ocas. Não pude conter as lágrimas.

Tenondé e sua gente não entendiam tamanho massacre. Mas eu, sim. O objetivo dos brancos havia sido o extermínio da tribo. Os guerreiros choraram. Nunca haviam conhecido inimigo capaz de tamanha atrocidade e violência, matando não apenas os homens, mas também velhos, mulheres e crianças indefesas. Aos poucos, porém, o lamento foi se transformando em palavras raivosas, e o desejo de vingança cresceu em seus peitos, explodindo em gritos de ódio.

Quando Tenondé levantou sua lança, centenas de outros imitaram o gesto e eu soube que seria impossível qualquer interferência de minha parte para dissuadi-los. Iriam perseguir os invasores. Para mim, era claro o que se sucedera, pois já ouvira falar da forma como o espanhol Hernán Cortez conquistara terras americanas bem acima da Terra Brasilis, utilizando o pretexto da "Guerra Justa": declaravam em sua própria língua que os nativos deveriam se submeter ao seu rei e à religião cristã; não compreendendo o que diziam os invasores ou recusando, os nativos eram considerados inimigos da coroa e da cristandade e a guerra estava moralmente legitimada, podendo os invasores matar, espoliar e fazer escravos. Os portugueses os sucediam nessa abominável prática. A destruição de toda uma tribo visava demonstrar poder, aterrorizar as aldeias vizinhas e submetê-las pelo medo e ameaça, sem necessidade de luta.

A esperança de evitar mortes desnecessárias foi perdida junto com a inocente visão de que poderia haver paz. Não haveria paz. E eu não podia ficar isento, vendo-os serem subjugados tão facilmente. Esta gente é agora a minha gente. Os portugueses fizeram aliados entre os tupis. Eu era o único aliado deste povo da selva e sabia como as bandeiras agiam.

Os sinais na mata mostram que os bandeirantes seguiram ainda mais para o interior da floresta. Conversei longamente com Tenondé, explicando-lhe a estratégia dos portugueses.

Meu coração estremeceu quando soube que a direção tomada pelos bandeirantes os levaria direto à aldeia onde Potira se encontrava.

Temi por sua vida. Senti a mesma ânsia de luta e o mesmo ódio que transbordava dos olhos de Tenondé.

Um barulho na proximidade despertou Tobias da leitura do livro e o fez se evadir ágil e silenciosamente para dentro do guarda-roupas, cerrando a porta. Imobilizou-se por longos minutos. Procurou ouvir qualquer ruído para discernir se havia alguém do lado de fora. Não ouviu nada. Aguardou mais alguns momentos, abriu a porta o suficiente para verificar a janela e, por fim, foi esgueirando-se para fora, pronto a se esconder novamente ao menor sinal de perigo.

Passo a passo, caminhou até a janela, olhou para fora e não viu ninguém. Tinha certeza de haver escutado algo. Rememorava o barulho. Sim, havia ouvido algo. O silêncio que se seguiu foi angustiante. Um ínfimo som repercutiu novamente, como passos em mato seco. Uma súbita descarga de adrenalina fez com que seu coração disparasse.

Ficou quieto, encostado ao lado da janela na parede. Aí ouviu um miado. Olhou através do vidro. Um grande gato preto de olhos brilhantes o encarou por segundos e continuou a caminhar vagarosamente. Tobias certificou-se de que realmente não havia ninguém no local e deu um suspiro de alívio. Aos poucos, foi se acalmando.

Os ferimentos espalhados pelo seu corpo ainda o incomodavam. Tocou-os. Alguns doíam. Outros ardiam. E outros ainda coçavam de forma desesperadora. Contudo, cicatrizavam assustadoramente rápido. A própria coceira era um efeito da cicatrização, ao repuxar os tecidos. Avaliou que tivera sorte por nenhum dos ferimentos ter infeccionado. Ao pensar nisso, evitou voltar a tocá-los.

A luminosidade foi diminuindo. Breve seria noite. Pegou a lanterna em sua mochila e colocou pilhas novas. Iria precisar dela assim que escurecesse de fato. Os sons da noite começaram a aparecer. Desta vez não se assustou. Cigarras zumbiram, e aves noturnas piaram nas árvores. O coaxar dos sapos o fez lembrar de ter visto um córrego aos fundos do terreno. A água escorria de um brejo.

Pegou novamente no livro de Dom Afonso e, quanto mais lia, mais achava que ele havia descoberto a tão sonhada fonte da vida eterna. Não podia conceber qualquer outro motivo para ele ter deixado as glórias e o luxo da corte e ido viver entre os índios, ainda que houvesse anotado em seu livro motivos meramente pessoais. Supunha ser isso apenas uma estratégia para encobrir o seu verdadeiro achado para leitores curiosos. Talvez estivesse ainda vivo, enfiado na maloca de uma tribo perdida nos confins da Amazônia. Apenas os iniciados e entendidos haveriam de conseguir galgar os passos que o levaram à notável descoberta. E somente estes poderiam segui-los.

Haveria de ser ele, Tobias, aquele que, em pleno século XXI, desafiaria a ciência adquirindo, para espanto de médicos e cientistas, uma vida longuíssima com aparência jovem e saudável. Seria amado e idolatrado pelo povo e pela mídia, seria tido como um herói. Daria uma desculpa qualquer, mas nunca revelaria seu segredo a quem quer que fosse.

Estava surpreso com o rumo que a narrativa tomara. Quem havia perseguido e dizimado os índios? Seriam os bandeirantes referidos por Dom Afonso os próprios portugueses ou piratas invasores de outras nacionalidades como espanhóis, franceses e holandeses que infestavam, no século XVI, a orla da Terra de Santa Cruz a fim de colonizá-la? A resposta veio da lembrança da leitura: Dom Afonso se referira expressamente aos Angaipás, portugueses maus e cruéis. O que não excluía a possibilidade de outros povos terem agido da mesma forma. Continuou a leitura.

Corremos pela floresta parando de tempos em tempos para recuperar o fôlego e prosseguir. Calculamos que estávamos a algumas horas de distância dos bandeirantes.

Ao ouvir ao longe, nas árvores mais distantes, o canto do uirapuru, o qual sempre achei melodioso e belo, me pareceu, agora, agourento e triste. Lembrava-me uma saudade que eu queria esquecer, e não possuir. Na lenda que ouvi, o Uirapuru era um índio, que, transformado em pássaro por Rudá, Deus do amor, cantaria sempre a perda da moça pela qual se apaixonara, dada ao pajé inimigo a fim de selar uma aliança de paz entre as tribos. O amor impossível do guerreiro, cantado pelo pássaro, fazia toda a floresta ficar em silêncio para escutá-lo, tão belo era seu canto. Para mim, no entanto, esse se tornara apenas um canto de saudade, a saudade da perda, aquela que meu coração já conhecia e com a qual não desejava mais se deparar.

Tínhamos de chegar à pequena aldeia da irmã de Potira a tempo de evitar novo massacre. Tenondé e seus guerreiros conheciam bem a região. Pegamos atalhos. Contudo, não fomos rápidos o suficiente. Membirabitu e eu, menos condicionados fisicamente, mesmo em passo ligeiro, ficamos para trás. Quando chegamos à borda da aldeia, o pandemônio já acontecia: víamos entre as árvores índios e brancos lutando, corpos dos dois lados caindo, chuvas de flechas cortando o céu e atingindo combatentes opostos, sendo mais numerosas aquelas que faziam tombar os portugueses e seus aliados. Sentimos o cheiro de pólvora, vindo dos tiros de arcabuzes, e o cheiro do fogo já queimando as ocas da aldeia. Gritos desesperados e grunhidos de dor e fúria eram ouvidos na selvageria desumana que se desenrolava.

Ordenei a Membirabitu, enquanto carregava a minha própria arma, que ficasse distante da batalha. Sem pensar, escolhi um lado. Corri para ajudar Tenondé e atirei naqueles a cuja nação outrora pertenci.

Fui abrindo caminho em direção à aldeia e vi que ela já havia sido quase toda destruída. Uma rede fazia prisioneiros inúmeros índios de todas as idades e sexos. Dos habitantes da aldeia, poucos ainda lutavam. Percebi que Tenondé chegara pouco antes dos portugueses consumarem a batalha. Os brancos, agora confrontados na mata, batiam em retirada. Alvejei todos aqueles que encontrei pelo caminho e libertei os nativos presos na rede. Perguntei-lhes sobre Potira. Não sabiam seu destino; sabiam apenas que outros da aldeia haviam sido capturados e levados momentos antes de chegarmos. Continuei atirando nos portugueses que ainda lutavam, buscando-a entre tantos cadáveres caídos. A cada um que salvei, perguntei sobre minha companheira. A resposta era a mesma: se não estivesse morta, teria sido levada.

Continuei com Tenondé pela floresta em perseguição aos invasores. A luta continuava renhida e sangrenta. Aos poucos, entretanto, a superioridade numérica dos índios e sua habilidade para combater no meio da floresta foi lhes proporcionando a vitória. Para ganhar tempo, os portugueses abandonavam muitos cativos, não sem antes lhes desferir golpes de facão ou tiros ou lhes retalhar os corpos e lançar seus pedaços pelo caminho.

Corria pela floresta quando me deparei com o corpo de uma nativa que sangrava pelo corte aberto do peito ao ventre. Parei imediatamente. Os guerreiros de Tenondé passaram por mim, continuando a perseguição. Naquele corpo já moribundo imaginei reconhecer Potira; depois duvidei. Olhando seu rosto desfigurado e sujo de sangue, estremeci diante do que temia. Neguei e não quis acreditar. Voltei a olhar. Confirmei. Era ela, minha amada Potira. Caí de joelhos e segurei-a em meus braços. A morte já a beijara e levara seu espírito. Desesperei-me na dor, na tristeza e no ódio. A fúria insana e devastadora me fez levantar e correr e perseguir e matar. Logo surpreendi um grupo de quatro homens brancos. Atirei em dois deles, fui pego em luta corporal com outro de quem dei cabo, e o último, reconhecendo-me em seu desespero, gritou o nome que eu já repudiara e esquecera e que já não ouvia há muito tempo:

– DOM AFONSO!!!!!

Paralisei-me mais pela surpresa de ouvir meu próprio nome do que por ser reconhecido. Ele me encarou intrigado e, nesse instante de surpresa e hesitação, ocorreu ao infeliz a chance de fuga. Aproveitou-a e correu, desaparecendo dentre as árvores e deixando-me só.

Ouvir o meu antigo nome talvez tenha resgatado algo de minha humanidade, não sei dizer. A fúria animalesca retrocedeu, e o desespero da dolorosa morte de Potira alcançou-me novamente, sugando todas as minhas forças. Desisti da perseguição e deixei-me cair, soluçando num pranto angustioso.

Ao retornar à aldeia, trazendo seu corpo nos braços, vi os sobreviventes perambulando de um lado para o outro, tentando apagar os focos de incêndio e reordenar o caos que fora provocado. Membirabitu levava um pequenino curumim em seu colo. Segui-o com o olhar e o vi colocar o pequenino na entrada de uma das ocas que ainda permaneciam de pé. Avistou-me e veio em minha direção. A dor que vi em seus olhos refletiu e ampliou aquela que eu sentia.

Quando Tenondé reuniu seus guerreiros, percebeu que um terço deles havia perecido. Seu grito de vitória soou débil aos seus próprios ouvidos, e a vitória pareceu amarga diante da carnificina ocorrida. A aldeia estava destruída e os poucos sobreviventes não podiam ficar ali sozinhos. Sua única chance agora era se unirem à tribo de Tenondé.

Sentado aqui do lado de fora da oca, próximo à fogueira, nesta escura noite, relembro os dias recentes e suas tragédias, enquanto os outros dormem ou tentam dormir. Ouço choramingos incertos vindos de uma ou outra rede. Pesadelos ou insônia corroem as mentes. Ocorre-me como a vida é tão frágil e são frágeis os elos que nos unem uns aos outros. A morte é uma dor perene para aqueles que perdem seus entes queridos; porque ela traz em si este conceito que nos escapa, o da irreversibilidade, do nunca mais, da saudade eterna; porque no dia a dia sempre esquecemos de nossa própria finitude; e porque neste momento amargo de sua proximidade não só a relembramos como a encaramos receosos. A impotência diante do fim revela nossa própria incapacidade de compreender a vida e nos cria arrependimentos por tão mal empregar o tempo que nos foi dado com ou sem aqueles que se foram.

O nunca mais é tão trágico como nossa tola e estúpida arrogância.

Olho as estrelas sem nem mesmo vê-las, meu pensamento busca vagar por um céu distante. Para longe daquele túmulo no coração da floresta onde enterrei o corpo de Potira ao lado de sua irmã. Para longe da visão dos corpos nativos enterrados na vala comum da aldeia abandonada. Para ainda mais longe do odor fétido e pútrido dos corpos dos portugueses e tupis deixados intocados onde caíram, para serem comidos por animais selvagens ou apodrecerem ao relento.

Esta gente simples, fruto deste verde onipresente e deste céu azul inigualável, me acolheu em seu seio nesta terra abençoada. Nós, europeus, derramamos seu sangue para reduzi-los a animais de carga e a recitadores de nossas crenças.

Não há nada de novo debaixo do sol, é claro. A escravidão sempre existiu na história humana. O mais forte domina o mais fraco. Apenas é o que somos... Embora pudéssemos ter sido diferentes. Poderíamos ter agido de outra forma, tê-los tratado como iguais. Mas não...

Todos os povos têm seus Deuses. Mas Deus é somente um. Agora, nesse momento de tanta amargura e dor, minha fé em Jesus Cristo renasce forte. Consigo enfim compreender sua mensagem original: amor infinito. Ele é o caminho... O meu caminho a Deus. Como nós, europeus, podemos ter a pretensão de ensinar aos indígenas o amor de Cristo, se sequer o compreendemos ou praticamos...?

Meu pensamento vaga na madrugada enquanto busco neste céu de diamantes longínquos e intocáveis a delicada presença da alma de Potira. Os dias que se seguiram à sua morte amanheceram em tristes manhãs... A leve garoa cobria as folhas das árvores de gotículas, e estas revelavam aqui e ali a delicadeza e engenhosidade de uma pequena teia de aranha, uma perfeita armadilha de morte. Foi um leve suspiro da natureza refletindo

Tobias achou estranho o texto de Dom Afonso terminar abruptamente e incompleto num rabisco. Virou a página do livro e teve uma surpresa: a caligrafia era outra. O texto anterior de fato terminara inacabado, como se algo houvesse ocorrido enquanto seu autor o escrevia, algo que não pôde corrigir posteriormente. Como havia centenas de páginas à frente, ou Dom Afonso passara a escrever com outra mão, ou outra pessoa escrevera em seu lugar. De qualquer forma – pensava Tobias –, havia lido apenas partes saltadas do livro. Pouco chegara a ler do que Dom Afonso escrevera em sua totalidade, eram outras tantas centenas de páginas, relatando suas aventuras entre os índios, seus costumes, cultura, crenças e todo seu estilo de vida.

Ainda estava curioso em continuar a leitura, porém decidiu que faria isso apenas mais tarde; agora, iria aprontar-se para sua peregrinação noturna. Além da lanterna, levaria sua arma. Se qualquer animal aparecesse, atiraria para matar. Não seria mais pego de surpresa.

O mirante da Fazenda Bela Vista estava deserto no final da tarde quando Pedro o alcançou após uma curta caminhada. Olhou a paisagem da serra. O mar de montanhas se estendia quase infinitamente. Os últimos raios de sol faziam o horizonte brilhar em dourado e vermelho, logo acima das montanhas.

Pedro havia sentido a necessidade de estar sozinho e refletir sobre os acontecimentos. A perda do livro o deixara transtornado. De certa forma, sentia-se culpado.

Por que não o guardei num lugar seguro ao invés de deixá-lo tão à mostra?

Manoel lhe havia dito para não se sentir culpado, pois ninguém imaginara que algo assim pudesse acontecer, ainda mais tão longe do Rio de Janeiro e de Tobias. Haviam procurado por toda a manhã, não tendo encontrado nenhum rastro dos andarilhos. Num raio de cinco quilômetros pelas estradas da região, ninguém os havia visto.

Frustradas as tentativas de busca, retornaram à fazenda.

Pedro encontrava-se agora no mirante, encostado ao tronco de um ipê-amarelo. Enquanto relembrava os acontecimentos do dia, olhava o horizonte sem nem mesmo percebê-lo.

Caminhando pelo céu, desde a linha do horizonte, a figura de um índio veio se aproximando. Ele usava um colar de pedras verdes transparentes, as mesmas pedras que alguns índios de sua aldeia costumavam transpassar em alguns lugares do rosto: nas bochechas, no queixo ou nas orelhas. As pedras pareciam emitir luz própria. Pedro o reconheceu logo. Era Membirabitu, que lhe estendeu a mão como se quisesse não só cumprimentá-lo, mas também levá-lo a um outro lugar, distante no tempo, bem longe dali. Seus lábios se mexeram. Pedro não ouviu, contudo compreendeu as palavras que dele partiram num sussurro:

- *Venha!*

Pedro acenou-lhe timidamente. Desconfortável e receoso, não ousou retribuir o gesto. Avaliou que poderia ser lançado num turbilhão de memórias capazes de enlouquecê-lo. Não vinha lidando bem com os sonhos e visões recentes. Não era ele o único a se assustar com isso, mas também as pessoas que o cercavam. Não queria ficar estigmatizado como um louco.

Não, não agora que ele e Marcela haviam ficado juntos. Esperava ser este o início de um relacionamento duradouro. Tentaria preservá-lo ao máximo.

A mão estendida no ar aguardava a de Pedro, que não ousou estendê-la.

A imagem do índio fora aos poucos se desvanecendo no ar até desaparecer por completo.

Até alguns momentos atrás, todos ainda estavam na varanda da casa-grande, uns sentados nos bancos, outros deitados na rede. As moças, os rapazes e até Antônio e Dona Geralda conversavam sobre o furto. A sensação de perda misturava-se não apenas à de violação do espaço íntimo da casa, mas também à de insegurança, o que resultava em frustração e raiva coletiva.

Marcela ainda estava deitada na rede quando percebeu que Pedro se afastava em direção ao mirante. Deixou que se passassem alguns minutos e foi se ausentando aos poucos da conversa. Quando ela notou que todos se haviam envolvido numa discussão acalorada, saiu de fininho atrás de Pedro.

Logo que se distanciou da varanda, começou a pensar que fora ousada ao tomar a iniciativa de ficar com Pedro. No entanto, via a todo instante nos olhos dele o reflexo do que sentia, o mesmo desejo, a mesma paixão.

Um desejo irresistível a impelia a se jogar nos braços dele, sem qualquer reserva. Não se importava que ele fosse dois anos mais novo. Idade não fazia sentido quando seus sentimentos falavam mais alto. Namorara alguns rapazes antes, e tudo se resumira a uma curiosidade passageira. Agora sabia ser diferente. Tratava-se de atração, é claro, mas o que vinha sentindo a ultrapassava. Na verdade, era como se já estivesse apaixonada e os dois fossem íntimos há muito – o que não compreendia, apenas aceitava como uma verdade crescente em seu coração. Se tentasse negar, não conseguiria.

De longe, avistou o mirante. Não enxergou Pedro. Com o olhar, buscou-o de um lado a outro. Apenas quando foi chegando mais perto é que o notou, encostado a uma árvore cheia de flores amarelas, de uma vivacidade primaveril. Seu coração se acelerou.

– Pedro? – Marcela pousou a mão em seu ombro, despertando-o. Ela o viu se levantar assustado, folhas de grama desprendendo-se de sua roupa. Parecia contente em vê-la.

– Acho que assustei você – ela completou.

– Não, tudo bem. Eu estava apenas relaxando um pouco por aqui, sabe? É bem tranquilo.

– Sem dúvida a paisagem é impressionante... – Fez uma pausa, olhou para as montanhas por um instante e depois disse: – Sinto muito pelo livro. Foi lamentável o que aconteceu.

– Gostaria de ter lido o máximo possível dele. Agora vou sempre me perguntar sobre tudo o que ainda havia para ser lido.

– Estou torcendo para que o livro seja recuperado.

– Seria bom fazer uma referência a ele em seu site, né?

– Sem dúvida, seria. Felizmente, fiz bastantes anotações sobre tudo o que ouvi por aqui na fazenda. Vai ajudar bastante, claro, mas não estou torcendo para que o livro seja encontrado por conta de meu *site* ou meus estudos folclóricos.

– Não?

– É claro que não.

Marcela desviou o olhar, hesitante. Logo voltou a fitá-lo.

– É por você. Desejo que esteja bem e feliz. O que lhe trouxer alegria, também me trará. Não reparou ainda?

Pedro não soube bem o que dizer. Admirou-a. Bela. Sincera. O encantador sorriso estampado em sua face foi o sinal que precisava para se aproximar. Ele o fez calmamente, olhando em seus olhos, buscando qualquer reação negativa, o que o faria se afastar imediatamente. Ao contrário, os olhos dela pareciam emanar carinho e afeição, e lhe lançar um convite aberto. Então abraçou-a.

– Eu te quero – ele sussurrou – e te quero muito.

Ela o abraçou mais forte e sorriu, os olhos marejados de emoção.

Tobias terminou de carregar sua arma, uma pistola 42mm automática e a colocou na mesa, ao lado da lanterna e do pente extra de balas. Vestiu um coldre que a esconderia na base de suas costas. Sua excitação agora aumentava. Iria partir para a ação, deixando a melancólica casinha para trás.

Esperava desta vez conseguir entrar na floresta sem que qualquer inconveniente viesse a atrapalhá-lo. Sua própria excitação estava anormal.

A princípio, julgou ser apenas um leve nervosismo, normal diante da expectativa do que poderia encontrar, mas sua pulsação aumentou drasticamente e logo achou que algo estava muito errado. Seu coração disparou, batendo descompassadamente. Todo seu corpo lhe pareceu entrar em colapso. A respiração ficou acelerada e difícil, suas veias latejavam, a vista se nublou e a boca ficou seca e sedenta.

Na sua imaginação de pessoa comum, sem grande conhecimento médico, pensou que poderia estar tendo um ataque cardíaco, um derrame ou um aneurisma. Não sabia definir. Apenas lhe ocorreu que devia sentar-se, tentar se acalmar, recuperar o fôlego e descansar por alguns minutos até se sentir melhor. Somente depois, pensaria em sair.

A noite havia caído. Momentos antes de passar mal, Tobias tinha acendido um lampião que havia encontrado debaixo da pia da cozinha. Não o retirou do local, deixou sua luminosidade bem baixa – o suficiente para evitar o breu total sem, contudo, iluminar mais que uma vela comum. Como a cozinha era nos fundos da casa, achou que nenhuma luz seria percebida do lado de fora.

Com efeito, apenas uma leve penumbra se havia espalhado pelos aposentos; seus olhos foram se acostumando com ela. Nesse momento, uma outra luminosidade, fraca e sutil, vinda da janela, irradiou-se pela cozinha.

O corpo de Tobias se convulsionou. A última coisa de que ele se lembrou foi de enxergar através da janela, antes de cair no chão, a linha fina e curva da lua se extinguindo no céu negro. Depois disso, apenas escuridão e pontos brilhantes.

A dor e o desespero o atingiram, estreitando sua consciência aos limites do que acontecia ao seu corpo e, ainda menos, sempre menos, até desaparecer por completo. Seu corpo se expandiu, se avolumou e se tornou monstruosamente inconcebível. Quando, ao cabo de poucos minutos, seu corpo parou de se contorcer, não lhe restava quase mais nada de humano.

Tornara-se uma fera hedionda.

Num salto, atingiu o terreiro da casa e deu vazão à necessidade de correr cada vez mais rápido, percorrendo em poucos segundos grandes distâncias. E correndo notou que algo lhe contorcia as entranhas.

Ao adentrar no pequeno vilarejo, às margens da estrada de asfalto, viu uma pequena aglomeração de pessoas, dez ou doze. Percebeu, então, por que doíam e se contorciam suas entranhas: era o vazio, o vazio da fome que o fez urrar, desprovido de qualquer pudor. Atacou com toda violência que se descobriu capaz. Os gritos e o terror das pessoas atiçaram ainda mais sua selvageria. Destroçou todos os corpos e se fartou de carne e sangue. Já satisfeito, uma sensação inexplicável o fez olhar para cima. A lua desaparecera. A escuridão tornara-se total. Dentro dele uma pulsão incontrolável explodiu num grito.

Um grito inumano soou como um longo uivo, agourento e ameaçador.

A fogueira estava alta no pátio da fazenda. O pessoal estava reunido ao seu redor, conversando e contando casos, enquanto Dona Geralda esquentava um caldeirão de canjica doce e Cláudia assava batatas-doces e pinhões. As pipocas haviam ficado por conta de Liana, que suava próximo ao fogo ao ouvir os primeiros grãos começarem a estourar. Foi quando Pedro e Marcela chegaram vindos do mirante, ainda inebriados dos momentos românticos que viviam. Para eles, a noite chegara num piscar de olhos. Ainda estavam envolvidos por suaves emoções quando escutaram vozes no pátio e viram a luminosidade da fogueira. Decidiram que era chegada a hora de retornar ao convívio dos amigos.

– Chegaram os pombinhos – disse Liana.

A frase criou certo embaraço ao casal que chegava, e risos inocentes do grupo.

– Pombinhos? – perguntou Pedro.

– Sim, você já viu aquele desenho de dois pombinhos juntos que algumas vezes vêm estampados nos convites de casamento? Vocês dois estão iguaizinhos!

– É mesmo – disse Cláudia. – Se estivéssemos em junho, faríamos uma festa junina para casar vocês.

– Ah, gente – sorriu Marcela. – Deixem de brincadeira.

Risos e piadinhas dos amigos foram ouvidos. Depois, Marcela perguntou:

– Quem tem uma boa história para contar? Se temos fogueira e comida, então também precisamos de uma boa história.

– Eu tenho – disse Cláudia – e vai combinar direitinho com esse clima romântico de vocês dois. Alguém já ouviu falar da Lenda do Lago das Miragens de Ibitipoca?

– Essa história me traz lembranças boas – respondeu Manoel, com um olhar de cumplicidade para Cláudia.

Seguiu-se uma série de negativas. Mesmo os moradores da região, Antônio, Dona Geralda e os peões da fazenda, que sabiam onde se situava a Vila de Conceição de Ibitipoca[24], nunca haviam ouvido falar de nenhuma lenda nessa pequena e simpática vila no topo de uma das montanhas da Serra da Mantiqueira.

Ali, ainda havia trechos de mata nativa preservada, e, em 1973, foi criado um parque florestal para proteger as inúmeras nascentes, grutas, animais e plantas. Os campos de altitude, as formações rochosas, as montanhas e as areias de quartzo, bem como as cachoeiras e suas águas de tons caramelados e transparentes são mais alguns dos encantos do local, um dos parques florestais mais visitados de todo o Estado de Minas Gerais.

– É uma história curta e encantadora – disse Cláudia. – Eu e Manoel a ouvimos de um morador, anos atrás, quando visitamos o parque florestal pela primeira vez.

– Já fiquei curiosa – falou Marcela –, conte logo para nós.

Cláudia começou a contar:

– Começa assim...

24 - Do tupi-guarani: Montanha erodida, cheia de grutas.

O Lago das Miragens de Ibitipoca

... Fui hoje herborizar na serra de Ibitipoca, guiado por duas crianças da Fazenda do Tanque. À base das montanhas ficam bosques espessos que atravessamos subindo insensivelmente; de repente encontramo-nos em imenso pasto cujo terreno é uma mistura de areia e terras escuras.(...)

(...)A serra da Ibitipoca não é pico isolado, e sim contraforte proeminente de cadeia que atravessei desde o Rio de Janeiro até aqui. Pode ter uma légua de comprimento e apresenta partes mais elevadas, outras menos, vales, barrocas, picos e pequenas partes planas. As encostas são raramente muito íngremes; os pontos altos representam geralmente cumes arredondados e os rochedos mostram-se bastante raros. O fundo e barrocas estão geralmente cobertos de arbustos, mas poucos capões se veem de mato encorpado; quase toda a montanha está coberta de pastos, quase sempre excelentes.(...)

Seguimos um caminho que sobe, a pouco e pouco, e chegamos a um regato chamado Rio do Salto. É ele, explicaram-me, que, sob o nome de rio Brumado, rega o vale onde fica situada a fazenda deste nome e vai enfim avolumar o Rio do Peixe.

(SAINT-HILAIRE, Auguste de. Viagem ao Rio Grande do Sul. Belo Horizonte: Itatiaia, 1999).

Há muito tempo, viviam aos pés da serra de Ibitipoca duas tribos indígenas que eram inimigas entre si. Guerreavam para conquistar a supremacia da montanha, morada de Tupã, Deus dos raios e trovões. O povo vitorioso, acreditavam, seria para sempre invencível e poderoso como o próprio Deus. Um dia, o guerreiro Arianã subia a montanha trilhando as margens da cachoeira ao lado do paredão rochoso quando viu a bela Tainá se banhando nas águas de um lago. Seus olhos se contemplaram e fulminante paixão os envolveu, estremecendo seus corações e os enchendo de esperanças de amor e felicidade.

Logo surgiu Momboré, da mesma tribo de Tainá, que, reconhecendo em Arianã um guerreiro inimigo, decidiu com ele lutar. Ela o impediu. O chefe da tribo e outros guerreiros estavam no alto do penhasco. Os três caminharam para lá em seguida: Momboré desejava a morte do rival; Arianã pedia a paz entre as duas tribos, pois queria permissão de desposar Tainá. Subiram a ponte de pedra e caminharam até onde se encontrava a gente de Momboré, no topo da montanha que terminava abruptamente num precipício, um paredão de pedra com dezenas de metros de altura. O cacique viu o trio se aproximar. Escutou o que tinham a dizer. Sabia que uma decisão tinha de ser tomada. Percebeu, lendo os olhos e expressões de sua filha Tainá, o pedido silencioso de seu coração para que poupasse a vida de Arianã.

O cacique olhou para o céu e aspirou o fresco ar das montanhas. Fora ali acompanhado de sete de seus guerreiros para buscar uma resposta às suas preces. Há anos sua tribo vinha lutando com a tribo inimiga. Nenhuma delas lograra vitória, e ambas visitavam as montanhas de Tupã durante luas diferentes. Agora, inimigos mais fortes vinham de longe e ameaçavam a todas as aldeias da região. Uma aldeia sozinha não poderia lutar contra inimigos invasores, e a oferta de paz era bem recebida. No entanto, o guerreiro Arianã ousara entrar nos domínios de Tupã numa lua que lhe era proibida, pois estava reservada ao povo do cacique. Além disso, roubara o amor de Tainá, prometida desde criança ao guerreiro Momboré.

Após olhar o horizonte, o cacique resolveu aceitar o pedido de paz, que considerou ser uma resposta às suas preces. Para isso, mandou que alguns de seus guerreiros levassem à tribo, até então inimiga, presentes para selar a paz. Deixou, contudo, que os Deuses decidissem o destino dos dois oponentes. Assim, permitiu que se enfrentassem. O vencedor desposaria sua filha.

Os dois guerreiros lutaram. Por longos momentos, se atracaram e tentaram atingir um ao outro. Tainá, desesperada e temendo por Arianã, a quem não parava de olhar, teve um breve desmaio. O guerreiro, preocupado e distraído com a sorte da índia, acabou sendo atingido mortalmente por Momboré e atirado do alto do paredão. Tainá acordou a tempo de ver o amado ser alvejado e, sem sequer hesitar ao vê-lo cair, atirou-se atrás dele, desejando abraçar seu corpo e partilhar o mesmo destino.

Caíram no lago onde antes encontraram o amor. Desde então, o lago passou-se a chamar Lago das Miragens. Suas águas foram tingidas pelo sangue dos amantes e as montanhas, impregnadas de seus espíritos.

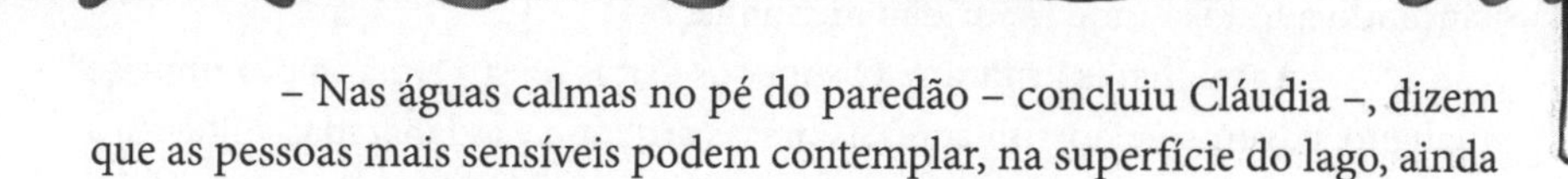

– Nas águas calmas no pé do paredão – concluiu Cláudia –, dizem que as pessoas mais sensíveis podem contemplar, na superfície do lago, ainda nos dias de hoje, o desenho do rosto do casal.

No momento em que Cláudia parou de falar, um uivo foi ouvido ao longe. Ela teve um arrepio de medo. Depois, como uma resposta ao primeiro, outro uivo foi ouvido; este, bem mais próximo, vinha de algum lugar na floresta. A atmosfera tornou-se sinistra. A preocupação passou pelo rosto de todos.

– Os lobos estão se reunindo – disse Inácio.

– Rapaz – comentou Jair –, se eles estão indo caçar, espero que seja bem longe daqui.

– Dizem que os lobos uivam para a lua – disse Caio.

– Hoje não há lua – observou Cláudia, olhando para o céu –, mas vejam como o céu está negro e estrelado.

– Talvez – disse Manoel – os lobos estejam marcando seus territórios, ou chamando uns aos outros.

– Por falar em lua – disse Cláudia –, quando fui ao planetário lá no Rio, soube que neste mês haverá um eclipse solar ao redor do meio-dia. O eclipse poderá ser observado aqui no país apenas em algumas regiões. E a data... Ei, é amanhã, se não estou enganada! Vocês estão sabendo? Viram alguma notícia sobre isso na TV antes de virem para a fazenda?

Apenas Liana confirmou ter ouvido algo a respeito, embora não lembrasse a data correta.

– Tenho certeza agora – disse Cláudia, relembrando –, será amanhã.

Caio colocou mais lenha na fogueira.

Na floresta, os portais entre mundos tornaram-se mais densos nos vários locais onde se encontravam – nos ocos das árvores, nas grutas, buracos, nascentes, cachoeiras e grotas. Deles passaram a emanar fios de sombras e escuridão que foram se espalhando pela terra, serpenteando entre as árvores, quase ao nível do solo. Era o prenúncio do mal que se disseminaria no mundo.

Um vento forte sacudiu as árvores, avivou as chamas da fogueira, passou velozmente pelas árvores e construções e produziu um lamúrio fantasmagórico. Nuvens escuras tomaram o céu, escondendo as estrelas.

De frio e medo, as pessoas tremeram e se encolheram. Gritos de susto e surpresa se desprenderam de suas gargantas. Numa rajada potente, o vento apagou completamente a fogueira que Caio há pouco havia atiçado, lançando a todos numa escuridão medonha.

As mulheres gritaram. O som dos gritos foi suplantado por um riso maligno, pavoroso e horripilante. As brasas arderam e as labaredas voltaram a queimar. A fogueira se acendeu novamente e, ao lado dela, estava uma velha que parecia saída das funestas memórias de histórias de terror.

Carcomida, apoiava-se num pedaço de pau. Trajava um vestido negro, sujo e esfarrapado. Os cabelos cinza e desgrenhados eram incapazes de esconder as grandes orelhas. Sua face, purulenta e esburacada, ostentava um grande e curvo nariz. Sua presença causava repugnância e terror.

Sua diabólica e incontida risada continuou perante a estupefação de todos os presentes. Foi ainda ouvida quando ela apontou o dedo da mão cadavérica em direção à Marcela, atingida por alguma força inumana, da qual tentou inutilmente se desvencilhar.

Uma densa fumaça negra a envolveu e a transformou, ante os olhos espantados e incrédulos do pessoal da fazenda, num pássaro negro, um anu. Este pareceu desnorteado por um momento, levantou voo e foi pousar no ombro da velha, que, entre uma e outra odiosa gargalhada, disse, antes de repentinamente desaparecer na noite:

– Os portais estão se abrindo, e as trevas habitarão a Terra!

A madrugada deveria dar lugar a um novo dia, mas a noite não queria deixar seu domínio. Embora a aurora tivesse surgido tímida, o céu nublado e a espessa neblina impediam a luz, deixando o dia escuro.

Na casinha de Cunha, a porta estava arrombada, os móveis revirados. Um corpo humano ensanguentado, vestido em farrapos, abria os olhos entorpecidos, sem saber em que realidade se encontrava.

Tobias se viu caído no chão, com o corpo todo dolorido.

Levantou-se devagar, com enorme dificuldade para se colocar de pé. Tentou compreender o que acontecera. Nada lhe pareceu fazer sentido. Estava trôpego como se tivesse bebido a noite inteira. A bagunça na casa o levava a crer que alguém estivera ali.

Para seu horror, reparou nas roupas do próprio corpo, rasgadas e imundas, sujas de sangue. Apalpou-se procurando seus ferimentos. Calculou que, por isso, estava tonto. Teria perdido demasiado sangue e desmaiara. Mas não. Não havia mais qualquer ferimento, apenas cicatrizes.

Percebeu que aquele talvez não fosse seu sangue. Sentiu nojo e horror. Cheio de aversão, arrancou as roupas, agora leves farrapos, e jogou-as longe, ficando totalmente nu. Breves relâmpagos na memória, entremeados à dor de uma enxaqueca, lembravam-lhe cenas de violência e morte.

Buscou algo limpo para se vestir; nada encontrou. Não havia trazido roupas extras. Arrastou-se para fora e desenterrou o saco de roupas velhas que ele e seus comparsas haviam usado para se disfarçar de andarilhos. Retirou dali uma calça e uma camisa, voltando a enterrar o saco. O odor que a roupa exalava o fez ter ânsia de vômito. Voltou à casa em busca de sabão, sabonete ou detergente, sem sucesso. Foi em direção ao banheiro, abriu o chuveiro e entrou debaixo da água fria, arfando e sufocando os gritos.

O sangue seco foi se diluindo e escorrendo de seu corpo. Esfregou a roupa ali mesmo, vestindo-a molhada, deixando que a água que lhe caía ao menos levasse embora a terrível catinga que a impregnava e o nauseava.

Procurou algo para se secar. Não havia toalhas no banheiro, não havia quase nada na maldita casinha. Passou os olhos pelos cômodos procurando algo que lhe servisse. Achou na sala uma pilha de jornais velhos, poeirentos. Com eles, se esfregou, até fazê-los se esfarinhar de úmidos, conseguindo, porém, secar os cabelos e o rosto. As roupas ainda pingavam de molhadas. Sentia um frio insuportável.

Por ser ainda muito cedo e por julgar que não haveria ninguém pela estrada, o que confirmou olhando pela janela, resolveu acender uma fogueira na varanda dos fundos, do lado de fora, para se secar e aquecer. Juntou pedaços de madeira, um pouco de jornal seco e ateou fogo.

Quando se sentiu apenas um pouco aquecido, buscou o livro de Dom Afonso. Queria espantar as horríveis memórias que lhe inundavam a mente, enquanto a roupa do próprio corpo secava no calor do fogo. Ainda tremendo, abriu o livro e começou a ler.

Não mais Karaíba, conhecido como Dom Afonso pelos brancos, é quem escreve. Não mais estas folhas, a ele tão preciosas, serão marcadas por seus desenhos e rabiscos. A mão por trás da pena agora é a de seu filho, Membirabitu, também filho de Potira, da nação Tupinambá. A mão de meu pai, e todo seu corpo, se transformou em cinzas, foi soprada pelos ventos, e espalhou-se sobre esta terra.

Eu, Membirabitu, derramo aqui a minha voz, vertida nos rabiscos que meu pai me ensinou. Foram os brancos quem o mataram. Metade do sangue em minhas veias descende desses mesmos brancos. Talvez por isso tenha sido menos difícil para mim apressar sua morte e carregar parte da culpa. O espírito que o animava foi ao encontro da Grande Mãe, Nandecy. A ela, pedi que recebesse meu pai e também minha mãe Potira, e os acolhesse junto às estrelas.

As últimas palavras de Karaíba nessas folhas foram com o pensamento voltado à mãe Potira. Da cabeça de Membirabitu não se apaga a imagem dele a trazendo nos braços na aldeia destruída de Indira, nem a de sua captura ou de sua morte. Mais fácil seria enfrentar inimigos do que tais imagens, momento após momento, dia após dia. Se parece aos meus irmãos que o filho dos ventos já não corre mais e fica sempre imóvel, seja à margem do rio ou na floresta, é porque não podem ver o vendaval que ruge furioso na tempestade sem fim de meus pensamentos. Se, através destes rabiscos, passo a registrar o que minha boca não diz é devido a uma promessa.

As ondas se agitam nas praias, o rio corre caudaloso, e o sol brilha aquecendo as criaturas na Terra, mas o frio que gela a alma de Membirabitu parece não ter mais fim.

Houve um tempo em que todos os caminhos eram possíveis e havia alegria nas aldeias – ou ao menos assim me parecia em minha infância. Esse tempo se passou. Hoje, à espreita de qualquer trilha, existe a expectativa da morte.

Estações atrás, os guerreiros quiseram me dar outro nome, um nome de adulto, num ritual que marca a transformação do curumim que fui para o adulto que sou. Recusei outro nome. Serei para sempre Membirabitu, filho dos ventos, o vento estrangeiro que beijou uma flor silvestre e a frutificou. Sou vento. Não serei outro senão aquele que vaga liberto pelas montanhas, rios e planícies desta terra.

Foi apenas um piscar de olhos e as estações se passaram; invernos e verões se foram desde os acontecimentos que culminaram na morte de meu pai. Os pássaros cantam em seus ninhos; as folhas secas caem das árvores, os macacos continuam sua algazarra, os curumins brincam, as mulheres tecem e plantam, e os guerreiros caçam na floresta. Já Membirabitu está e ficará aqui, numa clareira parecida com aquela onde Karaíba sempre ficava, desenhando e rabiscando como ele o fazia.

Naquele triste dia de desventuras, o céu amanhecera nublado e uma fina neblina molhara a vegetação. Os pajés e alguns homens da tribo saíram ainda antes do sol nascer e estavam distantes, empenhados na construção do círculo sagrado.

Metade da manhã já se havia passado. As mulheres ralavam as raízes brancas enquanto cantavam suas canções. O Karaíba desenhava seus rabiscos. Os guerreiros faziam flechas e arcos, e o cacique Tenondé ensinava-me a disparar a flecha com precisão. Atirei contra uma juriti em voo, até por fim acertá-la e vê-la cair em meio às árvores. Corri e apanhei-a. Eu a levaria para Tenondé para provar minha perícia, mas deixei-a cair e corri para a companhia de Karaíba. Foi quando ouvi o som do primeiro trovão e vi um índio cair no meio da aldeia. Gritos alertaram:

– OS ANGAIPÁS ESTÃO ATACANDO!!!

As armas de trovão soaram, e os tupiniquins, inimigos de meu povo, aliados dos brancos, lançaram flechas. Velhos, mulheres, crianças, bebês. Índios guerreiros ou não. As armas inimigas alvejavam a todos, sem distinguir fracos ou fortes.

A luta se tornou sangrenta e difícil. As armadilhas feitas dias antes sob orientação de Dom Afonso atrasavam os inimigos e tiravam a vida de muitos deles. Machucavam-se em espinhos venenosos colocados nos arbustos, caíam em fossos escondidos por ramos, cheios de serpentes peçonhentas, tropeçavam em cipós esticados e acionavam jaulas de madeira com lanças que os atravessavam, ou enormes troncos que caíam das árvores mais altas, à sua passagem.

Eram inúmeros. Não cessavam de chegar. Por fim, a grande cerca de varapaus que circulava a aldeia foi derrubada e a enxurrada de inimigos jorrou.

O Karaíba pegou também sua arma e atirou, matando muitos brancos. Eles o descobriram, então, e gritaram entre si:

– DOM AFONSO ESTÁ ALI, PRÓXIMO À OCA. CAPTUREM-NO! CAPTUREM-NO!

Diversos tiros foram trocados, e Dom Afonso, afinal, caiu, ferido nas pernas e no ombro direito. Corri até ele, o mais rápido possível, e tentei arrastá-lo para dentro da oca.

Ele me rechaçou e disse:

– SALVE A SI MESMO. FUJA DAQUI E LEVE CRIANÇAS E MULHERES. PROTEJA-AS!

Protestei, mas ele foi inflexível:

– VÁ! – ordenou, num tom que não pude desobedecer. Com os olhos marejados, deixei-o, corri em meio ao tumulto, e, percebendo que os inimigos já lançavam flechas incendiárias, levei tantas mulheres e crianças quanto foi possível e as coloquei na trilha para a floresta densa, onde poderiam se esconder numa gruta já preparada para a ocasião. Ainda lamento aquelas que não consegui salvar.

Retornei o quanto antes e vi que tudo estava perdido: os mortos se contavam às centenas. Mais uma vez eu presenciara o horror. O sangue de muitos se misturava em poças no chão que escorriam de uma para outra, se ligando e formando um fio líquido que se avolumava como um rio alimentado por afluentes. Embora a corrente fosse formada quase exclusivamente de sangue índio, também por ela fluía o sangue dos brancos. O rio sangrento drenava toda esperança e eu soube que nada, nunca mais, seria como em minha infância ou como os anciões diziam ter sido antes dos angaipás chegarem a esta terra. Naquele rio vermelho escorria mais que a vida de meu povo, escorria todo o nosso amanhã. Eu me lembraria disso por toda a minha vida. Lembrei-me, tempos depois, quando ouvi um sábio pajé falar na esperança de uma Terra Sem Males, livre dos angaipás, onde velhos se tornam jovens, o alimento brota da terra sem esforço e a caça vem ao encontro do caçador. A terra onde, enfim, todos os nativos poderiam voltar a viver em paz.

A tristeza ao ver tanto sangue e tantos corpos no chão, os últimos guerreiros abatidos, e a oca incendiada, transformou-se dentro de mim em ódio, um ódio tão profundo e extremo que me insuflou a pegar as lanças daqueles que tombaram e atirá-las numa fúria devastadora, desejando morte aos invasores. Disparava flechas quando ouvi mais uma vez o trovão. O corpo de Membirabitu teria também alimentado o rio vermelho, não fosse Tenondé se atirar sobre mim e se ferir em meu lugar. Também ordenou que salvasse a mim mesmo. Em seus olhos li, além da desesperança, o amor paternal. Quando ligeiro fugi e olhei para trás, ele ainda lutava ferozmente. Tentei avistar o Karaíba e não consegui. Ele já não estava mais onde caíra. Fui em direção à floresta, mas não pude lá ficar. Precisava procurar Dom Afonso, ainda que a morte viesse ao meu alcance.

A aldeia estava em chamas. O cheiro de fumaça e carne queimada ardia minhas narinas e quase me impedia de respirar. Não havia mais ninguém vivo. Os brancos se retiraram pelas mesmas trilhas por onde vieram. Achei um arco em boas condições e apanhei uma aljava cheia de flechas, contendo também uma zarabatana e alguns dardos de bambu. O guerreiro não teve tempo de usá-las. Agora eu era o último dos guerreiros tupinambás. Segui no encalço dos brancos. Pouco tempo depois comecei a ouvir os gritos e o choro dos prisioneiros. Aproximei-me o bastante para ver sem ser visto. Iam todos em fila. Os prisioneiros haviam sido amarrados pelo pescoço e pelas mãos e caminhavam vigiados. Entrei à direita na mata, pensando em contorná-los e ultrapassá-los. Quando já caminhava há algum tempo sem alcançar o início da fila, me dei conta de como eram numerosos. Deviam chegar a mais de duzentos homens portando armas de fogo. Escondido pelo verde da floresta, esperei que passassem. Eu seguiria seu rastro. Vi, então, dois prisioneiros que, com cordas pelo pescoço, ombros e costas, arrastavam um corpo em cima de uma esteira feita de casca de bambu. Aproximei-me e percebi que era o corpo de Dom Afonso. Não pude confirmar se estava vivo. A chegada do crepúsculo fez com que parassem para pernoitar. Acenderam fogueiras e se alimentaram.

Pela manhã, à margem do rio, embarcaram em suas canoas. Percorri a margem, observando os juncos e consegui encontrar o que queria: afundada na margem, escondida, estava uma canoa tupinambá. Puxei-a para mim e derramei a água. Estava em bom estado, lancei-me com ela ao rio.

Quando horas depois pensei que já deveria ter avistado suas canoas, ouvi o trovão soar. Atiravam contra mim. A curva do rio impedira que eu os avistasse. Caí propositadamente na água e fiquei ao lado da canoa, a fim de que pensassem que me haviam acertado. Nadei devagar e silenciosamente em direção à margem, segurando a canoa com uma das mãos, tentando dar a impressão que ela estava à deriva. Mesmo assim, continuei em seu encalço, com maior precaução. Quando o rio se tornou impróprio para navegação por conta das corredeiras, os vi desembarcarem ao longe. Afundei a canoa e a escondi conforme a encontrara.

Alcancei o acampamento dos brancos ao cair da noite. Aproximei-me o bastante para ver que Dom Afonso estava vivo. Escondido entre os arbustos, notei um branco barbudo, em frente a Dom Afonso e o ouvi dizer:

– Sou Gusmão de Alcântara, chefe desta campanha e súdito de Sua Majestade Real, o Rei Filipe II. E tu, Dom Afonso, és um nobre, um fidalgo português. O que fazias entre os bugres? Por que traíste os de tua raça, defendendo estes negros-da-terra? Onde deixaste tua honra?

A voz de Dom Afonso soou fraca:

– Estes nativos, Gusmão, têm mais honra que todos nós. Se passei a defendê-los, foi por ver as barbaridades cometidas por tipos como tu.

– Então agora somos nós os bárbaros? Ouçam, homens, o que diz este traidor do reino e amante de Bugres.

Os brancos riram.

– Pois saiba, Dom Afonso, que só não permiti sua morte porque o governador quer ter contigo e te levar a julgamento por teus crimes contra a coroa e a igreja.

– E quem julgará os crimes que tu cometeste contra esta gente?

– Crimes? Esta é uma Guerra Justa. A hostilidade dos nativos e a recusa em se submeterem à coroa e à igreja a justificam. O castigo dos bugres é a escravidão.

– Hipocrisia! É tudo que sai de sua boca, Gusmão de Alcântara. Buscam escravos apenas, e a escravos reduziriam os nativos sob qualquer pretexto. Se tanto a coroa quanto a igreja agem de acordo com tuas palavras, o mal – que outrora acompanhava Judas e ainda hoje caminha pela Terra – se infiltrou na mente de Sua majestade, o rei, e de sua santidade, o Papa. Corrompeu suas almas e as lançou em pecado mortal.

– Blasfêmia!!!

Gusmão dirigiu-se aos prisioneiros. Alcançou o último da fila, cortou com a espada a corda que ligava seu pescoço aos demais, e o arrastou até próximo de Dom Afonso. Pressenti que Gusmão o mataria. Meu coração se acelerou, minha respiração tornou-se pesada.

Retesei o arco. Estava pronto para flechá-lo, porém, me contive. Se atirasse, estaria extinta a chance de me aproximar de Dom Afonso. Com apenas um golpe Gusmão decepou o índio: seu tronco caiu jorrando sangue e sua cabeça, segura pelos cabelos, foi atirada por Gusmão sobre Dom Afonso.

– Para mim chega de ouvir tuas blasfêmias. Vingo tuas palavras neste selvagem sem alma a que defendes. Teu julgamento virá em breve.

Gusmão afastou-se, deixando atrás de si o choro e o lamento das mulheres e crianças. Os homens nativos mantinham-se de cabeça baixa, derrotados. Afastei-me. A dor invadiu minha alma. Apenas um pouco mais – pensei –, era tudo que eu precisava aguentar. Segui os brancos por dias. Breve começamos a descer imensa serra. Presumi que estávamos próximos do oceano, as largas águas das quais Dom Afonso sempre me falava.

Por fim, chegamos à vila dos brancos chamada de Rio de Janeiro. A floresta fora derrubada, e a região tornara-se um grande descampado em frente ao mar. Ali, havia dezenas de cabanas, muitos colonos e índios tupiniquins transitando de um lado a outro em inúmeras atividades. No mar, contavam-se dois grandes barcos e várias embarcações menores. Uma grande cruz jazia fincada na praia.

Fiquei escondido ao longe, na vegetação, tentando discernir para onde levariam os prisioneiros. Foram deixados amarrados a um tronco na praia, enquanto Dom Afonso foi levado para uma das cabanas mais distantes, onde a floresta se iniciava novamente. Dei uma longa volta na mata. Cheguei ao local e verifiquei: se fosse preciso uma fuga urgente, eu poderia escapar pela mesma trilha, bem antes da chegada de qualquer perseguidor. Afastei-me, então, e fui procurar algo de comer.

Quando a noite caiu, aproximei-me da cabana. Havia um vigia do lado de fora. Não demorou para que chegasse um homem segurando uma cruz, vestido com longo manto. Era a descrição que Dom Afonso fizera de padres e jesuítas. Ele entrou na cabana. Aproveitei a escuridão para chegar mais perto sem despertar a atenção do vigia. Ouvi o homem dentro da cabana dizer:

— Estamos catequizando esses nativos, Dom Afonso, e eles poderão ser salvos para o reino do Senhor.

— Estou farto da hipocrisia real. As nações indígenas estão sendo destruídas. Tudo acaba sendo justificado pela igreja e pela coroa.

— O mal não se justifica, meu filho. Não aprovo a violência. Somente levo a palavra de Cristo àqueles que a quiserem ouvir.

— Mas através da presença da igreja justificam tais abusos.

— Apenas lhe direi, Dom Afonso, de minhas ações. Cada um será julgado no devido tempo. Posso dizer que, apesar de todo mal cometido contra essa gente, a igreja é a única ordem moral a submeter a selvageria; é o último baluarte diante da barbárie. Não fosse a igreja, a ambição dos reinos europeus não poderia ser controlada. Se, mesmo com as proibições da igreja, o mal ainda impera, sem ela, nada mais impediria a estes desbravadores o massacre e o extermínio total dos indígenas.

— Isso já acontece! Ou pensas que transformá-los num povo de escravos é lhes dar respeito e dignidade? Definharão até morrer! E

quanto àqueles que não se submeterem? Serão mortos até o último de sua espécie?

– Nada mais tenho para lhe dizer sobre isso, Dom Afonso. Está nas mãos de Deus. Nos próximos dias, se fará teu julgamento. Estás arrependido?

Vi quando o homem foi embora, resmungando:

– Blasfemador!

Assim que ele saiu, um outro entrou furtivamente na cabana. Continuei no mesmo lugar. Pela madrugada, quando o silêncio reinasse, tentaria também falar com Dom Afonso, e com ele fugir dali. Ouvi, em seguida, a voz do outro homem. Tentei compreender suas palavras, mas muito do significado daquilo que escutei me escapou. As palavras que trocaram, entretanto, ainda estão vivas e posso lembrá-las:

– Salve, Dom Afonso! Eu sou Pedro de Linhares, teu conterrâneo, e partilho contigo o segredo da missão que lhe foi dada. Veja em minha mão esta cruz vermelha, da Ordem de Cristo. Também sou um dos cavaleiros. Não temos muito tempo. Alguém pode logo chegar, e este assunto deve continuar em segredo. Desejo saber o que tu descobriste.

– Nada tenho para dizer-te, cavaleiro.

– Como não tens? Tu foste incumbido de buscar nestas terras o segredo da longevidade... de traçar um mapa e enviá-lo ao rei... Índios foram levados ao reino e dissecados por nossos sábios e médicos, mas o segredo de sua saúde e longevidade não foi descoberto. Suas lendas, contudo, confirmam aquelas existentes desde a Antiguidade entre muitos povos: há uma fonte da juventude. E ela

se encontra no Novo Mundo. Os reis da Espanha, décadas atrás, enviaram homens em busca do segredo às terras que descobriram. Ponce de Léon foi um deles. Em Portugal, alguns cavaleiros foram enviados a essas terras com o mesmo propósito. Tu foste enviado por nosso rei a esta região da Terra da Santa Cruz... Diga, pois, o que descobriste... o motivo da boa saúde destes nativos, de seus corpos sempre jovens e musculosos, de sua longevidade... o segredo, a fonte de tudo isso... uma fonte... ou uma causa... diga-me, homem! Não te furtes ao teu dever!

– Buscas uma miragem. Se estes nativos vivem mais ou tem melhor saúde é porque não são atormentados pela culpa ou pelo pecado e vivem de acordo com a natureza.

– Dizem que tu serás julgado e condenado à morte ainda pela manhã. O que fizeste, homem? Por que traíste teu povo e teu rei? Diga-me e talvez eu possa conseguir salvar-te do lamaçal onde te enfiastes.

– Não viverei muito mais, de qualquer forma... os bandeirantes... Gusmão de Alcântara e outros... atacaram as aldeias, mataram minha esposa. Apenas defendi aqueles que se tornaram meu povo e minha família.

– Desposaste... uma índia? Responda-me homem: o que descobriste vivendo tantos anos entre estes selvagens?

– Descobri apenas, Pedro de Linhares, que selvagens... somos nós.

– Como Cavaleiro da Ordem juraste lealdade à cruz e à coroa. Pelo sangue do cordeiro e pela vida do rei, revela-me o que sabes, nenhum segredo precioso pode morrer contigo.

– Em equilíbrio com a natureza... É como vivem os nativos.

Nada há fora disso. Se não compreendes e ainda procuras uma fonte da juventude, procuras um mito.

– Como não existiria, se tu mesmo pareces tão mais novo que eu, quando tens muito mais idade? Tu és dez anos mais velho e tua aparência ainda é a mesma de quando nos encontramos pela primeira vez... Exceto por teus trajes e falta de cuidados... Desejas enganar--me com tuas palavras, escondendo-me o segredo que descobriste.

- Os reis sonham com a imortalidade... Seus caprichos e desejos são todos satisfeitos. Gozam a vida, ditam as leis e não estão sob seu jugo. A vaidade e a ambição os movem. Buscam se perpetuar no poder e nunca comparecer ao tribunal divino. Que morram como qualquer um do povo! E que ocupem seus lugares líderes justos, honestos e sábios, capazes de agir de forma moral e ética, e forjar uma nação igualitária! Que eles repudiem a ganância desmedida e toda a hipocrisia em que vive nossa sociedade.

– O jesuíta disse corretamente: tu és blasfemador. Vejo que nada arranco de ti. Levarei comigo o livro de anotações, do qual não precisarás mais. Quem sabe nele encontrarei o segredo que me escondes.

Ao ouvir tais palavras, segui o homem até seus aposentos. Na madrugada, enquanto dormia, peguei de volta o livro de meu pai e retornei à sua cabana. Fugiríamos para a floresta profunda, onde eu esperava reconstruir nossa aldeia.

Em alguns momentos da vida, os desejos ultrapassam a realidade e nos iludem com pensamentos que teimam em se acender como fagulha na pólvora. Criamos sonhos insustentáveis, ilusões que não desejamos perder ainda que tudo leve a crer no contrário. Aquele era um desses momentos.

Quando contornei a cabana, o vigia ameaçou acordar. Retirei a zarabatana da aljava que carregava e soprei-lhe um dardo envenenado. Atingiu-o no pescoço. Ele continuou imóvel, deitado na areia, e entrei para falar com Dom Afonso, que dormia, delirando em febre. Acordei-o. Estava maltratado, suado e arranhado pela viagem na floresta. Os ferimentos de bala estavam feios e sangravam. Sua voz fraquejava. Imaginou estar tendo um sonho. Convenci-o do contrário. Fui recriminado com doçura paterna. Revivo ininterruptamente aquele momento.

– Membirabitu, meu filho, o tempo de Karaíba terminou. O crepúsculo chegou e breve a noite cairá. Quando Jacy surgir no céu, minha alma terá regressado à grande mãe, Nandecy. Tempo de Membirabitu desponta com a aurora. Deves viver entre os seus. Caminhas para longe, reconstrua a aldeia e afasta-te dos brancos.

– Volte comigo, meu pai.

– Sabes que não posso. Apenas seria o motivo de tua captura: os brancos e seus aliados tupiniquins nos alcançariam. As feridas em meu corpo matar-me-iam no caminho de qualquer forma. Morrerei aqui, mas tu viverás junto com meu povo. Tens a minha bênção. Volta agora!

– Como posso ir e te deixar, meu pai... meu mestre e amigo?

Ele apertou-me a mão. Lágrimas deslizaram pelo seu rosto enquanto falava:

– Meu espírito estará sempre contigo. Vá agora, antes que amanheça e seja tarde demais. Leve meu livro. Prometa-me: continue minha missão. Registre no livro tudo o que passou e ainda se passará entre os Tupinambás. Os brancos provavelmente apagarão de

seus livros o genocídio que executam. Talvez desapareçam também com os registros de minha vida aqui nesta terra e, mais ainda, de minha morte. Sou um fidalgo e podem sofrer consequências por seus atos. A lei portuguesa é rígida com aqueles que ferem ou matam nobres. Estamos longe da Corte. Mesmo lá, talvez também não me salvasse. Não importa mais. A noite vem chegando para mim. Instrua teus descendentes conforme te instruí; algum dia, após gerações, o livro deverá ser conhecido por todos. A verdade, então, virá à tona.

– Eu prometo.

– Vai, meu filho, voa nas asas do vento, volta para a floresta e sê feliz. Vá!

Abracei seu corpo moribundo, beijei sua testa e afastei-me com lágrimas nos olhos, carregando seu precioso livro, e me enfiei na mata novamente.

Escondi o livro nas trilhas que usaria para voltar à aldeia arrasada, mas não regressei. Enquanto houvesse vida em Dom Afonso, dali eu não sairia. Colhi espinhos na floresta, mergulhei-os no curare e os plantei no terreno à frente de onde estava. Ninguém passaria dali sem pisá-los. Isso me daria alguns minutos a mais em caso de precisar fugir rapidamente. Fiquei a vigiar os acontecimentos.

Quando amanheceu, houve tumulto na vila. Pedro de Linhares gritava aos quatro cantos que fora roubado em sua casa e que Dom Afonso havia escrito um livro perigoso que não deveria cair em mãos erradas. Afirmava tê-lo guardado para estudo, e este fora roubado de sua cabana durante a madrugada. O livro, dizia, ofenderia a Igreja e a Coroa. Homens armados saíram revistando as cabanas e os habitantes da vila. Arguiram Dom Afonso e, diante de sua recusa em falar sobre o assunto, resolveram naquele mesmo dia fazer seu julgamento. Reuniram-se o padre, o jesuíta, o governador da vila do Rio de Janeiro, o chefe da campanha, Gusmão de Alcântara e Pedro de Linhares. Mandaram trazer Dom Afonso ao pátio. Arrastaram-no, pois não tinha forças para se sustentar em pé. Seu julgamento foi uma encenação concisa: acusações, nenhuma defesa e a condenação imediata à fogueira. Desejavam calar suas palavras prontamente. Vi a madeira ser empilhada e Dom Afonso ser amarrado a um poste em seu centro. Sua cabeça pendia. A febre e a inconsciência o atingiram após tanta perda de sangue. Brancos e escravos índios se aglomeravam atrás das autoridades. Segurei-me o quanto pude. Eu lhe havia prometido fugir, no entanto, não poderia deixar que o torturassem.

Quando a mão que segurava a tocha levantou-se para atear fogo à madeira empilhada, retesei o arco e disparei minha vingança. O grito do carrasco foi ouvido pelos poderosos, e um misto de surpresa e estupefação os atingiu. A flecha posterior o silenciou, atravessando sua garganta. Houve confusão. Urros e ordens ecoaram. A tensão que me dominava foi se dissipando flecha após flecha. Acertei a muitos. Se não era mais possível salvar Dom Afonso, ao menos poderia lhes causar o máximo de sofrimento. O padre alcançou a tocha e uma grande fogueira se avivou, alastrando-se rapidamente pela madeira seca. Foi a última coisa que fez antes de uma flecha atravessar-lhe o braço. Pedro de Linhares se escondeu atrás de uma das cabanas e gritou para que me capturassem vivo: eu teria roubado o livro de Dom Afonso.

Brancos e índios armados vieram correndo em minha direção, disparando setas e trovões, mas não me tinham ainda em mira. Estavam excitados pela surpresa, pelo medo ou nervosismo. Em mim habitava a frieza da morte. Por fim, sobrara apenas uma flecha. Em conflito comigo mesmo, hesitei. Precisava lançá-la. A flecha de misericórdia. Não podia errar. Prendi a respiração. Retesei o arco. Ela evitaria um terrível sofrimento e imporia outro. Pensei no falcão que corta os ares atrás de sua presa e a atinge sem pestanejar. Pensei também na presa que foge buscando salvar-se. Eu era a presa e o falcão.

Não pensei mais. Não senti. Apenas disparei. Quando a flecha atravessou o fogo e atingiu o coração de meu pai branco, ela também atingiu o meu.

Após isso, eu, Membirabitu, filho dos ventos, órfão da floresta, tornei-me vento e desapareci na floresta.

Tais registros não me são tarefa fácil. Custa-me a dor da saudade de meu pai, de minha mãe Potira e a lembrança das aldeias destruídas. Muitas estações se passaram até que finalmente tomasse coragem para rabiscar estes papéis.

O rio da vida continuou a correr, e, em suas águas, as nações indígenas começam a rarear enquanto as vilas dos colonos avançam sobre a floresta devastada.

Fui jovem e agora sou um velho. Não posso ainda abandonar a vida; não antes de concluir a missão que assumi e a promessa que fiz. Sou fruto de dois mundos antagônicos, minha mente viaja de um a outro, ininterruptamente, buscando compreender e aceitar minha experiência. Contudo, apenas um deles me aceita: o de minha mãe. O mundo de meu pai, repudiado por ele próprio, possui força e poder, mas também arrogância, egoísmo e insensibilidade. Foi sempre incapaz de estender uma mão amiga aos habitantes da floresta e de respeitá-los como irmãos. Quando os brancos se aproximavam desejando paz, sempre tinham uma segunda intenção: satisfazer seus interesses à custa de nossa gente. Nunca hesitaram em quebrar suas promessas. Eles têm melhores armas e engenhos. Não enxergam nossa cultura, nem respeitam a floresta, nosso lar e manancial.

Teria sido um mundo melhor, este paraíso, esta Terra de Santa Cruz, Terra Brasilis, Pindorama, não importa como chamem, se todos se tivessem respeitado. Poderia ter sido. Um mundo melhor. Agora é tarde, muito tarde. Rios vermelhos correram por esta terra. A vida de muitos se extinguiu.

Quando retornei à aldeia destruída, não encontrei alma viva, apenas cadáveres que não haviam sido queimados pelo fogo, em estado de putrefação. O mau cheiro exalava insuportavelmente. Juntei algumas flechas que se encontravam espalhadas pelo chão, enchi com elas minha aljava e afastei-me rapidamente. Evitei olhar os rostos, não queria reconhecer neles as pessoas que conheci na aldeia.

Fui em direção à gruta onde haviam ido se esconder as mulheres, crianças e jovens. Eles precisariam de mim, e eu, de todo o conhecimento antigo. Encontrei-a vazia, apenas com o vestígio da passagem daqueles que ali estiveram.

Teriam sido capturados, escravizados ou mortos por outros inimigos? Não vi sinais de luta. Cansado ao extremo, desesperei-me mesmo assim. Naquele momento achei que estivesse só no mundo, e todos de minha aldeia, mortos. Fraco e faminto depois de dias de privação atravessando a densa floresta, deixei-me cair exausto e desfaleci no solo da gruta. Não lembro quanto tempo fiquei ali. Quando enfim acordei, era uma nova manhã.

Encontrei a um canto dois potes de barro – num havia farinha torrada de mani-oca e, no outro, água; num cesto feito de fibras, ao lado, havia frutas. Aqueles que ali estiveram previram a possibilidade de algum outro sobrevivente ter se afastado muito na floresta ao fugir dos invasores e vir à gruta mais tarde, após partirem.

Comi avidamente e bebi. Somente então, olhando para fora, notei, próximas a uma das árvores, pequenas pedras dispostas num círculo. Uma flecha estava tombada a seu lado. Compreendi logo. Era uma mensagem clara, que apenas os sobreviventes da aldeia poderiam interpretar: indicava para onde haviam partido os sobreviventes.

Levantei-me e deixei o local, buscando a trilha aberta apenas algumas luas antes. Até o final da manhã, eu alcançaria o local onde os pajés construíam o Círculo Sagrado.

Caçaria algum animal. Aquele que cruzasse meu caminho seria minha presa. Eu o ofereceria à minha gente, em gratidão ao alimento deixado na caverna. Bem dentro da floresta, encontrei algo. Ouvi barulho nos arbustos e fiquei quieto. Se fosse uma onça ou um lobo, seria melhor não lhes chamar a atenção. Vi um lagarto em meio às folhagens. Eu conhecia aquele tipo: era arisco e tinha carne macia e saborosa. Eu só teria uma chance. Atirei. A flecha atravessou seu pescoço e o prendeu ao tronco da árvore mais próxima. Quando me aproximei vi que era troncudo, do tamanho de minhas pernas. Pesado, amarrei-o com cipós às minhas costas e continuei a caminhar.

Comecei a ouvir vozes e soube que estava bem próximo do local que procurava. Certifiquei-me de serem de pessoas de minha tribo. Não queria ter a infeliz surpresa de encontrar guerreiros inimigos, ali sozinho. Seria capturado, feito prisioneiro e devorado numa daquelas festas tribais. Embora para os prisioneiros fosse um privilégio ser devorado, sinal de distinção como inimigo e guerreiro, a cultura de meu pai também estava cristalizada em mim. Salvo bizarras exceções, animais não comem aqueles de sua própria espécie; por que humanos deveriam fazê-lo? Ainda que fosse um costume antigo e arraigado entre o povo de minha mãe, e ainda que essa mesma cultura nativa fizesse tão profundamente parte de meus valores, também o faziam os valores de meu pai, herdados de seu mundo. Como a todos os brancos, também passei a ter aversão a essa prática, considerava-a perversa e maligna.

Ouvi vozes conhecidas e tranquilizei-me. Saí da proteção da mata para a clareira e tive uma grata surpresa: o círculo sagrado estava pronto. Atrás dele, à distância de dez troncos compridos de árvores, havia sido construída uma grande oca para abrigar os pajés e os sobreviventes.

Gritei, lhes chamando a atenção, felicitando-os por estarem vivos. Correram para mim, dando-me boas vindas, alegres por também eu estar vivo. Abraçaram-me. As mulheres choraram e os curumins correram ao meu redor. Entreguei-lhes o lagarto para que levassem às cozinheiras da tribo. Os pajés perguntaram-me sobre o Karaíba, meu pai, e lhes contei sobre sua prisão e sobre como fora morto pelos angaipás. Como costume, sempre que um inimigo capturava alguém da aldeia e o matava, juravam vingança. Era a forma como entendiam a justiça: o que lhes era feito era por eles retribuído de igual forma e proporção. Assim também procediam quando capturavam alguém que houvesse ferido um dos seus: causavam-lhe ferimento idêntico, e o mantinham cativo até o momento em que seria morto para alimentar a tribo. Já não havia mais tantos guerreiros. Somados os pajés, as mulheres, crianças e os poucos homens sobreviventes, a aldeia contava agora com uma décima parte do que havia sido toda sua gente. Por um longo tempo seria melhor se esconderem e evitar qualquer belicosidade com outras tribos. Não fossem as armadilhas e a retirada das mulheres e crianças, bem como a saída antecipada dos pajés e alguns homens para a construção do círculo, todos estariam mortos ou escravizados.

Naquele crepúsculo, quando os pássaros noturnos começaram a cantar nas árvores, o silêncio se fez entre nós. Ouvimos em seu canto a voz dos espíritos de nossos ancestrais nos dando força e coragem e nos falando que haveria um novo amanhã e, com ele, se levantariam novas esperanças.

Houve celebração naquela noite. Pela minha chegada e pelo fim da construção do círculo. Ao redor da fogueira acesa, as mulheres dançavam e cantavam. Após os curumins e os guerreiros as acompanharem por longo tempo, fez-se silêncio. Os pajés se levantaram e começaram sua dança, gestos e gritos, embalados pelo batuque dos tambores e por uma melodia melancólica que ecoava por todas as bocas. Cada pajé fumava em seu cachimbo as ervas sagradas. Os maracás[25] em suas mãos eram sacudidos e despertados. Os espíritos falariam através deles. O pajé de nossa aldeia foi o primeiro a traduzir o que lhe dizia seu maracá:

– Escutem estas sagradas palavras, herdeiros Tupinambás: a grande aldeia em que vivíamos foi destruída pelos angaipás, mas o sangue de nossos antepassados ainda corre em nossas veias. Nele há a coragem e a força, a audácia e a resistência, a ousadia e a bravura. Somos os sobreviventes e heróis de nosso povo. A luta

25 - Espécie de chocalho sagrado utilizado em cerimônias indígenas, imitando uma cabeça humana completa, feito de cabaça oca em cujo interior eram colocados grãos ou pedrinhas. Acreditava-se que alojava os espíritos dos Deuses e ancestrais.

continuará. Nunca desistiremos de nossa terra. Em cada um de nós reside a esperança de nosso povo. Os espíritos dos ancestrais estarão sempre conosco e nos ajudarão na batalha de cada dia pela sobrevivência. Nandecy, a grande mãe, nos sustenta. O povo Tupinambá é livre e guerreiro. Nunca será escravo dos brancos. Lutem sempre! Essa é a palavra que deve ser luz aos seus olhos, boa música aos seus ouvidos e vida a seus espíritos. Com ela comungam todos os ancestrais.

Antes de voltar a se assentar, concluiu:

– Essas foram as palavras que havia para serem ditas. Eu as disse, e vocês as ouviram.

Exortando todo o povo índio das várias nações ali representadas a ter fé no futuro, outros pajés também se manifestaram e interpretaram o que revelavam seus maracás.

Por fim falou o Inka:

– Filhos das muitas nações indígenas aqui presentes: a Terra e todos que a habitam estão em perigo. Aproxima-se o momento em que Guaracy, o sol, será escurecido pelas forças das trevas e a noite cairá em pleno dia. Muitos portais se abrirão entre o mundo que vivemos e o mundo das criaturas lendárias e demoníacas. Em verdade, alguns desses portais já se abriram. Através deles vieram aqueles demônios que assombram e matam nossa gente, nas profundezas das florestas, nos rios, nos campos, ou nas noites de lua cheia. Ainda são poucos perto da imensa quantidade dos que virão, caso todos se abram. Vocês me perguntam se os brancos surgiram por tais portais e se também são demônios a serem expurgados. Não sei lhes dizer. Os maracás apenas dizem, e os Deuses e as estrelas nos céus confirmam, que a escuridão virá. Cabe a nós derrotá-la. Auxiliados por nossos ancestrais, devemos unir nossas forças espirituais num

A contar sete dias, será o marcante acontecimento. Nesse momento, devemos lutar com todas as nossas forças. – Apontou para os arcos, flechas e bordunas amontoados a um canto, e continuou: – Não, não serão estas as armas usadas, mas a fortaleza do espírito e a fé na mãe Nandecy. Não seremos pegos desprevenidos. A partir de hoje, velaremos todas as noites e, na sétima, estaremos prontos para a luta. O mal se aproxima. Temos de enfrentá-lo. Ou a escuridão devorará nossos dias e nossas almas. – Fez uma pausa e disse por fim, antes de se sentar: – Essas foram as palavras que havia para serem ditas. Eu as disse, e vocês as ouviram.

As palavras do Inka provocaram grande emoção. O desconhecido se avizinhava. A escuridão viria. Restava-nos o enfrentamento. Não tive medo. Eu já me sentia entre dois mundos. Um terceiro me seria indiferente. Pelo menos, contra este eu poderia lutar sem me sentir dividido. Se os angaipás fossem extirpados da Terra, havendo deles sangue em mim, também eu estaria destinado a perecer. Não me importava. Estava preparado, como meu pai Dom Afonso, para morrer e dar a meu povo tupinambá a chance de sobreviver.

Terra Devastada

As labaredas da fogueira haviam sugado totalmente a atenção de Pedro. Elas bruxuleavam e hipnotizaram seu olhar, desfocando sua consciência e o impedindo de compreender a agitação ao seu redor.

Muito vagamente Pedro percebeu a estranha presença da velha bruxa aparecer ao lado da fogueira, assustando os presentes. Vira Marcela desaparecer sem deixar vestígios, e o pássaro negro voar para o ombro da velha. Desejou ajudar Marcela, reagir e enxotar a bruxa, mas tudo lhe pareceu muito, muito distante, desaparecendo na névoa que a tudo encobria e afastava, como por encanto. Quando voltou a discernir onde se encontrava, levou um susto. Ao seu redor percebeu a terra devastada.

Pedro caminhou pisando em cinzas e carvão. À medida que seus passos avançavam, o pó escuro se espalhava pelo ar. O cheiro de madeira queimada pairava onipresente. O local não podia ser mais desolador: milhares de troncos secos caídos pelo chão e outros poucos ainda de pé, como esqueletos agonizantes clamando aos céus por socorro, naquilo que antes fora uma imensa floresta.

Pairava uma atmosfera opressora sobre o lugar. O céu parecia quase um reflexo da terra: nuvens cinzentas encobriam sua maior parte, deixando o ambiente numa espécie de entardecer, um eterno momento crepuscular. Pedro sentiu um calafrio. Não havia sinais de vida. Só o silêncio e a desolação.

Ele correu por algum tempo sem que a paisagem mudasse ou visse alguém por perto.

Subiu um morro acentuado e, quando chegou ao topo, após uns dez minutos de caminhada forçada, teve um fio de esperança naquela terra perdida: dentre as nuvens no céu, raios de sol eram filtrados e iluminavam um único ponto.

Com os olhos acompanhou a trajetória da luz. À leste de onde estava, havia um cânion estreito e profundo, com algum verde.

Caminhou por cerca de uma hora naquela direção, escondendo-se dos horrendos monstros que vagavam pelo ambiente e lutavam entre si.

Na beira do precipício, vislumbrou, cerca de uns cem metros abaixo, uma ampla faixa de vegetação imponente e luxuriosa, uma pequena amostra do que fora antes o terreno que atravessara. Continuava uns quinhentos metros adiante, para dentro do cânion.

Procurou pela descida menos íngreme. Avistou-a à certa distância, na beira da depressão, onde se situavam grandes pedras. Caminhou por minutos. Chegou ao ponto escolhido e foi descendo cuidadosamente para não escorregar, observando a copa das árvores.

Passou a ouvir o barulho de correnteza. Concluiu que havia uma queda d'água próxima, embora não conseguisse ainda enxergá-la. Quando chegou ao fundo do cânion, se surpreendeu: uma bela cachoeira desaguava dentre as rochas e formava um pequeno lago; dele se originava um estreito riacho cujo leito percorria toda a extensão daquele último reduto de vida silvestre. Embora o lugar lhe parecesse majestoso, sabia que era apenas um pingo de verde que fora protegido pelo cânion. Fora dele havia apenas a devastação que tanto o assustara.

O ambiente entre as árvores pululava de vida. Pedro imaginou que grande parte dos animais e aves da floresta carbonizada se havia refugiado naquela última ilha verde. Ficou por alguns momentos parado, admirando a cachoeira, respirando o ar fresco e úmido, descansando do esforço despendido para chegar ali.

Sentiu calor e teve vontade de banhar-se no pequeno lago de águas claras. Caminhou na margem e mergulhou. Uma estranha sensação de formigamento percorreu seu corpo. Sentiu-se imensamente bem-disposto, entusiasmado e cheio de energia. Quando saiu do lago, sentou-se num platô, contemplando o local.

Ocorreu-lhe a possibilidade de haver mais alguém ali. Sentiu-se observado. Olhou em todas as direções e ninguém lhe apareceu. Relaxou. A tarde ia se acabando, a claridade diminuindo.

De súbito, veio em seus pensamentos a conhecida figura de Membirabitu. Sua imagem diáfana apareceu à frente, e Pedro dialogou com memórias há muito esquecidas.

- Por que somente resta este lugar? Tudo lá em cima está desolado...

Membirabitu pareceu não ter ouvido a pergunta e, apontando para a cachoeira, simplesmente disse:

– Água da vida... Por isso você se sente bem agora. Ela cura e energiza. Apenas por ela, este lugar ainda vive.

Água da vida – pensou Pedro –, *água da vida. Água que cura e energiza... e rejuvenesce!*

– Então esta é a *fonte...?*

– Que os brancos europeus procuravam? Sim... *a mítica Fonte da Juventude. A água da vida.*

Inúmeras perguntas assolaram a mente de Pedro. A primeira delas, porém, ainda se sobrepunha a outras:

– O que aconteceu lá em cima?

– A devastação. Os portais abertos. É como será. Este lugar está por pouco. A fonte irá secar e, com ela, todo o verde restante. O mundo das sombras se fará aqui, junto com todas as criaturas demoníacas. Esse momento é uma visão do que está prestes a acontecer, de nosso futuro comum. Precisamos lutar para evitá-lo.

– Por que o vejo? Por que tenho essas lembranças? Ou visões... não sei bem como chamá-las.

– Alguns pressentem algo estranho no ar; outros ignoram completamente qualquer manifestação sutil. Existem ainda aqueles que não só pressentem como também conseguem enxergar além de sua própria realidade.

– Você sou eu? Uma vida passada?

– Temos em nossas veias a mistura do sangue nativo e do povo europeu. De Dom Afonso e Potira nós descendemos. Suas memórias são lembranças de todos que vieram depois.

– De qualquer um?

– Não está a água em todos os corpos? Não flui num e noutro, volta ao ambiente e retorna a qualquer um deles, no ar que respiram, no alimento ou no líquido que ingerem? Uns não sabem, outros preferem não saber, mas as memórias e os pensamentos vagam no ar num só momento: o agora.

– Não sei se compreendo.

– Não importa. Não precisamos compreender o ar para respirá-lo.

– Este momento... Não é parte de suas memórias, não é? Porque se já tivesse acontecido, meu mundo não existiria.

– Não, este momento e este lugar em que nos encontramos é uma visão que se descortina agora a nós dois. Em nossas épocas vivemos o mesmo momento presente: o dia se tornará noite, e os portais entre mundos se abrirão. Precisamos unir nossas forças contra a escuridão que se aproxima. O Inka me revelou quando acontecerá.

A imagem de Membirabitu começou lentamente a desvanecer-se.

– Quando? – Pedro perguntou angustiado.

– Alguns – disse, apontando-lhe – pressentem com maior facilidade.

Pedro sabia que aquele momento de clareza e nitidez de pensamentos estava se esgotando. De alguma forma, conseguia expressar e receber respostas para o que vinha lhe atormentando. Ainda tinha muitas perguntas. E o tempo parecia ter se esvaído sem que tivesse conseguido todas as respostas.

– Como vamos evitar tudo isso? Preciso salvar meus amigos e meu mundo.

– O ritual é a única esperança... para meu mundo e para o seu. Nossas forças têm de se unir. Se deseja mais respostas, mergulhe nas lembranças... dê-me sua mão... venha...

Pedro não se moveu. Observou a figura do índio de mão estendida se desvanecer lentamente. Pela segunda vez, não ousou segurá-la. Temeu se entregar, enlouquecer e morrer.

Pensamentos esparsos ainda ecoaram em sua cabeça e foram se dissolvendo no crepitar das labaredas.

Pedro aos poucos foi recuperando a consciência. Sem nada compreender, viu Cláudia desmaiada no chão. Todas as atenções do grupo estavam em fazê-la acordar, exceto por Dona Geralda que, ajoelhada ao lado de Antônio, rezava num dos cantos do pátio com um terço nas mãos. Manoel e Jair esfregavam os pulsos de Cláudia. Liana amparava em seu colo a cabeça dela, lhe passando a mão pela testa. Inácio trouxe um copo d'água e esperou que ela acordasse para que bebesse um gole.

Preocupado, Pedro se aproximou e, como os demais, tentou fazer o possível para acordá-la. Cláudia entreabriu os olhos e começou a falar coisas desconexas. Parecia em estado de choque.

Manoel levantou-a nos braços.

– Vou levá-la ao hospital da cidade aqui perto – disse Manoel, olhando o desespero de Antônio e sua mulher. Completou: – Entrem na casa e protejam-se.

Imediatamente a lembrança de Marcela, até então esquecida, inundou a mente de Pedro.

– Marcela... Onde ela está? – perguntou, olhando de um rosto para outro e temendo as lembranças de um sonho que teimava em não acreditar.

Ninguém lhe deu uma resposta, mas ela estava na expressão de cada um.

– MARCELA! – Pedro gritou para o negrume da noite.

Manoel levantou Cláudia em seus braços e a colocou no banco da frente do veículo. Depois, reclinou o banco e afivelou o cinto ao redor de seu corpo. Deu a volta para colocar-se ao volante do carro. Antes de entrar, ordenou a Caio:

– Cuide de Pedro! Voltarei o mais rápido possível.

– MARCELA! – Pedro gritou novamente.

Caio aproximou-se dele, segurou levemente seus braços e tentou convencê-lo daquilo que ele próprio duvidava. Falou sobre a velha bruxa e sobre o que acontecera com Marcela – o surgimento do pássaro negro e o desaparecimento dela. Quanto mais tentava explicar, porém, mais duvidava de suas próprias palavras.

Inúmeras lembranças percorreram a mente de Pedro. Lembrou-se de cada uma de suas visões e dos alertas de Membirabitu. Soube, então, que elas o estavam preparando para enfrentar as sombras e o mal que dominariam a terra – o mesmo mal que causara o pânico da noite e levara consigo Marcela.

Depois da partida de Manoel e Cláudia, todos os demais deixaram o pátio, sem saber exatamente o que fazer, e foram para dentro de casa. Ficaram a conversar por longo tempo na sala, tentando compreender o que se passara, preocupados com Marcela e Cláudia. Buscavam uma solução. Em breve, amanheceria.

Pedro aproximou-se da janela, olhou para a escuridão e deixou que seus pensamentos vagassem. Por um breve instante, pensou compreender a simplicidade e a magnitude do pensamento indígena frente à morte. Se o fim de todas as coisas, de sua cultura e de suas vidas era certo, nada mais importava. Lutariam para alterar o destino, ainda que fossem derrotados.

Não poderia esperar passivamente pelo fim. Com renovado ânimo e esperança, Pedro afastou-se da janela e, sob o olhar surpreso de Caio, disparou a correr para fora da sala. Seguiu em direção ao almoxarifado da fazenda. Procurou desesperadamente por uma lanterna entre as prateleiras e caixas de ferramentas. Seus olhos pousaram numa grande e antiga lanterna, alimentada por bateria. Testou-a. Por sorte, a bateria estava carregada. O facho que se acendeu produziu uma luz mais intensa que a lâmpada do teto.

Caio ainda corria para o almoxarifado, sob o olhar intrigado dos demais, quando viu Pedro sair de lá em disparada, indo para fora da fazenda, em direção à estrada. Sem conseguir alcançá-lo, gritou. Ele não respondeu. Continuou seguindo-o, arfando, quase sem fôlego. Viu-o desaparecer na escuridão da floresta um momento antes de tropeçar e cair.

Desesperadamente, Pedro avançou mata adentro. A urgência o invadiu. Sabia que precisava fazer algo. Embora sua mente consciente o fizesse duvidar de muitas coisas e o acusasse de agir feito um maluco, preferiu ignorá-la. Passou a agir baseado em seus instintos e intuições. Supôs que algo muito grave estava para acontecer e que o ocorrido com Marcela fora apenas o prenúncio da tempestade que viria. Acreditou que Jonas também tivera visões e isso o levara a ordenar que o livro de Dom Afonso lhe fosse entregue para que ele, Pedro, fizesse algo.

Correndo no meio da mata e arfando, Pedro iluminava o caminho e tentava reconhecer as trilhas que cruzara antes. Ignorou os ruídos da noite na floresta – pios de aves que levantavam voos, assustadas pela sua correria, e guinchos de criaturas desconhecidas. Ignorou até mesmo a risada sinistra da bruxa que parecia agora persegui-lo.

Os sons de sua própria corrida se somavam aos ruídos da floresta. Recusou-se a pensar no Caapora ou em qualquer ente fantástico como o Anhangá. A urgência dominara seu medo e o diminuíra. A lembrança de Marcela o fazia prosseguir. Lutaria com o próprio demônio se preciso fosse. Tinha de salvá-la. Tinha de salvar o mundo, o seu mundo, o mundo de Membirabitu. Ou, pelo menos, morrer lutando.

Embora a urgência ainda o dominasse, os passos de Pedro foram diminuindo de ritmo. A trilha se apertou, a névoa diminuiu a visibilidade à sua frente e o cansaço o invadia. Avançava sem se importar com os arranhões e pequenos ferimentos causados pelos arbustos espinhentos. Logo atingiu o local que buscava e, então, estacou. A bruma envolvia o ambiente. Soube que estava na clareira, pois as árvores haviam ficado para trás, o ambiente ao seu redor estava aberto e livre. Iluminou a área com sua lanterna, porém a névoa formava um denso filtro branco à sua frente, impedindo uma visão nítida. Prosseguiu lentamente, tateando, até o círculo de pedras, acreditando percebê-lo. Quando suas mãos tocaram as pedras maciças do muro sagrado, exultou.

A urgência o trouxera ali. Julgou estar a salvo de qualquer mal dentro do círculo. Tentou recuperar o fôlego, normalizando sua respiração. Estava excitado. Fincou a lanterna no chão, com o foco de luz voltado ao céu. Abriu os braços e gritou:

– Membirabitu!

Não houve resposta. Nenhum som foi ouvido. Com todo seu fôlego, de braços abertos, continuou a gritar:

– Membirarabitu! Filho dos Ventos, filho de Dom Afonso e Potira, herdeiro de dois mundos antagônicos, o mundo da floresta e o mundo dos homens brancos. Venha, Membirabitu, meu amigo, venha!

Pedro esperou.

A névoa que encobria a clareira foi se espessando e fluindo para um único ponto à sua frente, dentro do círculo. A clareira ficou limpa, a despeito da névoa que ainda continuava a impregnar o ambiente fora dela. No ponto em que se condensava, ia tomando forma, ganhando uma dimensão humana, e, por fim, Pedro o percebeu claramente.

– Membirabitu! – Pedro deu um sorriso de satisfação, grato por ter seguido seus instintos mais primários. Entre risos e lágrimas, apenas disse:

– Estou pronto, estou pronto. Leve-me com você.

Membirabitu sorriu, estendendo-lhe os braços.

– Venha, meu amigo. Há agora muito pouco tempo. O temido momento se aproxima, e, com ele, as forças do mal. O ritual vai começar.

Pedro caminhou até ele, também de braços abertos. Quando entrou na névoa-Membirabitu, teve um leve calafrio. Num instante, suas formas se sobrepuseram, fundiram-se numa só. Percebeu a expansão de sua consciência. Não precisava mais do livro de Dom Afonso. Sabia tudo o que fora: sua memória se somava à memória de Membirabitu. Eram agora duas mentes em apenas um ser, uma única entidade. O passado se ligava ao presente. Rumavam para o fim dos tempos, causado pela abertura dos portais, por onde o mundo das sombras invadiria o mundo real, minando-o. Para evitar isso, tinham de lutar.

Tobias exultou quando leu, no *Livro Perdido*, as memórias do filho de Dom Afonso e o trágico destino que o fidalgo tivera. Julgou ter compreendido e acertado: o nobre português recebera como missão, dada pela Coroa Portuguesa, descobrir nas terras brasileiras a fonte. Acreditou que ele a encontrara, embora tivesse se recusado a revelar sua localização.

Uma atitude natural – pensou –, *visto o ressentimento que Dom Afonso nutria frente à morte de sua companheira índia e às devastações das aldeias. Decerto ele não iria presentear a Coroa e a Igreja, a quem desprezava, com tamanho tesouro.*

Julgou estar no caminho certo. *A fonte* não era um mito, era uma realidade palpável.

Olhou pela janela. O manto branco da névoa cobria a paisagem. Ficou satisfeito com isso. Poderia esconder-se mais facilmente. Se nas duas noites anteriores não fora possível entrar na floresta, o faria agora, encoberto pelo véu que envolvia a manhã.

– Você está bem, mesmo? – perguntou mais uma vez Manoel, preocupado, guiando o carro, ainda na rodovia.

No hospital, Cláudia fora atendida pelo médico de plantão. Diagnosticada com estresse, o médico apenas lhe receitou um analgésico para dor de cabeça e muito repouso.

– Sim, meu bem. A dor de cabeça está mais leve. Estou melhor agora.

Manoel voltou os olhos para a estrada. Dirigia devagar pela BR-040. Amanhecera, mas a névoa não lhe permitia enxergar mais que uns poucos metros à frente. Cuidadosamente parou o carro no acostamento. Não percebendo faróis ou o barulho de outros veículos, atravessou a pista e avançou para a estrada de terra em direção à Fazenda Bela Vista.

Quando passou perto da igrejinha próxima a um grupo escolar, logo no início da estrada, um alvoroço do populacho lhe chamou a atenção. Tentou compreender o que acontecia. A névoa não lhe permitia uma boa visão. Luzes coloridas a iluminavam. Imaginou que algo dramático havia acontecido. Na estradinha lateral, que dava acesso a uma pequena vila, pessoas gritavam e choravam, desesperadas. Três carros da polícia estavam estacionados ali e duas ambulâncias estavam mais à frente, cercadas por uma multidão. Os veículos tinham as luzes de alerta ligadas, fazendo com que a névoa adquirisse ora tons amarelos, ora vermelhos ou azuis. Manoel parou o carro. Decidiu descobrir o que acontecia.

– Espere aqui, Cláudia.

Aproximando-se de um senhor sentado na calçada, perguntou o que estava acontecendo. O velho o ignorou, nem sequer moveu a cabeça que se encontrava enterrada entre as mãos. Manoel repetiu a pergunta a um outro senhor, que vinha caminhando em sua direção, e este respondeu de forma incompreensível:

– Um monstro dos infernos matou os moradores!

Manoel ainda insistiu, e não obteve resposta diferente do homem. Foi se esgueirando entre a população e atingiu o local onde se aglomeravam mais pessoas. Os policiais interrogavam e anotavam respostas. Os enfermeiros da ambulância estavam parados olhando a cena. Não havia a quem socorrer. Chegou mais perto. A visão o repugnou.

Corpos dilacerados e ossos se espalhavam por uma grande área coberta de um vermelho quase negro. Sequer seria possível juntar os restos de um único corpo. Os pedaços se misturavam. Teve ânsia de vômito e se afastou, retornando ao carro, trêmulo. A lembrança da bruxa lhe voltou instantaneamente à memória, bem como o destino de Marcela. Ali acontecera algo demoníaco. Não saberia definir se o assassino era humano ou não.

– O que houve? – perguntou Cláudia, tão logo entrou no carro.

Dirigiu calado por alguns momentos, sem saber o que e como dizer. Ela insistiu. Resolveu, então, dizer a verdade, mas não toda, a fim de não assustá-la:

– Algumas pessoas foram mortas.

– Como assim?

– Acho que ninguém sabe. Talvez por isso a polícia esteja lá, para descobrir.

Manoel continuou a dirigir e mudou logo de assunto.

Mais à frente, após outro pequeno povoado, o caminho voltava a ficar deserto. Discerniu na névoa, à margem da estrada, a casinha que vira antes, quando procurava pelos ladrões do livro. Notou que uma tênue luz emanava dela e supôs ser a luz de uma vela ou lamparina, acesa pelo morador.

Manoel estacionou o carro por um momento na grama ao lado da estrada.

– Já volto, meu bem. Só vou perguntar algo ao morador.

Manoel bateu palmas, chamou: – Ô de casa... – Ninguém atendeu. As janelas estavam fechadas. Decidiu ir aos fundos da casa e chamar pela porta da varanda. Deu a volta e viu muitas marcas no barro. Pegadas de sapatos. E pegadas fundas de algum animal.

Restos de uma fogueira estavam ali. Manoel estranhou o fato. A porta dos fundos estava destruída. Fora arrombada. Gritou pelo morador e nada. Ao escancarar o que sobrara da porta e entrar pé ante pé, ressabiado, viu que não havia ninguém ali. Localizou, debaixo da pia, uma vela que ainda queimava o restante de seu pavio. O que percebeu no chão da sala, entretanto, o paralisou: havia manchas de sangue como acabara de ver há pouco na estrada.

Voltou ao carro e continuou seu caminho, dirigindo cuidadosamente na estrada enevoada. Não disse nada à Cláudia, mas decidira ligar para a polícia assim que chegasse à fazenda.

Na bifurcação que daria acesso à fazenda, notou um vulto caminhando bem mais à frente. Já contornava a curva quando Cláudia percebeu que ele carregava algo.

– Manoel – ela gritou –, aquele homem está carregando um livro. Parece o *Livro Perdido*.

Manoel engatou a ré, manobrou o carro e voltou para a estrada principal. Seguiu na direção do homem. Este correu o quanto pôde, Manoel acelerou. Julgou reconhecê-lo: era Tobias. Ele deixou a estrada e embrenhou-se no meio do mato.

Manoel parou o carro e correu atrás dele por minutos, gritando que parasse. Tobias tropeçou e caiu. Levantou-se rapidamente, mas Manoel o alcançou e viu o livro de Dom Afonso em suas mãos. Numa fúria cega, Manoel atacou Tobias, derrubando-o com um golpe, e o esmurrou no chão.

– Ladrão! Eu sabia que você estava por perto!

– Eu, ladrão? – Tobias defendeu-se com o braço esquerdo. – Você roubou o livro da loja maçônica.

– Não o roubei, seu Canalha! – Manoel continuava tentando esmurrá-lo. – Jonas o escondeu na fazenda.

– Não importa. Você se apoderou dele.

Tobias retirou com a mão direita a arma que levava nas costas. Agindo rápido, Manoel segurou seu braço e o bateu no chão várias vezes, obrigando-o a soltá-la. A dor o fez deixar a arma cair. Manoel o esmurrou e jogou-se de lado, pegando a arma e lhe apontando. Ambos se levantaram, cambaleantes.

– Você está preso, Tobias! Vou levá-lo à polícia!

– MANOEL! – Cláudia gritou de longe.

O breve segundo de distração de Manoel fez com que Tobias chutasse sua mão, a arma fosse atirada longe, e ele fugisse para dentro da floresta. A arma caiu no meio do mato. Manoel começou a correr atrás dele, mas desistiu ao ouvir novamente Cláudia chamá-lo. Lembrou-se do Caapora e dos encantamentos da floresta. Considerou que ele teria seu fim, afinal.

Tirou o livro do chão, tateou o mato até reencontrar a arma e foi em direção a Cláudia. Viu na névoa, em frente ao carro, o vulto que julgou ser dela.

A Aldeia

— Eu tentei, mãe! Eu juro que tentei impedi-lo de entrar na floresta! Ele estava na sala... todo mundo estava abatido com o que aconteceu a Marcela e preocupados também com a senhora e meu pai...

Manoel escutou de longe a conversa e foi caminhando na direção das vozes. Só quando se aproximou mais, discerniu Cláudia e Caio na névoa.

– ...ele ficou olhando pela janela durante um tempão. Estava tudo escuro. E, sem mais nem menos, saiu correndo da sala. Levantei e fui atrás dele. Ele entrou no almoxarifado e depois disparou em direção à estrada. Eu gritei e chamei. Ele não me respondeu. Corri atrás, mas não consegui alcançá-lo porque caí e torci o pé. Vi que entrou na floresta... Eu estava voltando à fazenda para avisar e pedir ajuda quando ouvi o barulho do carro e vim atrás de vocês...

Ao perceber a presença de Manoel, Caio se voltou para ele:

– ... desculpe, pai... eu tentei impedi-lo, mas não consegui. Eu devia ter previsto que ele cometeria alguma loucura!

Nervoso, Manoel escutou o que Caio dizia e o teria repreendido, não fosse ver o estado lastimável em que ele estava: tremendo de frio, aflito, braços e mãos machucadas pelo tombo que levara.

Entregou o livro à Cláudia e disse:

– Tudo bem, filho. Vamos resolver isso de alguma forma. – Olhou para Cláudia e, de novo, para Caio. – Agora entrem no carro. Vamos voltar à fazenda. Lá decidiremos o que fazer.

– Preciso que me acompanhe novamente, Antônio.

Havia urgência nas palavras de Manoel. Após ter ligado para a polícia, reuniu todos da fazenda e informou sobre os assassinatos na estrada e a presença de Tobias, alertando para a possibilidade de ele aparecer por ali disposto a causar algum mal. Anunciou que entraria novamente na floresta, atrás de Pedro.

Antônio hesitou. Dava para notar o medo que o invadia. Cortando o silêncio, Inácio afirmou:

– Irei com você, Manoel. É o mínimo que posso fazer pela hospitalidade e simpatia com que fui recebido. Não posso ficar aqui sossegado sabendo que Pedro está sozinho na floresta e corre perigo. Não me perdoaria se algo de ruim lhe acontecesse.

– Também irei – disse Jair.

– E eu também – completou Liana.

Antônio olhou discretamente para Dona Geralda, que fez um gesto de aprovação quase imperceptível com a cabeça. Ele fingiu não entender, olhou pela janela e se acovardou:

– Vou precisar ficar e tomar conta de minha senhora.

Dona Geralda, quebrando o próprio silêncio, disse de forma incisiva:

– Pois então, você não vai precisar ficar. Eu também vou com o pessoal. Nós todos vamos para aquela mata procurar o menino. Se os demônios aparecerem, vou jogar água benta neles.

Todos olharam admirados para Dona Geralda. Ela parecia decidida.

– Aprontem-se em cinco minutos – disse Manoel –, peguem o que julgarem conveniente e voltem para cá.

Cada um correu para um lado.

Manoel olhou para fora. A névoa ainda continuava forte, encobrindo a paisagem e causando calafrios. Era uma manhã sombria. Qualquer esperança parecia muito distante. Pensou em Pedro e Marcela. Pedro... Prometera dele cuidar como a um filho. Não se permitiu abater.

Caio foi o primeiro a retornar. Enquanto aguardava o restante do pessoal, folheou o livro que, sem tempo de guardar, Manoel deixara ali na sala. Recordou que Pedro, quase sempre antes de dormir, comentava com ele a respeito de algum trecho. Folheando, uma página em especial prendeu sua atenção.

Para cada pajé foi erguida uma cabana; nelas se isolaram completamente. Tinham sido abastecidas com alimentos leves e água suficientes até a véspera do dia marcado, quando, então, todos da aldeia fariam jejum.

Na manhã do ritual, madeira seca e gravetos foram empilhados no centro do círculo de pedras para a fogueira que seria acesa.

Ao nascer do dia, o Inka saiu de sua cabana e desapareceu nas brumas da floresta. Quase duas horas se passaram antes que retornasse. Trazia cipós e ervas consigo. Preparou uma poção e a cozeu num vaso de barro, enquanto proferia palavras desconhecidas e elevava sua voz aos céus. A seguir, encarregou dois índios da tarefa de vigiar a poção, não sem antes lhes advertir que pagariam com a vida se não procedessem conforme suas orientações. O fogo não poderia se apagar e nem o conteúdo da vasilha secar a menos de um palmo do fundo. A poção deveria ferver até que o sol não produzisse nenhuma sombra em seus corpos eretos. Aí, o fogo seria apagado e todo o povo seria reunido para o ritual. Ninguém deveria tocar na vasilha ou beber de seu conteúdo antes disso. Após instruí-los, olhou para o céu acinzentado, procurando interpretá-lo. A claridade cedia e a manhã ia se escurecendo.

Isolou-se novamente em sua cabana por toda a manhã.

Quando calculou que a posição do sol estaria próxima ao alto de sua cabeça, o Inka reapareceu.

Atiçada, a fogueira crepitou e as labaredas cresceram. Os tambores ecoaram e as vozes cantaram.

Os pajés saíram de suas cabanas e se posicionaram ao entorno do Inka. Depois, todos se encaminharam para dentro da circunferência formada pelas pedras e, ali, ao redor da fogueira, se assentaram. Do lado de fora, se reuniu o povo indígena, formando camadas de círculos humanos cada vez maiores.

Cânticos foram ouvidos.

Meus pensamentos navegaram no rio cíclico do tempo. Concluí que o mal que hoje ameaça mergulhar a Terra na escuridão e *libertar suas criaturas demoníacas, ainda que vencido, pode no futuro voltar a se manifestar num dia como este em que a noite aos poucos engole o dia vivo. Vi nas brumas a figura daquele que virá, muitas luas e estações à frente. Herdeiro de minha missão, ele enxerga o agora e o seu tempo. Na luta contra a escuridão, sua força e sua luz são bem-vindas e necessárias para evitar o mal de hoje e o de seu tempo futuro.*

O silêncio voltou a reinar.

O ritual estava prestes a começar.

Ansioso, Caio continuou a ler por mais algumas páginas o livro de Dom Afonso. Ficou um pouco confuso a princípio, mas logo começou a compreender a situação em que os personagens se encontravam. Um calafrio lhe percorreu o corpo quando percebeu, naquelas linhas escritas há mais de quinhentos anos, referências ao momento presente.

Inácio e Jair chegaram à sala. Traziam uma machadinha e uma lanterna. Cláudia e Liana vieram a seguir. Depois, Dona Geralda e Antônio. Ele trazia uma mochila nas costas. Ela trazia na mão uma garrafa transparente, cheia, tampada com uma rolha de sabugo de milho.

– É água benta – disse, ao ver os olhares curiosos.

Caio largou o livro, pois Antônio já rumava para fora e fazia sinal para que todos o seguissem.

Caminharam em direção à porteira da fazenda. Caio deu uma última olhada para trás. A névoa encobria tudo e ele pensou estar sonhando. Mas não. Era muito real e tangível. Talvez esta fosse a última vez que via aquele lugar, talvez fossem também os últimos momentos de suas vidas.

Continuaram pela estrada afora num silêncio só quebrado quando se depararam com a entrada para a floresta. Ali, Manoel tomou a dianteira, seguido de Antônio e dos outros. Advertiu que todos tivessem bastante cuidado, ficando atentos a qualquer barulho. Deveriam permanecer juntos a fim de não serem atacados por nenhum animal selvagem.

Caio interveio. Disse que provavelmente Pedro voltara ao círculo de pedras encontrado antes e que ele, Jair e Inácio estavam mais aptos a guiar o grupo até lá. Era um bom palpite para encontrar Pedro, melhor que vagar a esmo pela mata. Manoel achou melhor aceitar a sugestão e deixar Caio guiar o grupo, ajudado aqui e acolá pelos outros dois rapazes.

Caminharam por longo tempo na floresta seguindo pela trilha que julgaram ser a mesma percorrida anteriormente. Seu avanço era lento. A todo o momento tinham de superar obstáculos: grossas raízes dificultavam seus passos e galhos se colocavam no caminho. A densa folhagem dos arbustos e a névoa impediam uma visão clara à frente. Como da primeira vez, a trilha se fechou, e Caio, desorientado, prosseguiu abrindo caminho com o facão.

Ao fim de quase uma hora, se depararam com uma área onde as árvores eram bem espaçadas umas das outras. Pensou ter encontrado a clareira, mas a ausência do círculo de pedras o decepcionou. Não era o mesmo local.

Caio julgou ouvir vozes e parou. Os outros foram chegando. Ele fez sinal para que fizessem silêncio. Ficaram atônitos com o que perceberam.

Viam na névoa à sua frente as silhuetas diáfanas de figuras humanas. Eram mais nítidas que sombras. Ouviram suas vozes num idioma desconhecido. Vozes de homens e mulheres e risos de crianças. Indígenas. Estavam entretidos entre si: os homens fabricavam flechas e arcos; as mulheres ralavam raízes brancas e as crianças brincavam ou ajudavam os adultos. Uma delas apontou para a direção do pessoal da fazenda e abafou um gritinho. Os adultos os viram. E ficaram apavorados.

As mulheres gritaram, puxando pelas mãos as crianças que desabaram num choro. Os índios, julgando estarem sendo atacados, pegaram suas armas, deram alguns passos na direção de Caio e seus amigos e pararam a uns cinco metros de distância, num grande vozerio. Alguns agitavam suas lanças; outros, seus arcos. Muitos já miravam suas flechas. Os indígenas falaram e gesticularam, depois silenciaram. Naquele ambiente surreal, os dois grupos se entreolharam assustados, enxergando apenas fantasmas na névoa. Receosos, foram se aproximando devagar. Surpresos, cada grupo assistiu ao outro se dissipar nas brumas.

– Meu Deus! – exclamou Cláudia. – Eram fantasmas!

O medo se instalou na mente de cada um deles.

Dona Geralda derramou água-benta em sua mão e atirou no ar.

– Calma, gente – disse Caio. – Talvez tenha sido uma visão do passado. Uma alucinação coletiva. Vocês se lembram que Pedro disse que estava tendo visões?

– Sim – Liana respondeu –, mas essa não foi uma visão qualquer. Eles também nos viram. Pareciam tão assustados quanto nós.

– Lembram-se que Pedro disse ter havido uma aldeia na floresta? Acredito que tenha sido neste lugar.

– Em algumas tradições místicas – refletiu Liana –, o tempo não é linear, mas cíclico como dias e noites, as fases da lua ou as estações do ano. Daí que o futuro é um eterno retorno do passado. E se, por algum poder ou motivo que desconhecemos, se abriu aqui um momento mágico e, por isso, tanto nós quanto eles pudemos nos enxergar através do tempo?

– Esta mata é encantada – resmungou Antônio –, eu já disse para vocês que acontecem coisas estranhas por aqui.

– Algo vai acontecer hoje – disse Caio –, o livro de Dom Afonso descreve um estranho ritual feito num dia como o de hoje, enevoado e escuro.

– Tenho de concordar com Antônio – disse Manoel. – É a terceira vez que vejo algo que não consigo explicar: o Mapinguari, o Caapora e agora esses indígenas fantasmas. Vamos continuar. Temos de encontrar Pedro.

Caio avistou uma trilha e se dirigiu para ela, seguido dos outros.

Embrenhados na mata, após caminharem por mais meia hora, começaram a ouvir sons de tambores e cânticos. Decidiram seguir na direção, cuidadosa e silenciosamente para não serem vistos. Abrindo picadas na floresta, avançavam. Por entre as árvores, já distinguiam uma clareira. Através da névoa, Caio julgou avistar o círculo de pedras.

– Chegamos. É aqui – sussurrou. – Tem alguém lá na frente!

– É Pedro? – perguntou Cláudia, tentando enxergá-lo em meio à névoa.

– Está muito longe – disse Manoel. – Não dá para perceber quem é. Fiquem aqui. Vou chegar mais perto para ver se é ele.

Manoel saiu de dentre as árvores e caminhou em direção ao círculo, onde uma fogueira estava acesa. Para sua surpresa, o chão, antes fofo e úmido, dera lugar à uma extensa área plana de pedra, como havia sido construído pelos indígenas. Nenhum vestígio de folhas ou do solo havia restado. Enxergava melhor, apesar de o dia aparentemente escurecer mais a cada momento. A névoa ficara para trás, em meio às árvores. Em vão tentou localizar a origem do som dos tambores. Espantou-se quando o vulto antes visto tomou forma. Percorria a extensão do círculo, em passos marcados, numa dança indígena. Apesar do frio, estava seminu, com o corpo pintado com desenhos pretos. Apenas um estojo de folhas, afixado por meio de um fino cipó atado à cintura, lhe cobria os genitais.

Incrédulo, deixou escapar de sua boca:

– Pedro...!

O Ritual

Passado, presente e futuro se fundiram num só momento na consciência que agora respondia pelas mentes de Pedro e Membirabitu. Aquela parte da mente que se chamava Pedro notou a chegada de Manoel e ouviu seu nome ser chamado. Sua atenção, no entanto, estava distante, ligada à de Membirabitu na cerimônia sagrada que iria definir o destino da Terra. Um pensamento nasceu e ecoou no fundo de sua mente sem que pudesse ignorá-lo.

Os amigos são bem-vindos. Podem ajudar, mas não irão entender, a menos que também vejam.

Dando um salto diante da fogueira, finalizou a dança no momento em que os tambores pararam de soar. Abriu os braços e estendeu as palmas das mãos para a floresta. A névoa da floresta se concentrou em duas faixas que se estreitavam na direção de suas mãos, nelas se condensando ainda mais. Depois, o fluxo à direita cessou, enquanto o outro se manteve. Uma substância tão branca quanto a neve, embora fluida e etérea, evolava de seus dedos. Ele soprou a mão direita e dela partiram pequenos fios de bruma condensada que se espalharam pelo ambiente e se expandiram, revelando diáfanas formas humanas e objetos indígenas que se encontravam ali, num tempo que se convertera no único momento presente.

Na mão esquerda, a névoa se condensou até se solidificar em cristais.

Dentro do Círculo Sagrado, os sete pajés estavam assentados ao redor da fogueira. Do lado de fora deste, o povo indígena se assentava aglutinado, formando sete outros círculos concêntricos, sendo que naqueles mais periféricos se encontravam os guerreiros da tribo.

O ritual havia começado.

A visão saída do nada espantou os amigos de Pedro, que, do meio das árvores, agora viam na clareira tudo o que acontecia ao redor. As exclamações e os gritos de surpresa e medo se fizeram ouvir simultaneamente.

– Meu Deus do céu!

– Vixe Maria!
– CruzinCredu!
– Jesus Cristo!
– Caramba!
– Ohhhh!

Um dos pajés pegou da fogueira um graveto com a ponta em brasa e com ele acendeu o cachimbo sagrado, tragou, expeliu a fumaça calmamente e depois o entregou a outro pajé, que o imitou. O Inka levantou-se. Depois de beber da poção, líquido denso e amargo, ainda quente, repassou o caldeirão aos demais; dele, todos os índios tomaram largo gole.

Manoel se assentara, espantado, no segundo dos círculos internos que se formaram. Viu quando Pedro pegou o cachimbo oferecido pelo pajé. Como os demais, ele também tragou e exalou a fumaça. Depois o entregou aos índios do lado de fora do círculo de pajés, os quais o usaram, repassando-o de mão em mão. Em dado momento uma daquelas figuras indígenas o estendeu a Manoel, que não soube o que fazer.

Seu instante de hesitação provocou constrangimento. Os muitos vultos indígenas o encararam, a névoa esvoaçou de seus corpos pelo movimento repentino. Manoel viu Pedro lhe fazer sinal para que procedesse como os outros. Quando enfim pegou o cachimbo daquela mão etérea, sentiu o peso e a textura dele. Seu tato e olfato lhe diziam que era real e verdadeiro, mas seus olhos apenas viam um objeto nebuloso exalando fumaça.

Executou o ato visto antes, sentindo o fumo entrar-lhe nos pulmões. Expirou e repassou o cachimbo ao próximo indígena. Este completou sua viagem pelos círculos e chegou à Cláudia. Ela não era fumante na vida real, porém, imitou o gesto dos índios e repassou-o aos outros amigos. Todos partilharam a experiência.

A poção preparada pelo Inka seguiu o mesmo trajeto. Todos partilharam seu conteúdo.

Quando o último dos presentes tomou da poção, o Inka lançou ao fogo muitos punhados de suas ervas, cuja fumaça exalou e foi sentida como revigorante perfume.

Pedro-Membirabitu atirou na fogueira os cristais que se concentraram em sua mão esquerda. Labaredas azuis rodeadas por outras vermelhas e laranjas apareceram e se concentraram no centro da fogueira. Um raio partiu do chão ao céu nublado e o clarão do relâmpago se espalhou entre as nuvens.

Das mãos de Pedro-Membirabitu um turbilhão de vento se elevou espalhando as nuvens e limpando o céu sobre a clareira. A luz que invadiu a clareira deu novo ânimo aos que ali estavam. Porém, foi por um curtíssimo instante.

Jacy, a lua, se encontrara com Guaracy, o sol. Murmúrios de surpresa e terror percorreram os indígenas.

Caio nunca antes havia visto um eclipse total. Agora presenciava um. O sol começou a escurecer em sua circunferência.

Antônio abriu a mochila que trouxera. Tirou de lá uma imagem de São Jorge montado num cavalo, dominando um dragão com sua lança. Colocou-a a seu lado e começou a orar.

Com as mãos levantadas para o céu, o Inka rogou aos seus ancestrais e aos protetores espirituais de sua aldeia que os guardassem e ficassem a seu lado na luta contra a escuridão. Espíritos indígenas, névoa ainda mais sutil que a dos índios presentes, apareceram e estenderam as palmas na direção dos círculos humanos.

Uma abóboda de luz se formou dentro do primeiro círculo de pedras onde se encontravam os pajés e, depois, dentre todos os círculos humanos que os rodeavam, tornando-os um escudo de proteção espiritual composto por várias camadas.

Tobias lamentou não possuir um facão para decepar o mato, enquanto avançava com as mãos à frente. A névoa estava forte e encobria tudo, dificultando sua visão e seu caminhar. Após algum tempo, se cansou. Não conseguia dar mais um passo. Braços e pernas doíam. Sentou-se na raiz de uma grande árvore e, esgotado, ouvindo os sons da floresta, cochilou.

Um leve crepitar de passos o despertou. Assustado, naquele estado entre sono e vigília, achou ter visto um vulto. Se havia sido realidade ou sonho, não conseguiu discernir. Olhou ao redor e nada viu. Se alguém estivera ali, não deixara sinais de presença. A semiescuridão o espantou. Havia apenas a claridade crepuscular. Caminhou um pouco mais e, então, parou extasiado, temendo que a visão pudesse desaparecer. Julgou encontrar o que buscava.

Era um lago de águas límpidas, rasas e cristalinas num leito de pedras claras. Nele desaguava uma fonte que brotava de uma rocha esverdeada que se estendia por vários metros pela floresta e estava encostada a uma pequena colina. Atirou-se na água molhando-se dos pés à cabeça, cheio de alegria, satisfeito consigo mesmo. Tão bem se sentiu, tão revigorado e cheio de energia que nada mais lhe importou. Quando a lua nova cobria a metade do disco solar e a noite começou a cair em pleno dia, seu corpo se retesou e entrou em convulsão. A dor se alastrou, a mesma dor que experimentara dias antes. Gritou. Tudo que ouviu foi o arfar e os roucos grunhidos do monstro em que se transformava.

Vários lugares começaram a emitir fumaça negra. O encontro dos astros dera início ao pesadelo previsto pelos pajés indígenas. Os portais entre mundos começaram a se abrir, unindo o mundo dos homens a Ibitutinganhã, o mundo das trevas. Dele passaram a surgir inúmeros demônios, monstros e entes fantásticos, além de espíritos malignos e sombras aterradoras, que se espalharam pela floresta. O mal se disseminou cercando a clareira, pronto a destruir o único foco de luz ainda presente.

De joelhos e braços estendidos aos céus, o Inka invocou Nanderú, o primeiro criador, e Nandecy, a grande mãe que deu origem ao sol e à lua. Fez saber do grande mal e da escuridão que adentrava o mundo dos homens para destruí-lo; implorou que a harmonia entre os astros fosse mantida e a vida na Terra, deixada intacta; e rogou que os portais entre o mundo dos homens e o mundo dos lendários seres e malévolos espíritos fossem fechados para sempre.

Enquanto orava, o sol se escurecia ainda mais. As trevas foram cerceando o mundo. Houve comoção, gritos e histeria, mas o Inka exortou todos a terem coragem. A luta prosseguiria.

Vindos da escuridão surgiram ao redor da clareira inúmeros entes fantásticos. A bruxa e seu anu, anhangás, caaporas, cucas e mulas-sem-cabeça. Nos ares, a ave-de-fogo e o boitatá tremeluziam os lampejos de seus fogos. Boiunas se arrastavam na relva. Mais além, nas fontes e rios, Ipupiaras e mães d'água estavam à espreita. O canto da Iara agora soava como uma agonia ao longe. Mapinguaris urraram. Os sacis pulavam e, junto à bruxa, emitiam suas demoníacas risadas. Espíritos negros esvoaçavam, e lobisomens uivaram. Tatus-brancos, os índios vampiros, cercaram o local, desejosos de sangue. Enquanto não conseguiam romper o escudo protetor, faziam como vítimas pobres animais indefesos: pequenos pássaros e mamíferos que perambulavam pela floresta.

Cláudia segurou a mão de Caio e o puxou, desejando chegar mais próximo do círculo de pedras onde estava Manoel. Fez sinal para que os outros do grupo também a seguissem, pois julgava estarem muito expostos.

Foi a bruxa quem primeiro atacou. Atraiu e direcionou sombras ao círculo. Estas se transformaram em demônios voadores que se lançaram diretamente sobre as camadas de energia que protegiam a clareira. Os tatus-brancos atiraram flechas envenenadas que também foram impedidas de atravessar o portal.

A cada momento que se passava, a luz do sol diminuía e os círculos de proteção iam se enfraquecendo. A noite engolia o dia e o poder dos seres das trevas aumentava. O disco do sol ia sendo obscurecido pela lua. Na clareira, a única luz que se mantinha era a da fogueira.

Quando as estrelas apareceram, o céu tornou-se acinzentado. Um frio agonizante caiu sobre a Terra, sombras bruxulearam por sobre o ambiente, causando sensação de tontura. Uma ventania súbita varreu a floresta.

Os escudos de proteção mais externos começaram a se desvanecer.

Cada pajé direcionou suas preces a diferentes Deuses amerabas.

A Jacy e Guaracy, mãe lua e mãe sol, suplicava-se que mantivessem entre si o espaço sagrado que ocupavam no céu e nunca se tocassem;

A Rudá, Deus do amor, rogou-se que todo e qualquer mal se convertesse em benevolência;

A Yakacy, a Senhora das águas, pediu-se a harmonia, o equilíbrio e a pureza;

A Karaí Ru Ete, o Senhor do Fogo, solicitou-se o ardor para a luta corporal, se necessária fosse;

A Nandecy, a mãe do mundo, clamou-se por proteção;

A Nanderú, o pai primeiro, implorou-se piedade;

E a todos esses Deuses e outros mais, se insistiu por socorro à Terra e aos seres viventes.

Pedro-Membirabitu clamou a Jakairá Ru Ete, o Senhor da Neblina Sagrada, dos Ventos e do Ar.

Naquele instante do ataque dos demônios, um vendaval nasceu de suas mãos, e ele o direcionou para fora dos círculos. Os seres malignos foram atirados para longe, mas não desistiram da investida. Logo retornaram.

Lembrou-se do senhor da mata, Deus e demônio das florestas tropicais. Lançou nos corpos dos pequenos animais abatidos na mata pelos Tatus-brancos uma rajada de vento que se espalhou por toda a floresta, levando consigo o odor de sangue e os suspiros de morte das pequenas e infelizes vítimas que cruzaram o caminho dos demônios.

Um urro surgiu de dentro do coração da floresta. Um tropel de muitos passos foi ouvido. Logo surgiu, por entre os demônios em direção à clareira, uma manada de caititus liderada por um Curupira indignado e raivoso pelas mortes desnecessárias dos pequenos animais da floresta, cujos corpos, à sua passagem, reviviam e o acompanhavam.

Contemplou tudo o que acontecia: monstros e demônios sitiando a região, e os humanos invocando seus Deuses, e soube tudo o que se passava. Viera pronto para puni-los; entretanto, dessa vez, não eram os humanos os responsáveis pela matança indiscriminada, e sim as forças malignas que se apresentavam. Ponderou que, se a escuridão dominasse a Terra, de nada mais adiantaria a missão que Nanderú lhe confiara. A própria floresta pereceria junto com todos os seus seres. Então, decidiu lutar e avançou.

Ao Curupira nenhum espaço dentro da floresta é proibido. Facilmente ele ultrapassou os escudos e se pôs do lado de dentro, junto de sua manada. Olhou bem para todos os demônios, no exterior do círculo, desceu do lombo do caititu que liderava o bando, bateu o cabo de sua lança no solo e deu um grito inumano que reverberou por toda a floresta.

Os bichos, todos eles, grandes ou pequenos – insetos, aves, mamíferos ou répteis –, invariavelmente todos que habitavam a floresta, sentiram urgente necessidade de responder ao chamado. Ao dispor do Curupira estavam as armas com que a natureza lhes dotara: asas, chifres, bicos, garras, presas, ferrões, peçonhas e a fúria irracional.

Dessa forma, um enxame de milhares de pirilampos apareceu e sobrevoou a clareira iluminando a escuridão, enquanto muitos outros pousaram nos troncos e galhos das árvores e no topo do muro de pedras.

Onças pardas e pintadas, gatos e cachorros-do-mato, e lobos-guarás, furtiva e agilmente, saíram da mata e postaram-se ao lado do Curupira.

Águias, falcões e gaviões carcarás pousaram nas árvores mais altas. Enxames de vespas e abelhas sobrevoaram a clareira.

Correções de formigas lava-pés e cortadeiras escureceram o solo, dividindo o espaço com escorpiões, aranhas e cobras. Muitos e tantos outros seres que viviam na floresta surgiram para atender ao chamado do Curupira, colocando-se do lado externo dos círculos, prontos a defender aquele espaço e atacar qualquer inimigo. Protegiam a parte da clareira onde os humanos rogavam aos seus Deuses pela salvação da Terra, da floresta e dos seres viventes.

Enquanto os pajés continuavam o ritual, os índios cantavam afinados uma canção que lhes dava coragem e motivação. Aqueles que estavam na circunferência mais externa, sentindo ter caído o escudo que os protegia, se levantaram em uníssono, deram um grito de guerra e postaram-se para a luta, empunhando suas armas. Flechas, arcos, bordunas e lanças apontaram para fora do círculo. Acima deles, espíritos guerreiros de seus ancestrais pairavam, dando-lhes forças, também prontos para enfrentarem os espíritos malignos que ameaçavam o equilíbrio espiritual.

Tudo o que sobrara do sol fora uma sombra circular negra, cercada por uma ínfima circunferência de luz. O astro rei, Guaracy, agonizava e morria.

Na floresta, os portais entre mundos se escancararam em vários lugares. A escuridão avançou, atingindo seu apogeu. O mal se espalhou.

Mais um escudo caiu. Outro círculo de guerreiros se levantou para a luta.

Luz e escuridão se enfrentavam.

Foi quando o último dos escudos de proteção caiu. Com violência e fúria devastadora, demônios e monstros atacaram. Todos os índios, seres e espíritos se defenderam e revidaram.

A luta se tornou selvagem.

Pedro-Membirabitu percebia agora de forma nítida e completa o passado, o presente e o futuro. A realidade colonial e ameríndia. Olhou para ambas as civilizações que se encontraram e nelas enxergou apenas vidas e dramas cheios de dor, amargura e medo.

Coroando tudo isso, perdida entre sorrisos que se foram e lágrimas que rolaram nas faces daqueles que se perderam e dos que restaram, apenas a esperança, aglutinada num único fio que pendia dos corações feridos. A cobiça do mais forte derrotou o mais fraco, expulsando-o sempre para mais longe e este revidou quando possível. Percebeu o sangue das duas raças derramado outrora. Soube que nas veias dos corpos de seus descendentes corria tanto um quanto outro. Agora, eram apenas um sangue, o de todos aqueles que viveram – e ainda vivem – nesta terra. Brancos, índios ou mestiços tornaram-se um só povo, uma só nação, embora este povo, ainda na época de Pedro, não tivesse plena consciência disso.

Um só pensamento dominou sua consciência: proteger a Terra, o povo índio, os amigos e Marcela, onde quer que estivesse.

Atacado pelo gavião, o anu perecia. Ao sentir aquela morte vinda da garra de um dos seus protegidos, o Curupira sentiu que algo estava errado. O pássaro que morria não era seu inimigo naquela guerra; era uma humana enfeitiçada e nele transformada pela bruxa. Se não podia desfazer plenamente o feitiço, podia modificá-lo, trazendo-o para seu lado. Assim, os olhos do Curupira contemplaram o pássaro negro que jazia ensanguentado no solo. Espalmou sua mão e dela partiu um raio de luz que o atingiu, modificando-o. Seus ferimentos foram curados, suas penas clarearam alcançando um branco perfeito, seu tamanho aumentou e o novo pássaro em que se transformou era a maior águia das florestas tropicais, uma incrível harpia com quase dois metros e meio de envergadura de asa, cujas garras podiam capturar um macaco ou um bicho preguiça nos altos galhos das árvores onde se penduravam. Ela guinchou, abriu as grandes asas, levantou voo e se pôs a atacar os demônios.

O Curupira enfrentou sozinho Anhangá, Boitatá e Caapora e os venceu. Deu-lhes também a chance de se juntar a ele, mudando de lado, fazendo-os enxergar que deveriam lutar pela floresta e pelos seres que a habitavam. Então eles se voltaram contra os demônios. As chamas do Boitatá colidiram nos céus com as labaredas da Ave-de-fogo, o poder do Caapora e do Anhangá confrontaram a Cuca e os espíritos malignos.

A clareira viu flechas, sombras e espíritos cruzando o ar. Armas, braços, bicos, dentes, patas, garras, ferrões e peçonhas enfrentavam-se.

A bruxa avançou lançando feitiços que eram contidos pelos espíritos ancestrais dos índios. Os animais abatidos na luta eram revividos pelo poder do Curupira. A violência não tinha fim.

Dona Geralda e Antônio, desesperados e atônitos, oravam aos seus santos.

Entretanto, as forças das trevas se intensificaram e destruíram muitos daqueles que lutavam pelos indígenas. Os pajés concentraram seus poderes no Inka. Ele lançou parte de seu poder no círculo de pedras. Cada uma das figuras esculpidas nas pedras do círculo sagrado se iluminou e delas se desprenderam, ganhando um corpo etéreo, de pura energia. Animais ferozes e seres imaginários se lançaram na luta em defesa dos indígenas.

Pedro-Membirabitu contemplou ao mesmo tempo as figuras de Dom Afonso e Jonas. Elas lhes deram nova fé e força.

A bruxa, atacada pela harpia, tentou afastá-la e atingi-la com um de seus feitiços, mas o poder dos espíritos indígenas a enfraquecera. Para se ver livre, retirou da harpia o feitiço que lançara. Marcela caiu no solo e teria se ferido, não fosse o Curupira a ampará-la. Ela desvencilhou-se dele, assustada, e correu para perto de Cláudia e Manoel.

Índios da clareira lutavam com os Tatus-brancos.

Caio, Inácio e Jair atiravam pedras que recolhiam do chão, próximo ao muro, contra os índios vampiros, ajudando os guerreiros indígenas a mantê-los afastados. As pedras soltas acabaram rapidamente, e eles ficaram indefesos. Caio apoiou-se no muro, encostando a mão esquerda na pedra em que estava esculpida a figura de um raio. Quando olhou para sua mão direita, ela soltava faíscas azuis. No instante em que um dos índios vampiros o atacou, um raio saiu de sua mão e o atingiu, derrubando o inimigo. Incrédulo, Caio percebeu o que acontecia. Ele gritou a Inácio e Jair para que procurassem outras pedras esculpidas. Jair encontrou uma com a representação de flechas. E, com um único pensamento seu, flechas foram lançadas e caíram sobre os Tatus-brancos.

A bruxa direcionou seus poderes para atacar os pajés, rompendo o poder que emanava no círculo de pedras. Os rapazes voltaram a ficar indefesos.

Monstros e demônios nunca antes vistos não paravam de adentrar pelos portais entre mundos. O poder dos pajés foi se drenando, assim como as esperanças de vencer o mal. Dona Geralda espargia água benta pelos ares procurando afastar os maus espíritos.

O Inka percebeu a luz vinda das orações de Antônio, que olhava fixamente para a imagem de um guerreiro montado em seu cavalo portando uma lança e derrotando um dragão. O Inka energizou a figura na mente de Antônio e o santo guerreiro saiu do plano da fé daquele homem simples para a realidade. Passou a combater os demônios. Uma nova esperança acalentou os corações, e lutaram com mais vigor.

Apesar dos esforços, nenhuma força parecia ser o bastante. A fumaça negra continuava a invadir o ambiente. Nem a luz da fogueira ou dos pirilampos era suficiente para expulsar a escuridão reinante.

O Inka direcionou toda sua energia ao céu, implorando à Deusa mãe, Nandecy, que interferisse. Neste instante, a bruxa lançou um raio e o atingiu. Ele agonizou e morreu. Sua morte lançou desesperança nos corações. O fluxo de energia se interrompeu. Rapidamente, outro pajé assumiu o seu lugar. Num esforço hercúleo, drenou toda a energia vital de seu corpo e dos outros pajés, num sacrifício coletivo, lançando aos céus o clamor de todos os seres viventes a invocar a Deusa mãe. A bruxa tornou a atacar e o atingiu. Seus corpos caíram, esgotados, com todas as suas energias drenadas.

Pedro-Membirabitu gritou, recusando-se a acreditar que tudo estava perdido e acabado.

Todos os escudos de proteção haviam caído. Os animais e os entes fantásticos aliados ainda lutavam com os monstros e demônios, embora perdessem cada vez mais espaço. Mulheres e crianças indígenas estavam desprotegidas, bem como seus amigos.

– As árvores estão perdendo as folhas, se ressecando – gritou Liana.

A floresta definhava, enquanto o Curupira encontrava-se enfraquecido, sendo fustigado a todo o momento pelas forças da bruxa e de seus aliados da escuridão.

Então, a consciência de Membirabitu o impulsionou a tomar o lugar do Inka e buscar as últimas energias restantes, aquela de seus espíritos ancestrais. Juntou à sua própria e moldou-a numa esfera de energia azul. Estava pronto a atirá-la novamente ao céu em direção à Nandecy, no último esforço coletivo para salvar o mundo. Mas a consciência de Pedro tomou a iniciativa e num súbito impulso a lançou, junto com suas esperanças, ao Curupira.

Energizado, o Deus da mata pensou em revidar os ataques da bruxa. Entretanto, com a energia que recebera vieram todos os pensamentos, sacrifícios e ponderações humanas. Ele compreendeu o que tinha de ser feito.

Buscando dentro de si e da floresta toda a energia de vida restante, lançou-a aos céus, à Nandecy, mãe do mundo, e àquele que o criara, Nanderú, o Pai Primeiro.

Em seguida, caiu desfalecido, junto com cada ser vivente da natureza, incluindo os humanos.

A esfera de energia subiu ao céu, iluminando temporariamente as trevas e paralisando as forças malignas. De súbito, extinguiu-se, e a noite eterna voltou a reinar absoluta.

Um brilho prateado acompanhou no céu o aparecimento dos Deuses da vida, Nandecy e Nanderú.

Nandecy, a mãe Terra, contemplou a escuridão sobre o mundo natural e o extermínio de seus filhos. Emocionada, elevou o sacrifício e a súplica deles, junto à sua, a Nanderú, o Pai Primeiro.

Quando, enfim, Nanderú vislumbrou a Terra dominada pelas trevas e ouviu as súplicas de Nandecy e de seus filhos, separou novamente no céu Guaracy, o sol, e Jacy, a lua, e criou harmonia entre seus caminhos. Se algum dia eles voltassem a se encontrar, seria apenas por breves momentos. Nunca mais haveria noites eternas como aquela.

Depois, deu vida novamente a todos aqueles que haviam perecido, vítimas das forças das trevas.

Onisciente, desapareceu junto a Nandecy no céu.

Os primeiros raios de sol começaram a surgir quando a lua seguiu seu curso. Os portais entre mundos passaram a sugar para si, com a força de um turbilhão, toda a fumaça, escuridão, demônios e monstros que haviam sido libertos na Terra. Toda a malignidade foi sendo sugada de volta a Ibibitu-tinganhã, enquanto a Terra voltava a se iluminar.

Nanderú permitiria, entretanto, que raros portais ficassem entreabertos em pontos escondidos das florestas, para que, em ocasiões especiais, alguns entes fantásticos ainda transitassem pelos dois mundos. Em sua suprema onisciência, ele sabia que, para lembrar aos homens da necessidade de luz, é sempre necessário lhes fazer conhecer a profundidade das trevas.

Ao ser sugada para o portal mais próximo, a bruxa conseguiu lançar um último feitiço. Dois lobisomens foram puxados para os portais. De um deles, o espírito demoníaco foi arrancado, e a figura humana caiu no solo. Era Quinzinho, o peão da fazenda que sumira na floresta. O outro lobisomem lutava e esperneava para não ser arrastado para o portal. De seu corpo começou a se afastar o espírito maligno que o atormentava, revelando a imagem de Tobias; no entanto, seu coração e sua mente estavam tão repletos de perversidade que o mal não se desprendeu dele e o arrastou consigo ao portal que se fechou logo em seguida.

Diante da luz do sol que voltou a inundar a Terra, as últimas trevas se escoaram pelos portais. Aqueles entes fantásticos benignos à Mãe-terra, Nandecy, não foram sugados. Foram deixados para continuar vivendo nas florestas a fim de protegê-las. Tão logo perceberam que a luta havia terminado, embrenharam-se na mata densa e desapareceram.

Quando a luz atingiu a floresta e as trevas desapareceram levando consigo seus entes demoníacos, os índios festejaram ao lado do pessoal da Fazenda Bela Vista. Sorrisos estampavam os rostos e uma felicidade imensa perpassou por todos eles ao contemplar o dia, a luz do sol, o céu claro e límpido, o mundo real e vivo novamente. Estavam vivos. A vida era uma dádiva.

Entretanto, entre os rostos alegres havia alguém sério, com a expressão fechada. Era um dos índios. Em sua língua, gritou aos companheiros:

– Olhem para eles – apontou para Pedro e seus amigos –, são brancos. Se continuam aqui, também os angaipás continuam em nossas terras. Não foram sugados pelos portais como os demônios.

Os índios pararam seus festejos. Ficaram olhando os brancos sem pronunciar palavra. Uma grande decepção parecia ter-se infiltrado em suas esperanças.

– Ainda teremos de enfrentá-los – adiantou-se um deles, mais afoito. – A guerra ainda não terminou.

– Sem a ajuda destes brancos – ponderou Membirabitu, agora afastado de Pedro e junto aos seus –, nunca teríamos vencido a escuridão.

– Se eles não foram sugados pelos portais, são homens como nós – retrucou outro índio. – Talvez exista bondade em seu meio. Talvez possamos esperar, ainda que num futuro distante, alguma empatia, respeito e compreensão por parte deles.

– Eles nos perseguem – continuou o primeiro que falara. – Matam nossa gente. Tratam-nos como animais. Nunca irão nos compreender. Teremos de guerrear até vencê-los... Ou até que o sangue do último de nós se derrame.

Pedro e seus amigos ficaram calados. Havia medo em seus corações. Uma névoa pareceu começar a envolver os índios.

Membirabitu amainou a desesperança de seus companheiros:

– Por hoje, festejemos a vitória comum, meus irmãos. Amanhã pensaremos nos inimigos. – E, voltando-se para Pedro, perguntou:

– Em sua época há paz entre nossa gente?

Pedro o fitou em silêncio. Sentia-se estranho. Sua cabeça doía, os olhos nublavam-se, o corpo parecia enrijecer. Lembrou-se das aulas de história, das reportagens que lera em revistas ou assistira na TV. Desde que os brancos europeus chegaram ao Brasil, as populações indígenas foram sendo dizimadas ao longo dos séculos. As poucas terras que lhes restaram ainda eram alvo de caçadores, madeireiros, garimpeiros, grileiros e todo tipo de pessoa mal-intencionada. Isto sem falar da cobiça de governos e empresas. Nunca houve paz duradoura. Nunca houve compreensão absoluta. Enquanto olhava Membirabitu e seus companheiros esperando uma resposta, lágrimas lhe escorreram do rosto. Não poderia mentir.

Como posso lhes dizer a verdade? Como posso lhes explicar que a ambição dos brancos ainda é insaciável?

Membirabitu o compreendeu. Assentiu com um gesto quase imperceptível. Ele já sabia a resposta. Soube bem antes, enquanto suas memórias estavam unidas. Recusara-se a acreditar. Quando voltou a falar, sua voz estava carregada de resignação, embora ainda demonstrasse a força da dignidade de seu povo.

– Fique em paz, meu amigo – ele disse –, fiquem em paz todos vocês.

– Membirabitu! – gritou Pedro, sufocando as lágrimas, tentando correr em sua direção, mas sentindo-se imobilizado. Era tarde demais.

Manoel, Caio e Jair. Liana, Cláudia e Antônio. Dona Geralda e Inácio. E ainda Quinzinho, que viera para próximo deles desde que se vira livre da maldição do lobisomem. Todos viram desaparecer no ar os guerreiros e protetores indígenas, e os espíritos animais. Também as armas, o cachimbo e o caldeirão sagrados.

As árvores recuperaram seu viço, novas folhas despontaram e cresceram. Os animais da floresta se retiraram. Na clareira ficou apenas o pessoal da fazenda, sob um teto azul, cercado de verde.

Então perceberam, no centro do círculo sagrado, algo horrível. O último feitiço lançado pela bruxa antes de ser sugada pelo portal atingiu alguém próximo. A ausência da bruxa retardou mas não impediu o efeito do feitiço. Tão logo notaram, a dor se estampou em seus rostos.

Cláudia sentiu o coração se apertar no peito, e as lágrimas lhe escaparam quando viu a estátua de pedra em que se transformou aquele que foi atingido pelo feitiço da bruxa.

– PEDRO...! – ela lamentou. – Meu Deus, não. Pedro!

Marcela havia sido a primeira a perceber o que acontecera. Desde então, se abraçou ao que fora Pedro. A estátua, fria e indiferente às suas lágrimas, apelos e lamentos, não continha qualquer traço de vida. Sem forças, ela escorregou e ficou ali, caída aos pés da estátua, num infindável lamento pelo trágico destino que o alcançara.

O Sonho

A sirene e as luzes da viatura quebraram a tranquilidade da Fazenda Bela Vista. Um dos policiais desceu do carro e, sem esperar ser atendido, abriu a porteira para passar, sem se incomodar em voltar a fechá-la. Estacionou o mais próximo possível da casa-grande. Era noite.

Apenas poucas horas antes, o pessoal havia chegado de volta na fazenda, vindos da clareira na floresta. Teriam tido todo o incidente como uma grande ilusão, não fosse a estátua de pedra a confirmar tudo o que acontecera. A estátua. De pedra. Pedro.

Naquele momento na floresta, chegando o crepúsculo, Antônio, com o semblante abatido e os olhos vermelhos, alertou:

– Não podemos passar a noite aqui. Temos de voltar para a fazenda. A estátua não se moverá. Quando amanhecer, podemos voltar.

Ninguém queria voltar. Mas Manoel, temendo qualquer perigo, assim ordenou.

Ficaram longo tempo na sala, cada qual tristemente quieto e isolado a um canto. Quando Cláudia e Manoel visualizaram as luzes da viatura e ouviram a sirene, primeiro levaram muito susto. Depois, Manoel se lembrou de que ele mesmo havia se comunicado com a polícia naquela manhã, ao desconfiar que alguém estivera na casinha que parecera abandonada. Ainda havia o fato de depois ter visto Tobias pela estrada. Tranquilizou Cláudia.

Manoel tentou se recompor sem muito sucesso. Foi atender aos policiais que agora batiam palmas em frente da casa. Manoel estranhou a visita dos policiais àquela hora, próximo da meia-noite. Cláudia ficou na varanda, observando. Os demais continuaram na sala prostrados. Um dos policiais tinha o cabelo escuro e era gordo. O outro era magro e loiro. Ambos tinham o cabelo bem aparado e aparentavam estar na casa dos trinta e poucos anos de idade.

– Pois não, senhores – disse, passando pelo jardim e saindo ao pátio.

Foi o policial gordo quem respondeu:

– Estamos à procura de Manoel... Manoel Otoni Carvalho.

– Sou eu, senhor.

– Estamos fazendo rondas pelas estradas da região. Vimos que havia luzes acesas na casa. O senhor não se importa se conversarmos um pouco, não é?

Manoel não quis ser indelicado e disse, sem qualquer convicção:

– Não, acho que não.

– O senhor relatou hoje cedo por telefone que encontrou, alguns quilômetros abaixo, a casinha à beira da estrada arrombada e suja de sangue, não é?

– Sim, senhor. Foi bem cedo pela manhã. Eu voltava da cidade. Fui ao hospital levar minha esposa que passava mal. Quando retornamos, vimos as viaturas estacionadas no início da estrada de terra. Parei o carro e soube do que tinha acontecido ali. Voltei a pegar a estrada em seguida.

– Aí parou na casinha... – emendou o policial. – Por quê?

– Houve um furto aqui noutra noite, senhor. Então, quando percebi uma luz dentro da casinha, desconfiei. Dias antes ela estava vazia. Os vizinhos dali disseram que raramente seu dono é visto. Desci do carro e chamei, mas ninguém atendeu. Resolvi dar a volta pelos fundos, então vi a porta arrombada, o chão cheio de sangue, e uma vela quase no fim ainda queimando debaixo da pia.

– Hum... isso é tudo? Não viu ninguém mais?

Manoel hesitou por um momento. Não sabia se deveria dizer sobre Tobias. O policial insistiu:

– Houve mais alguma coisa?

– Quando saí de lá, vi um vulto na estrada, no meio da névoa. Havia muita névoa pela manhã, aliás. Ele correu quando avistou o carro. Achei que fosse um dos bandidos que roubaram a fazenda. Corri atrás dele. Lutamos, mas ele conseguiu escapar para a floresta.

– O senhor é carioca, não é?

– Sim. Meu sotaque denunciou?

– Sem dúvida. O que faz por aqui?

– Esta fazenda... – hesitou, escolhendo as palavras – ...é minha. Venho de vez em quando visitá-la.

– Este homem que você disse... Como ele era?

Manoel descreveu a aparência de Tobias, sem, contudo, pronunciar seu nome.

– É ele – disse o outro policial que ficara calado, apenas observando a conversa. – É o mesmo homem que vi quando segui a trilha dentro da floresta. Parecia suspeito. Eu ia prendê-lo quando... quando...

O policial gordo retomou a conversa continuando o interrogatório.

– ...algo aconteceu e o impediu – completou. – Onde o senhor esteve durante todo o dia? Parece exausto. Estivemos por aqui mais cedo. Apenas Bira, o filho de Antônio, estava presente. Não havia ninguém mais, nenhum de vocês.

– Estávamos todos na floresta.

– Fazendo o quê?

Manoel respirou fundo. Não sabia o que dizer.

– É uma longa história. O senhor não acreditaria. Ninguém acreditaria. Eu mesmo me recuso a acreditar.

O policial magro e loiro se aproximou. Havia um brilho diferente em seus olhos. A resposta de Manoel pareceu atingi-lo em cheio.

– Já vimos muitas coisas estranhas por hoje, Sr. Manoel. Inacreditáveis. O eclipse total, por exemplo. A mídia noticiou que haveria apenas um breve e parcial eclipse. Mas o dia virou noite... Durou horas... Causou pânico na cidade. Aquele raio que durou quase um minuto... destruiu todas as comunicações do município... Nada funciona desde pouco antes de meio-dia – rádio, TV, internet, telefones fixos e celulares... Inclusive o rádio de nossa viatura se estragou. Em todo lugar será necessário repor antenas, substituir aparelhos transmissores e receptores.

– Os corpos foram destroçados – disse o policial gordo, de cabelos escuros –, pareceu coisa de algum animal selvagem, mas não conhecemos nenhum animal que pudesse fazer tamanho estrago. Rompeu tendões e músculos como se tivessem sido desarticulados por lâminas afiadas.

– Conte-nos o que sabe – insistiu o policial loiro.

Manoel silenciou, refletindo sobre o que ouvira. Os eventos ocorridos haviam sido percebidos pela população. Talvez não apenas na cidade, talvez no mundo inteiro. A noite em pleno dia. O eclipse total.

Hesitou ainda uma vez, balançando levemente a cabeça de um lado para o outro.

– Vocês não irão acreditar. É loucura.

O policial loiro chegou mais perto, olhou-o nos olhos e disse:

– Eu vi... na floresta... quando ia prendê-lo... ele se transformou em algo... não acreditei no que via... um monstro... saído das ficções, do imaginário popular... mas estava ali bem na minha frente, horrendo e feroz. Um... lobisomem. Algo o atraiu. Passou por mim, derrubando-me. Atirei, mas ele não se deteve. Se o tivesse feito, receio que não estaria aqui agora.

– Eu vi no que ele se transformou – admitiu Manoel.

– Encontramos uma bolsa com documentos e pertences pessoais dele. Seu nome é Tobias. Você o conhece?

Ao ouvir o nome, Manoel não conseguiu disfarçar sua aversão.

– Infelizmente, sim.

- É seu amigo?

– Não. Digamos que bem o oposto disso.

– Até o momento, ele é o principal suspeito dos assassinatos ocorridos.

Manoel olhou para a casa. Cláudia ainda estava na varanda. Nos cômodos acima, algumas luzes estavam acesas. Alguns já haviam ido aos seus quartos para dormir. A noite seria longa.

– Conte-nos o que sabe – insistiu o policial.

– Senhores – disse Manoel, acenando para que o acompanhassem –, vamos para a varanda ali. Podemos nos assentar e conversar mais à vontade.

De todas as faces jovens que se viam na sala da fazenda, a de Marcela era a mais sofrida. As pálpebras inchadas e os olhos vermelhos revelavam não só as lágrimas desprendidas por longo período, mas também a tristeza e a dor de uma solidão recém descoberta.

A cada instante, a dor se renovava com as lembranças do que ocorrera e da crua realidade de nunca mais estar ao lado de Pedro.

Sentiu as duas mãos afetuosas de Liana se estenderem para um abraço amigo e solidário. Deixou-se conduzir ao quarto. Deitou na cama fria, aquecendo-a com o próprio corpo. Um cobertor cheirando a alfazema lhe foi estendido. Ela enrolou-se numa posição fetal, triste e exausta, e chorou até cair num sono profundo.

Era noite ainda. Estava deitada na grama macia admirando a noite. Vestia apenas uma tanga de folhas em seu corpo moreno. Os cabelos cascateavam soltos escorrendo pelos ombros, em frente aos seios e em suas costas. Um colar de sementes coloridas e uma guirlanda de flores azuis lhe enfeitavam a cabeça. As estrelas reluziam no céu negro e distante. Havia um tipo de paz, uma paz que não saberia definir como alcançara, mas ela estava ali e era quase palpável. Ficou por muito tempo apenas admirando o céu, imóvel. Sem desejos, sem prantos. Apenas a plenitude de uma paz inexplicável.

Lembrava-se ainda de Pedro, mas algo lhe dizia que tudo estava bem, e a paz... a paz era uma plenitude imensa que preenchia sua solidão e suas carências. Proporcionava-lhe felicidade. Ela não se mexia. Apenas observava.

O brilho de algumas estrelas cresceu, tornou-se mais nítido. Elas dançaram num círculo pulsante. Eram sete, ela contou.

A figura de Membirabitu surgiu no céu. Ele apontou para o círculo de estrelas. Depois, desvaneceu no ar como surgira.

Um breve respirar; em seguida, no seu lugar, o rosto de Pedro.

Ela sorriu.

O círculo de estrelas parou de girar. Postou-se acima da cabeça dele. Uma coroa de estrelas. Para um príncipe. O seu príncipe.

Ele sorriu e chamou seu nome. O brilho das estrelas aumentou por um momento.

O rosto foi se desvanecendo.

Ela gritou por ele, mas no céu já não havia mais nem rosto nem estrelas.

Acordou assustada e sozinha no quarto escuro, o pranto a alcançando na velocidade de suas lembranças. Decidiu que tinha de voltar à floresta. Tinha de estar lá, com ele, Pedro. Não poderia deixá-lo só, perdido e isolado na clareira.

Levantou-se, calçou apenas os chinelos e se foi noite adentro.

– ...os pajés entraram no círculo sagrado... – Manoel contava a história do que presenciara durante aquele dia. Os policiais ouviam atentos, prestando atenção em cada palavra.

Cláudia observou um e outro rosto. Suas expressões manifestavam surpresa e incredulidade, conforme previra Manoel. Não o interromperam, porém.

– ...o raio partiu da terra para o céu...

A atenção de Cláudia se dispersou. Seus olhos marejaram quando se lembrou de Pedro. Fez um esforço para não chorar ali na frente de dois estranhos. Olhou para fora da varanda, os pensamentos distantes, pensando no rumo que suas vidas tomaram nos últimos dias.

Começou a cochilar. A conversa dos policiais parecia que duraria para sempre. Não se cansavam de ouvir Manoel e lhe fazer perguntas. Talvez estivessem apenas jogando tempo fora, fazendo escorrer mais rápido as horas de seu turno de trabalho. Entre um cochilo e outro, de repente, seu olhar percebeu, mas sua mente não interpretou, um tecido prateado dançando ao vento em ondas.

– ...animais ferozes...

Ficou contemplando aquilo, distraída, um facho de tênue luz dançante na semiescuridão. Sua mente distante pareceu estalar quando se tocou da insensatez do que observava. Arregalou os olhos, tentando discernir o que era aquilo.

– ...sugados pelos portais...

Cláudia estremeceu, totalmente desperta, quando por fim discerniu o que se passava: Marcela, de camisola, corria, afastando-se da fazenda, perdendo-se na noite.

– ...numa estátua de pedra...

– MARCELA! – ela gritou, desesperada, levantando-se abruptamente da cadeira, assustando os homens, observando os reflexos de luz sumirem na escuridão.

Cláudia começou a correr atrás dela, seguida dos homens, quando uma outra viatura da polícia chegou ao local com o giroflex ligado, as luzes vermelhas e azuis varrendo o ambiente. Dois policiais saíram rapidamente, nervosos, de armas na mão, e gritaram:

– PARADOS AÍ, TODOS VOCÊS!

Cláudia parou de correr, contrariada. Não viu nada mais à frente. Somente escuridão.

Marcela se fora.

– MANOEL, É VOCÊ? – gritou um dos policiais que acabara de chegar.

– Sim, sou eu – ele respondeu.

– VOCÊ ESTÁ PRESO!

Uma nova manhã despontava quando a viatura da polícia parou com Manoel em frente à delegacia de polícia da cidade de Santos Dumont. Pareceu-lhe como todas as outras que já havia visto antes em outras cidades: desorganizada, impessoal e nem um pouco agradável.

Cláudia fora dirigindo o carro de Manoel. Agora o acompanhava ali, sentada a seu lado enquanto aguardava o delegado. A ordem de prisão fora expedida pelo juiz de uma das varas criminais da Comarca do Rio de Janeiro, chegada por precatória e assinada pelo juiz da vara criminal de Santos Dumont, num pedido de prisão preventiva feito pelo delegado do *Caso Maçom*. Manoel pediu para dar um telefonema para seu advogado. Não lhe negaram, mas disseram para aguardar o delegado que ainda não havia chegado.

As horas se arrastaram. Manoel foi levado a uma cela, e Cláudia preferiu esperar do lado de fora da delegacia, dentro do carro, de onde podia observar aqueles que chegavam.

Absurdo, ela pensou, *deveria sempre ter uma equipe completa de servidores públicos, a qualquer horário, em todos os órgãos do Estado, à disposição da população.*

Teve de engolir o fato de qualquer forma. Era assim que as coisas aconteciam. Não havia nada que pudesse fazer a não ser esperar. Ela, no carro. Manoel, numa cela. Esperar. E continuar esperando.

Marcela ainda a preocupava.

Para onde foi aquela menina, que se apaixonara por Pedro e agora sofria com o destino dele tanto quanto nós?

Num primeiro momento, Manoel resistira a ser preso. Argumentara que precisava ir atrás de Marcela. Os dois primeiros policiais com quem vinha conversando na varanda o tranquilizaram, dizendo que iriam atrás dela e a trariam de volta sã e salva. Ele não teve outra alternativa senão a de se entregar.

Cláudia conseguiu contatar o advogado das empresas do falecido Jonas, Dr. Plínio Miranda. Relatou-lhe os acontecimentos. Ele se dispôs a tomar todas as providências cabíveis o mais rápido possível.

O dia arrastou-se para Manoel. Apenas no final da tarde foi levado ao gabinete do delegado. Conversaram sobre o roubo na Maçonaria. Manoel disse sua versão dos fatos, e o delegado, acostumado a ouvir tantas mentiras e desculpas de muitos acusados, não se abalou nem um pouco com a história que lhe foi contada. Não percebeu em Manoel, contudo, os costumeiros gestos conflituosos e as contradições que tantos réus deixavam escapar quando depunham. Achou que ele *poderia* estar dizendo a verdade. Com a ordem de prisão, entretanto, não lhe cabia ponderar nada sobre o caso. Apenas mantê-lo preso. Quando começou a explicar isso a Manoel, o escrivão bateu na porta e a abriu devagar, pedindo licença, e lhe entregou um mandado judicial que acabara de chegar.

O delegado o leu. Olhou para Manoel e voltou a ler minuciosamente seu conteúdo.

O telefone da mesa tocou. Era o escrivão novamente. Disse que estava na linha um tal Dr. Plínio Miranda, advogado do Rio de Janeiro, defensor de Manoel. Trocaram algumas poucas palavras. O delegado pediu que aguardasse um momento na linha e colocou o aparelho em cima da mesa, sem desligá-lo. Chamou o escrivão pelo interfone.

– Você falará com seu advogado agora, Manoel. Deixarei que ele o informe dos recentes acontecimentos.

O escrivão chegou na sala. O delegado assinou o madado e ordenou que, enquanto ele iria tomar um café, desse cumprimento à mais recente ordem judicial sobre o caso. Levantou-se. Antes de sair da sala, voltou-se para Manoel:

– Pode atender o telefone agora, Manoel.

Ansioso, com as mãos tremendo, Manoel pegou o aparelho.

– Alô? Dr. Plínio?

– Oi, Manoel! Passou um mau pedaço por aí, não? Cláudia me ligou pela manhã. Por sorte, eu estava próximo à delegacia aqui de sua região. Conversei com o detetive e o delegado do *Caso Maçom*. Escuta só o que eles me contaram.

A Investigação

Numa tarde comum na região da Barra da Tijuca, no Rio de Janeiro, o zelador do condomínio de casas de luxo passeava pelo jardim interno da propriedade, aproveitando o tempo para verificar se os empregados haviam desempenhado bem suas tarefas. Tinha solicitado aos jardineiros e garis um esforço redobrado. Haveria uma festa ao ar livre em breve, e era hora dos proprietários prestarem mais atenção nas áreas internas e jardins, os quais normalmente lhes passavam despercebidos em seus dias corridos. Ficou satisfeito ao ver toda a grama aparada, as plantas livres de folhas velhas e amareladas, e as diversas flores coloridas contra o fundo verde. Os jardineiros haviam feito um bom serviço, bem como o pessoal da limpeza. Os pátios internos estavam impecáveis. Sequer via uma folha seca ou um papel de bala jogado no chão pelas crianças.

Caminhou mais um pouco e foi em direção à pracinha que ficava entre duas casas, com o muro do condomínio aos fundos. Era bem romântica, com decoração colonial, muitos canteiros de flores e um pequeno chafariz.

Era o local preferido dos casais. Sentavam-se nos bancos de madeira ou na grama, debaixo da sombra das árvores ou nas bordas do chafariz. Sentiu-se satisfeito ao avistar de longe as belas rosas vermelhas, as margaridas e as magníficas flores rosas e azuis das hortênsias, cercadas por outras espécies que complementavam o ar bucólico do local.

De súbito, enxergou uma poça se estendendo por um dos lados do chafariz. Aumentava a cada instante pelo fio de água que escorria de uma trinca na parede do chafariz. Arrancado abruptamente da satisfação com que se comprazia, viu-se atirado num inferno de raiva e imprecações. Havia sido claro ao instruir o pedreiro que contratara no início da semana: aquela trinca deveria ter sido preenchida, o vazamento extinto, e o problema solucionado a tempo. Agachou-se para observar melhor o que acontecera e, enquanto constatava que havia sido enganado, ouviu o tumulto.

Três vans com homens armados adentraram o condomínio. Os seguranças foram rendidos e levados junto com moradores para serem trancados no almoxarifado. Outro grupo de homens armados assaltava as casas. Retiravam qualquer coisa de valor e empilhavam do lado de fora. Uns vigiavam, enquanto outros carregavam os carros com os produtos roubados. Ainda agachado, o zelador decidiu se esconder. Não o haviam percebido. Esgueirou-se para detrás de uma grande árvore próxima ao muro. E escondeu-se entre os arbustos. Dali ligou de seu celular para a polícia.

Para sua surpresa, a polícia foi rápida na resposta. Cinco viaturas apareceram e ilharam os assaltantes. Houve troca de tiros. Muitos bandidos foram alvejados e o zelador viu seus corpos caírem sem vida. Alguns, temendo a morte, se entregaram, deitando no chão de bruços, com os braços e pernas abertos, desarmados e imóveis. Muitos ainda resistiram. Do helicóptero militar que chegou pouco depois, partiram tiros. Acertaram as casas, estilhaçando vidros e criando cicatrizes nas paredes, e tiraram a vida dos demais assaltantes que resistiram à prisão.

Os bandidos que se entregaram foram algemados e presos. O assalto fora frustrado, mas suas marcas ainda perdurariam por bastante tempo, fosse nas construções ou nas memórias daqueles que o presenciaram.

No dia seguinte, a vida voltou ao normal. Pela manhã, Gigi, uma socialite de meia-idade, passeava com sua cachorrinha pelo condomínio. Passava em frente a uma casa que quase sempre ficava fechada quando uma cobra apareceu do nada e picou seu animal de estimação. A cachorrinha se contorceu de dor enquanto o veneno fazia efeito em seu sangue. Gigi gritava horrorizada, quase desmaiando de pavor enquanto a cobra abocanhava a cachorrinha, tentando engoli-la.

O zelador ouviu os gritos da mulher e veio correndo ao seu socorro. Percebeu não só a cobra que devorava a cadelinha, como também outras espalhadas ao redor. Uma delas estava no alto de um muro. A casa pertencia a um senhor que vivia sozinho; há vários dias não fora visto.

A mulher continuava a gritar, e o zelador a afastou do local, procurando acalmá-la. Chamou um dos porteiros do condomínio e mandou que, enquanto providenciava o isolamento daquela área, efetuasse ligação telefônica para a retirada das cobras. O porteiro estancou.

– Ligar para onde? – ele perguntou.

O zelador se sentiu pego de surpresa.

– Ligue... para... Ora, ligue para... – pensou por instantes e, irritado, completou:

– Ligue para a polícia, os bombeiros, o Ibama, o zoológico, ou para o diabo de um caçador de cobras. Se vira! Alguém tem que tirar aquelas cobras de lá.

Cansado de folhear as pilhas de processos, o Detetive Silva se levantou de sua mesa para tomar um café e espairecer a mente. Atravessou a rua em frente à delegacia e encaminhou-se para o costumeiro bar onde o pessoal da polícia civil fazia seus lanches, gastando seu tempo durante e entre um e outro turno de trabalho. O atendente gordo e calvo lhe serviu num copo ordinário o café recém colocado na garrafa. Sentou-se ao balcão, procurando não pensar em nada, quando ouviu dois policiais militares conversando sobre o ataque de bandidos a um condomínio de luxo no Rio. Silva havia visto as notícias no telejornal e pouco se interessou. A conversa continuou e, ainda que não quisesse, ouviu o que diziam:

– Agora pela manhã está havendo uma algazarra neste mesmo condomínio. Ficou sabendo?

– Não, o que houve?

– Parece que tiros do helicóptero atingiram um viveiro clandestino de cobras, dentro de uma das casas de luxo. As paredes de vidro do viveiro quebraram e as cobras saíram da casa e se espalharam pelos jardins do condomínio.

– As cobras chegaram a picar alguém?

– Não, a polícia e o Ibama foram chamados. Provavelmente as cobras serão levadas para um zoológico ou soltas em alguma área de preservação ambiental.

– E de quem eram as cobras?

– O repórter disse que o proprietário da casa, um empresário de nome Tobias, não foi encontrado e, segundo o zelador entrevistado, há dias ele não aparece por lá. Talvez esteja viajando.

O detetive Silva quase se engasgou com o seu café ao ouvir o nome de Tobias.

– Desculpe – ele disse, se intrometendo na conversa –, o nome que você disse, do empresário... é Tobias Romano?

O policial tentou se lembrar.

– O sobrenome não sei... Só não me esqueci do nome Tobias porque quando eu era criança eu tinha um cachorrinho com nome de *Tóbi*, sabe? Então ficou fácil lembrar o nome dele. É Tobias, com certeza.

Não pode ser, pensou Silva, *deve ser outro Tobias. Há muitas pessoas com o mesmo nome por aí.*

Voltou rapidamente para seu escritório, pegou da mesa de trabalho o endereço do Tobias Romano, digitou no navegador de internet o endereço de um sítio de localização geográfica e espantou-se ao ver o resultado.

Tobias Romano morava num condomínio na Barra.

Enquanto juntava as informações, pensava que a Maçonaria possuía suas próprias leis e punia severamente os membros transgressores. A expulsão da entidade também era pena prevista para os casos mais graves.

Anotou o endereço, foi para a sala do delegado e o convenceu a pedir uma ordem judicial de arrombamento da residência. Naquele mesmo dia, com o mandado judicial nas mãos, partiu para lá, acompanhado de dois outros colegas policiais.

Após derrubarem a porta, foram recebidos por várias cobras espalhadas pela casa. O Ibama havia recolhido aquelas que estavam na área externa da casa e do condomínio. Não imaginaram que algumas pudessem ter entrado na casa através das janelas quebradas da residência.

Pulando de um local para outro a fim de evitar os répteis, o Detetive Silva encontrou, próximo ao viveiro onde ficavam as cobras, um pequeno laboratório químico. Ali havia um anel com uma seringa minúscula e veneno de cobra em frascos.

Num cômodo que servia de escritório, um outro policial encontrou, dentro da gaveta de uma cômoda, munição para revólver. Deduziram que a arma deveria estar em poder de Tobias, pois não estava ali. Encontrado um cofre, arrombaram-no com uma furadeira e descobriram que ele estava cheio de dinheiro e pedras preciosas. Havia também uma caderneta preta, de capa dura, com espiral de aço.

Mais tarde, ao se averiguar a relação de valores roubados, ficou claro: os valores encontrados eram da loja maçônica. Já a caderneta se revelou ainda mais valiosa: havia informações, anotadas em códigos usados por bandidos, sobre o esquema de tráfico em muitas das favelas do Rio de Janeiro. Havia muitos nomes ali relacionados – inclusive o de um conhecido segurança, policial aposentado, também dono de um lava-jato.

O Detetive Silva sorriu para si mesmo. Tudo ficou claro em sua mente. Marcara mais um ponto em sua carreira. Deixaria a caderneta para seus colegas do departamento de entorpecentes. Teriam muito a fazer. Seu desejo voltou-se apenas para um objetivo.

Iria adorar prender aquele sujeito, Tobias Romano.

Estrelas e Caititus

— Quer di-di-zer en-en-tão... – Manoel gaguejou.

– Que você está livre, meu amigo. Todas as provas apontam para Tobias. Ele já foi indiciado. É o réu do processo. A secretaria do tribunal acabou de enviar um mandado aí para a delegacia onde você está. É um alvará de soltura, resultado de um pedido de habeas-corpus que impetrei imediatamente solicitando que sua prisão fosse revogada. Foi assinado pelo juiz competente. Vai sair daí agora.

Manoel sentiu uma grande sombra abandonar seus pensamentos.

– Obrigado, Dr. Plínio. Não tenho palavras para expressar meu agradecimento. Muito Obrigado.

A noite havia caído quando alcançaram o início da estradinha de terra, onde se situava o grupo escolar e a igreja da região de Perobas em Santos Dumont. Manoel avistou uma viatura da polícia. Diminuiu a velocidade e reconheceu os dois policiais com quem conversara longamente na varanda da fazenda na noite anterior. Faziam ronda pelo local. Fizeram sinal para que parasse.

– Você está livre – disse o policial gordo.

– Eu lhes disse que era inocente, não disse? Estão patrulhando a região?

– Um pedido dos moradores. Ainda estão se sentindo inseguros com o que houve.

Cláudia os interrompeu:

– Marcela. Como ela está? Conseguiram alcançá-la e a levar de volta à fazenda?

Os dois policiais se entreolharam. O policial loiro e magro se limitou a dizer:

– Nós a deixamos em segurança na fazenda. Podem ficar despreocupados...

– E a verdade? – perguntou Manoel. – Sobre tudo aquilo que lhes contei? Acreditam agora?

– Sabemos o que vimos – disse o policial gordo –, mas é impossível alguém acreditar nisso. Acreditar exige uma fé que não temos. Nem nossa sociedade.

– Mas... – Manoel procurou as palavras – ...como vão relatar o caso?

– Um lobo selvagem e feroz foi o causador das mortes. Nós o caçamos, não foi? Ele está morto! É tudo o que será relatado.

– Vão esconder a verdade?

O homem loiro disse:

– Nosso mundo... não está preparado para... a verdade.

– Eu entendo – disse Manoel, despedindo-se e colocando o carro em movimento –, talvez seja melhor assim.

Quando estacionou para abrir a porteira que dava acesso ao pátio da Fazenda Bela Vista, Manoel e Cláudia viram de longe a fogueira acesa e o pessoal reunido ao redor. Conversavam bastante e riam, comemorando alguma coisa.

– Que absurdo! – disse Manoel. – Como podem ser tão insensíveis assim?

– Estão comemorando... alguma coisa – respondeu Cláudia.

– Não têm um pingo de discernimento? Não estão pensando em nossos sentimentos? Esqueceram-se de Pedro?

– Calma, Manoel – Cláudia tentou apaziguá-lo –, talvez pensem que realmente tenham de comemorar. Veja, o mundo foi salvo e Quinzinho está vivo. Não é pouco, diante do que passamos.

Manoel calou-se e tentou se acalmar. Pedro era sua responsabilidade. Não do pessoal da fazenda. Tampouco daqueles garotos que vieram do Rio de Janeiro. Iria fazer algo. Procurar alguma forma de quebrar o feitiço da bruxa e trazê-lo de volta.

Se Quinzinho voltou são e salvo, pensou, há de existir esperança para Pedro.

– Tudo bem, Cláudia, você tem razão. Não vamos deixar que nossa dor incomode a alegria deles.

Quando chegaram no pátio, o pessoal os aplaudiu e os abraçou, contentes com sua chegada. Ambos não conseguiam compreender como podiam estar assim, tão felizes.

Talvez, pensou Cláudia, estejam comemorando a última noite na fazenda. Pelo que sabia, no dia seguinte os amigos de Caio e Pedro voltariam ao Rio de Janeiro.

Cláudia perguntou por Marcela a cada um.

– Ela está vindo – era a mesma resposta que davam.

Cláudia perguntou para Jair, que estava mais próximo:

– A que horas aquele jipe voltará para pegá-los?

– Após o almoço. Lá pela uma hora da tarde. E vocês, quando retornarão ao Rio?

Cláudia olhou para Manoel, dando a entender que era ele quem responderia à pergunta.

Manoel hesitou. Não sabia o que responder.

– Decidiremos isso depois. – Fez uma pausa e continuou: – Antes vou levantar cedinho um dia desses e ir pescar. Estou devendo uns peixes ao Dr. Plínio...

Inácio aproximou-se de Manoel e disse:

– Que tal montarmos uma excursão turística aqui para a fazenda? Muita gente vai gostar de conhecer esse local.

– Converse com Antônio – disse Manoel. – Ele é o empresário da Fazenda Bela Vista. É ele quem cuida dos negócios.

– Se precisarem de uma matéria no jornal – disse Jair – sobre a excursão turística, contem comigo. Na verdade, estou até pensando em fazer uma reportagem sobre as fazendas da época do império, tanto aqui de Minas como do resto do país. Acho que será uma reportagem muito inspiradora.

– Interessante! – disse Cláudia. – Se fizer isso, quero assisti-la. Como professora, estou sempre procurando novas formas de ensinar história aos alunos, e uma matéria assim será algo muito proveitoso.

– Rapaz – disse Inácio – com tudo que você anotou e filmou não precisa ficar só numa reportagem. Pode aproveitar e publicar um livro de contos, um áudio-livro, um documentário em vídeo...

Jair deu um sorriso tímido.

- Sabe que não é má ideia? O que você acha, Cláudia?

– Acho uma ótima iniciativa! Você estará contribuindo bastante com a cultura nacional. Só não se esqueça de nos comunicar. Estaremos presentes em todos os eventos, e claro, ajudaremos na divulgação.

Por fim, Marcela apareceu na varanda da casa-grande. As atenções se voltaram para ela. Trazia em suas mãos o livro de Dom Afonso. Estava linda e serena, trajando um vestido azul, os cabelos, em parte presos, num coque e, em parte, cascateando soltos.

Cláudia a olhou longamente, procurando ler seus gestos, suas expressões. Ela se aproximou. O manto de tristeza e dor havia abandonado seu rosto angelical.

Por pouco Manoel até diria que ela parecia... feliz.

Feliz, pensou Cláudia, *ela parece feliz. Mas como, se a deixei aos prantos e a vi pela última vez correndo desesperada para a floresta?*

A voz de Marcela foi o único som a quebrar o silêncio que se instalou.

– Oi, Manoel. Oi, Cláudia. Estou feliz em ver que vocês estão de volta. Tenho algo para lhes contar. Sei que estão cansados. Me deem apenas dois minutos de seu tempo.

Manoel estava arrasado. Sentia um pesar imenso por Pedro, como se este fosse seu filho legítimo. A última coisa que desejava agora era ficar ali no meio de todos, conversando como se nada houvesse acontecido.

– Por favor – ela insistiu, lendo sua expressão –, serei breve.

Segurando Manoel num abraço, Cláudia assentiu pelos dois, também ela estava desanimada, querendo logo entrar na casa e descansar. Sentia ainda uma agonia imensa pelo destino de Pedro.

– Ontem eu tive um sonho – Marcela começou a dizer – e nele havia sete estrelas...

Sozinha na noite, o vento frio tocava sua pele e esvoaçava sua camisola. Ela não o percebia. Apenas corria, veloz. Sua atenção e seus pensamentos estavam voltados apenas numa direção: alcançar a floresta, chegar até a clareira, reencontrar Pedro. Nada mais importava a Marcela. Sequer percebeu os gritos de Cláudia e Manoel chamando seu nome. Nem depois, já na floresta, deu atenção aos gritos dos policiais que vinham em seu encalço. Ela os percebeu, mas tentou despistá-los. Nada poderia impedi-la de alcançar seu objetivo.

A lua crescente iluminava debilmente a paisagem.

Os policiais notaram que a garota não respondia a seus chamados e não queria ser encontrada. Chegaram primeiro à clareira. Admiraram o círculo de pedras. Viram a estátua. Tinha a aparência e altura de um garoto de uns catorze anos, vestido normalmente para a idade. Era de Pedro, segundo Manoel havia contado. Não haviam acreditado, claro.

Ouviram barulho numa das trilhas e resolveram se esconder. Não queriam assustar a garota. Por temer que ela corresse novamente pela floresta, esconderam-se no lado oposto aos passos que ouviram, além das árvores, para não serem vistos. Aguardaram para ver o que ela iria fazer ali.

Passando pelos arbustos para chegar ao espaço aberto, Marcela esbarrou num galho, espantando uma borboleta que saiu voando. Entrou na clareira e caminhou direto para a estátua. Abraçou-a, chamando por Pedro. A frieza e imobilidade da pedra contrariavam seus desejos. Deixou-se cair de joelhos, lamentando a perda do amor que nascera em si.

Lembrou-se, em seu pranto, dentre as histórias que ouvira naqueles dias, que os indígenas conheciam um Deus do Amor, ao qual chamavam Rudá.

Humildemente levantou preces e clamores ao Deus ameraba para que trouxesse de volta à vida aquele por quem seu coração ansiava.

Aos que amam – ela clamava –, *se lhes tirado o amor, nada mais resta para ser vivido.*

Angustiada, Marcela enterrou seu rosto nas mãos espalmadas.

A borboleta esvoaçou ao redor dela, procurando chamar sua atenção, chegando a pousar em sua pele delicada para logo voltar a levantar voo e passar em frente a seus olhos. Num momento, ela assustou-se e, por pouco, não lhe acertou um tapa. Observou-a melhor. Asas azuis, belas e enormes, esvoaçavam de um lado para outro ao seu redor. Lembrou-se do colar de sementes azuis que usava em seu sonho recente. Ficou olhando seu voo, um bailado no ar, até vê-la pousar nas flores brancas de um cipó que se alastrara nos arbustos ao redor da clareira. Não as vira quando ali estivera durante o dia.

Flores da noite, pensou, *flores brancas e puras que só se abrem quando o sol se põe.*

Sua atenção voltou-se para aquele singular momento, quando via o azul das asas da borboleta em meio às flores brancas. Levantou-se e caminhou até elas. Exalavam um perfume adocicado e atraente. As cinco pétalas finíssimas e delicadas eram interligadas e formavam, da borda ao interior da flor, sulcos visíveis que seguiam ao centro no qual se encontravam os pistilos. Marcela arrepiou-se ao enxergar, nos sulcos daquela delicada flor, uma estrela de cinco pontas.

Pensou em colher algumas. Ao tocar uma delas, percebeu a fragilidade de suas pétalas. Se tentasse retirá-la, a despedaçaria. Resolveu, então, pegar um ramo florido do cipó, onde as flores eram mais belas. Com suavidade, separou e cortou um ramo com a ponta da unha. Contou as flores que havia em sua extensão. Sete. Sete flores brancas. Sete estrelas. Como no seu sonho.

Entrelaçou-as num círculo, tomando o cuidado para não as danificar.

Uma coroa de flores. Uma coroa de estrelas.

Uma prece silenciosa elevou-se de seu coração ao Deus Rudá.

Aproximou-se da estátua, seus olhos eram duas fontes de lágrimas cristalinas a lhe escorrerem pela face. Colocou a coroa no alto da cabeça de Pedro, dizendo com a voz embargada de emoção:

– São flores. Flores como as estrelas que vi em meu sonho, meu amor. Por Rudá, Deus do Amor, volte para mim.

Ela fitou por um momento a estátua.

O branco das flores se espalhou ao redor. Uma densa luz branca brotou delas, envolveu toda a estátua e ofuscou por um breve instante os olhos de Marcela, forçando-a a fechá-los.

Quando voltou a abri-los, não acreditou.

Tampouco acreditaram no que viram os policiais que estavam escondidos nas árvores atrás da clareira. A estátua de pedra sumira. Em seu lugar, havia alguém. Um rapaz que não estava ali antes.

Ele abraçava a garota que vinham tentando alcançar.

Manoel e Cláudia estavam confusos.

– Mas, então... – perguntou Manoel. – Pedro... onde ele está...?

Marcela sorriu. Um sorriso iluminado. E gritou:

– PEEDROOO!

Por um momento, apenas os sons dos grilos e do crepitar da fogueira foram ouvidos. Logo o barulho de um tropel de passos pesados foi ouvido à margem da fazenda.

Todos olharam curiosos para as fronteiras da fazenda. Viram, embasbacados, ao largo, uma manada de caititus entrar correndo pelo pátio. No lombo daquele que liderava estava um ser fantástico e poderoso que acenava discretamente para o pessoal.

– É o Curupira – alguém gritou.

– Vixe Maria! – exclamou Dona Geralda.

– Valhei-me São Jorge! – clamou Antônio.

No lombo do segundo Caititu havia também uma pessoa montada.

– Olhem lá! É Pedro! Está montado no segundo Caititu e está acenando para nós.

– Meu Deus, é ele mesmo – disse Manoel, incrédulo, rindo um riso nervoso, os olhos marejando.

– Deus seja louvado! Ele está vivo e bem! – disse Cláudia, não conseguindo conter a emoção que a assolava, as lágrimas já lhe escorrendo pela face.

Os caititus diminuíram a velocidade e foram chegando de mansinho perto do pessoal da fazenda.

A visão do Curupira impressionou a todos. Ele nada disse. Apenas contemplou com benevolência os humanos. Estava grato por terem ajudado a salvar sua floresta.

Pedro desmontou do Caititu e acenou para o Curupira, agradecendo o passeio e se despedindo.

Manoel, Cláudia e Marcela foram os primeiros a correr para abraçá-lo.

O Curupira apenas acenou com a cabeça e regressou à floresta junto de sua manada.

Marcela ainda viu a silhueta do Curupira e dos caititus desaparecerem na noite, antes de ouvir Pedro dizer:

– Agora tenho muito mais histórias para contar.

Bibliografia

Foram fonte de pesquisa ou inspiração para escrever Expedição Vera Cruz:

ALENCAR, JOSÉ DE. *Iracema. Porto Alegre: L&PM, 2002.*

ALENCAR, JOSÉ DE. *O guarani. São Paulo: Nobel, 2010.*

ALENCAR, JOSÉ DE. *Ubirajara. São Paulo: Martin Claret, 2002.*

ANCHIETA, José de. *Carta de São Vicente. Cartas, Informações, Fragmentos Históricos, etc. do Padre José de Anchieta. Rio de Janeiro: Civilização Brasileira, 1933. Outra ed.: Belo Horizonte: Itatiaia/EDUSP, 1988.*

BAERLE, CASPAR VAN. *História dos feitos recentemente praticados durante oito anos no Brasil e noutras partes sob o governo do ilustríssimo João Maurício Conde de Nassau, etc. Rio de Janeiro: Serviço Gráfico do Ministério da Educação, 1940.*

BARRETOS, Augusto Mascarenhas. *O Português Cristóvão Colombo, Agente Secreto do Rei D. João II. Edições Referendo, 1988.*

BEAUREPAIRE-ROHAN, Henrique Pedro Carlos de, Visconde de. *Dicionário de vocábulos brasileiros. Rio de Janeiro: Imprensa Nacional, 1889.*

CARDIM, Fernão. *Tratados da terra e gente do Brasil. Rio de Janeiro: Ed. J. Leite & Cia, 1925.*

CASCUDO, Luiz da Câmara. *Dicionário do Folclore Brasileiro. Rio de Janeiro: Ediouro Publicações S.A, 1999.*

CASCUDO, Luiz da Câmara. *Antologia do Folclore Brasileiro, volume 1, 9. ed. São Paulo: Global, 2009.*

CASCUDO, Luiz da Câmara. *Antologia do Folclore Brasileiro, volume 2, 9. ed. São Paulo: Global, 2009.*

CASCUDO, Luiz da Câmara. *Geografia dos Mitos Brasileiros, 2. ed. São Paulo: Global, 2002.*

CASCUDO, Luiz da Câmara. *Lendas Brasileiras, 7. ed. São Paulo: Global, 2001.*

CASTRO, Silvio. *A Carta de Pero Vaz de Caminha. O Descobrimento do Brasil. Porto Alegre: L&PM, 2009.*

CHIARADIA, Clóvis. *Dicionário de Palavras Brasileiras de Origem Indígena. São Paulo: Limiar, 2008.*

DAEHNHARDT, Rainer. *A Missão Templária nos Descobrimentos. São Paulo: Edições Nova Acrópole, 1991*

DEMURGER, Alain. *Os Cavaleiros de Cristo - Templários, Teutônicos, Hospitalários e Outras. Rio de Janeiro: Zahar, 2002.*

FARAS, João. *A Carta. Rio de Janeiro: Revista do Instituto Histórico e Geográfico Brasileiro, 1843, tomo V nº 19.*

GÂNDAVO, Pero de Magalhães. *Tratado da Terra do Brasil; História da Província Santa Cruz. Belo Horizonte: Itatiaia, 1980.*

GOUVEIA, Daniel. *Folclore Brasileiro. Rio de Janeiro: Pongetti, 1926*

LÉRY, Jean de. *Viagem à terra do Brasil. São Paulo: Livraria Martins Editora; Editora da Universidade de São Paulo, 1972.*

LOBATO, Monteiro. *O Saci-pererê, resultados de um inquérito, São Paulo: Globo, 2008.*

MORAIS, Marcos Vinícius de. *Hernán Cortez: civilizador ou genocida? São Paulo, Contexto, 2011.*

MONTAGNAC, Élize de. *História dos Cavaleiros Templários. São Paulo, Madras, 2005.*

NETO, J. Simões Lopes. *Contos gauchescos e lendas do sul. Porto Alegre: L&PM, 2002.*

PESTANA, Fábio. *Por mares nunca dantes navegados: a aventura dos descobrimentos. São Paulo: Contexto, 2008.*

QUEIROZ, Dinah Silveira de. *A muralha. Rio de Janeiro: Record, 2000.*

SAMPAIO, Anne Raquel. *Enigma dos Portais. Rio de Janeiro: O Autor, 2001*

SAINT-HILAIRE, Auguste de. *Viagem ao Rio Grande do Sul. Belo Horizonte: Itatiaia, 1999.*

SALES, Herberto. *O lobisomem e outros contos folclóricos. 5. ed. rev. Rio de Janeiro: Civilização Brasileira, 1975*

SAMPAIO, Anne Raquel. *Enigma dos Portais em Yakacy: o mistério da senhora das águas. – (Quatro elementos V. 1). Rio de Janeiro, Planin, 2004.*

SEATTLE, Cacique. *Carta ao presidente dos Estados Unidos. Disponível* *em: http://www.brasiloeste.com.br/2012/03/a-carta-do-cacique-seattle/.*

SOUZA, Gabriel Soares de. *Tratado Descritivo do Brasil em 1587. Companhia Nacional, 1971.*

STADEN, Hans. *Duas viagens ao Brasil: primeiros registros sobre o Brasil. Porto Alegre: L&PM, 2010.*

TUFANO, Douglas. *A Carta de Pero Vaz de Caminha. São Paulo: Ed. Moderna, 1999.*

WEHLING, Arno. *Documentos históricos do Brasil. Rio de Janeiro: Editora Nova Aguilar, 1999.*

Outras Mídias:

PINHEIRO, Liliana. *O Olhar dos Viajantes: O Brasil ao natural. São Paulo: Duetto, 2010, vol 1, (História Viva ; 1).*

A Muralha. *Produção Rede Globo de TV. Rio de Janeiro, 2000.*

Três documentos contemporâneos ao descobrimento do Brasil. *Jangada Brasil. Disponível em: http://www.jangadabrasil.com.br/fjan/descobrimento.pdf*

A História Secreta do Descobrimento do Brasil. *Revista Superinteressante. Edição Fevereiro de 1998.*

Dicionário iguarani. *Disponível em: http://www.iguarani.com.*

Wikipédia. *Disponível em: http://www.wikipedia.com.*